D0997099

BEESTACHTIGE ZAKEN

DONNA LEON BIJ UITGEVERIJ CARGO

Duister glas
Vriendendienst
Onrustig tij
Dood van een maestro
Bedrieglijke zaken
De stille elite
Kinderspel
Mijn Venetië
Dood in den vreemde
Droommeisje
Gezichtsverlies
Een kwestie van vertrouwen
De dood draagt rode schoenen
Dodelijke conclusies
Salto Mortale
Acqua Alta

DONNA
LEON

BEESTACHTIGE
ZAKEN

Vertaald door Theo Scholten

CARGO

2012

DE BEZIGE BIJ
Amsterdam

Cargo is een imprint van uitgeverij De Bezige Bij, Amsterdam

Copyright © 2012 by Donna Leon and Diogenes Verlag AG Zürich
Copyright Nederlandse vertaling © 2012 Theo Scholten
Oorspronkelijke titel *Beastly Things*
Oorspronkelijke uitgever William Heinemann, Londen
Omslagontwerp Wil Immink Design
Omslagillustratie Claire Ball
Foto auteur Michiel Hendryckx
Vormgeving binnenwerk Perfect Service, Schoonhoven
Druk Koninklijke Wöhrmann, Zutphen
ISBN 978 90 234 7353 4
NUR 305

www.uitgeverijcargo.nl

Voor Fabio Moretti en Umberto Branchini

Va tacito e nascosto,
quand'avido è di preda,
l'astuto cacciator.
E chi è a mal far disposto,
non brama che si veda
l'inganno del suo cor.

De slimme jager
houdt zich schuil en stil
als hij zijn prooi beloert.
En wie kwaad in de zin heeft
zal niets laten merken
van de arglist in zijn hart.

Giulio Cesare
Händel

1

De man lag stil, zo stil als een stuk vlees op een hakblok, zo stil als de dood zelf. Hoewel het koud was in het vertrek, werd hij slechts bedekt door een dun katoenen laken dat zijn hoofd en nek vrij liet. Van een afstand gezien verhief zijn borst zich buitensporig hoog, alsof er een soort stut onder zijn rug was geduwd, in de lengte. Als die witte vorm een besneeuwde bergrug was geweest en de toeschouwer een vermoeide wandelaar aan het eind van een lange dag, geconfronteerd met de noodzaak hem over te steken, zou die wandelaar er zeker voor hebben gekozen de man in de lengte helemaal af te lopen om hem bij de enkels over te steken in plaats van bij de borst. De klim was te hoog en te steil, en wie wist wat voor moeilijkheden er wachtten bij de afdaling aan de andere kant?

Van opzij gezien sprong de onnatuurlijke hoogte van de borst onmiddellijk in het oog; van bovenaf gezien – als de wandelaar boven op een bergtop werd neergezet en op de man kon neerkijken – was het de nek die opviel. De nek – of misschien correcter: het ontbreken ervan. Eigenlijk was zijn nek een brede kolom die recht naar beneden liep van onder zijn oren tot zijn schouders. Er was geen versmalling, geen inspringing; de nek was even breed als het hoofd.

Ook opvallend was de neus, nu nauwelijks zichtbaar en profil. Hij was geplet en opzijgeduwd; de huid vertoonde een patroon van schrammen en putjes. Er zaten ook schrammen en blauwe plekken op de rechterwang. Zijn hele gezicht was opgezwollen, de huid wit en slap. Van bovenaf gezien zakte het vlees weg in een holle boog onder de jukbeenderen. Zijn gezicht was bleek, maar van meer dan de dood alleen. Dit was een man die binnenshuis had geleefd.

De man had donker haar en een korte baard, die hij misschien had laten staan in een poging de nek te verhullen, hoewel het onmogelijk was zoiets langer dan een seconde te verhullen. De baard zorgde voor een visuele afleiding, maar zou bijna meteen worden gezien als camouflage, niets anders, want hij liep langs de kaaklijn en omlaag langs die kolom van een nek alsof hij niet wist waar hij moest ophouden. Vanaf deze hoogte gezien leek het bijna alsof hij langs de nek omlaaggestroomd was en naar de zijkanten verdween, een effect dat nog werd versterkt door de manier waarop de baard aan de zijkanten steeds witter werd.

Zijn oren waren verrassend teer, bijna vrouwelijk. Oorbellen zouden daar niet hebben misstaan, als die baard er niet was geweest. Onder het linkeroor, net voorbij het einde van de baard, liep onder een hoek van dertig graden een roze litteken. Het was ongeveer drie centimeter lang en zo breed als een potlood; de huid was ruw, alsof degene die de huid had dichtgenaaid haast had gehad, of zich er makkelijk van af had gemaakt omdat hij een man was, en een litteken voor een man niet iets was om je druk over te maken.

Het was koud in het vertrek, het enige geluid was het gebrom van de airconditioning. De zware borst van de man ging niet op en neer, en hij bewoog zich ook niet ongemakkelijk in de kou. Hij lag daar, naakt onder zijn laken, met zijn ogen dicht. Hij lag niet te wachten, want hij was het wachten ontstegen, zoals hij ook het te laat komen of het op tijd komen ontstegen was. Men zou in de verleiding kunnen komen om te zeggen dat de man alleen maar was. Maar dat zou niet waar zijn, want hij was niet meer.

Er lagen nog twee andere vormen in het vertrek, op soortgelijke wijze afgedekt, maar die lagen dichter bij de muren: de man met de baard lag in het midden. Als iemand die altijd liegt zegt dat hij een leugenaar is, vertelt hij dan de waarheid? Als in een kamer niemand in leven is, is die kamer dan leeg?

Achter in het vertrek werd een deur geopend en opengehouden door een lange, magere man in een witte laboratoriumjas. Hij bleef daar lang genoeg staan om een andere man voor hem langs naar binnen te laten gaan. De eerste man liet de deur los; die viel langzaam dicht en gaf een zachte, bijna vloeibare klik die toch luid weerklonk in het koude vertrek.

'Hij ligt daar, Guido,' zei dottor Rizzardi, die achter Guido Brunetti, commissario di polizia van de stad Venetië, kwam aanlopen. Brunetti bleef staan, op de wijze van de wandelaar, en keek naar de witbedekte bergrug van de man. Rizzardi liep langs hem heen naar de tafel waarop de dode man lag.

'Hij is drie keer onder in zijn rug gestoken met een heel smal mes. Nog geen twee centimeter breed, zou ik zeggen, en degene die het gedaan heeft was heel erg goed of heeft heel erg veel geluk gehad. Er zitten twee kleine blauwe plekken aan de voorzijde van zijn linkerarm,' zei Rizzardi, die naast het lichaam bleef staan. 'En hij heeft water in zijn longen,' vervolgde hij. 'Dus hij leefde nog toen hij in het water terechtkwam. Maar de moordenaar heeft een grote ader geraakt: hij had geen schijn van kans. Hij is in een paar minuten doodgebloed.' Rizzardi voegde er macaber aan toe: 'Voordat hij kon verdrinken.' Voor Brunetti ernaar kon vragen zei de patholoog-anatoom: 'Het is vannacht gebeurd, ruim na twaalven, zou ik zeggen. Omdat hij in het water heeft gelegen, kan ik er niet meer van maken.'

Brunetti bleef staan waar hij stond, op enige afstand van de tafel, en keek afwisselend naar de dode man en de patholoog. 'Wat is er met zijn gezicht gebeurd?' vroeg hij, zich ervan bewust hoe moeilijk het zou zijn deze man op een foto te herkennen; hoe moeilijk het zelfs zou zijn om alleen maar naar een foto van dat kapotte, opgezwollen gezicht te kijken.

'Ik denk dat hij naar voren is gevallen toen hij werd neergestoken. Hij was waarschijnlijk te zeer overrompeld om zijn handen uit te steken en zijn val te breken.'

'Zou je een foto kunnen maken?' vroeg Brunetti, die zich afvroeg of Rizzardi iets van de schade zou kunnen wegmoffelen.

'Wou je mensen vragen om daarnaar te kijken?' Het was geen antwoord waar Brunetti blij mee was, maar het was een antwoord. Vervolgens, na een korte stilte, zei de patholoog: 'Ik zal doen wat ik kan.'

Brunetti vroeg: 'En verder?'

'Ik zou zeggen dat hij achter in de veertig is, in redelijk goede gezondheid, en niet iemand die met zijn handen werkt, maar meer dan dat kan ik niet zeggen.'

'Waarom heeft hij zo'n vreemde vorm?' vroeg Brunetti terwijl hij naar de tafel toe liep.

'Bedoel je zijn borst?' vroeg Rizzardi.

'En zijn nek,' zei Brunetti, wiens blik getroffen werd door de dikte ervan.

'Dat heet de ziekte van Madelung,' zei Rizzardi. 'Ik heb erover gelezen, en herinner het me van de opleiding, maar ik heb het nooit eerder gezien. Alleen foto's.'

'Waardoor wordt het veroorzaakt?' vroeg Brunetti, die naast de dode man kwam staan.

Rizzardi haalde zijn schouders op. 'Wie zal het zeggen?' Alsof hij net zelf een dokter zoiets had horen zeggen, voegde hij er gauw aan toe: 'Er is vaak een verband met alcoholisme, en soms met drugsgebruik, maar in dit geval niet. Hij was geen drinker, helemaal niet, en ik heb geen tekenen van drugsgebruik gezien.' Hij zweeg even en vervolgde toen: 'De meeste alcoholisten krijgen het niet, godzijdank, maar de meeste mannen die het wel krijgen – en het zijn bijna altijd mannen – zijn alcoholisten. Niemand lijkt goed te begrijpen waarom het gebeurt.'

Rizzardi ging dichter bij het lijk staan en wees naar de nek, die vooral dik was aan de achterkant, waar Brunetti iets zag wat leek op een kleine bochel. Voor hij ernaar kon vragen zei Rizzardi: 'Dat is vet. Dat hoopt zich daar op.' Hij wees naar de bult. 'En daar.' Hij wees naar iets wat eruitzag als borsten onder het witte laken, op de plaats waar die zich zouden bevinden op een vrouwenlichaam.

'Het begint als ze in de dertig of in de veertig zijn en concentreert zich in het bovenste deel van het lichaam.'

'Je bedoelt dat het gewoon komt opzetten?' vroeg Brunetti, die zich zoiets probeerde voor te stellen.

'Ja. Soms ook in het bovenste deel van de benen. Maar in zijn geval gaat het alleen om de nek en de borst.' Hij zweeg even, in gedachten verzonken, en zei toen: 'Ze worden tonrond, die arme kerels.'

'Komt het veel voor?' vroeg Brunetti.

'Nee, helemaal niet. Ik denk dat er maar een paar honderd gevallen beschreven zijn.' Hij haalde zijn schouders op. 'We weten er eigenlijk niet zoveel van.'

'Verder nog iets?'

'Hij is over een ruw oppervlak gesleept,' zei de patholoog, die Brunetti naar het voeteneind van de tafel leidde en het laken optilde. Hij wees naar de achterkant van de hiel, waar de huid geschaafd en kapot was. 'Er zijn ook aanwijzingen aan de onderkant van zijn rug.'

'Voor wat?'

'Iemand heeft hem onder zijn oksels gepakt en voortgesleept over de grond, zou ik zeggen. Er zit geen grind in de wond,' zei hij, 'dus die grond was waarschijnlijk van steen.' Ter verduidelijking voegde Rizzardi eraan toe: 'Hij droeg maar één schoen, een instapper. Dat suggereert dat de andere eraf gegleden is.'

Brunetti deed een paar stappen terug naar het hoofd van de man en keek neer op het bebaarde gezicht. 'Heeft hij lichte ogen?' vroeg hij.

Rizzardi keek hem verbaasd aan. 'Blauwe. Hoe wist je dat?'

'Ik wist het niet,' antwoordde Brunetti.

'Waarom vroeg je het dan?'

'Ik geloof dat ik hem wel eens gezien heb,' antwoordde Brunetti. Hij keek nog eens goed naar de man, naar zijn gezicht, de baard, de brede kolom van zijn nek. Maar zijn geheugen liet hem in de steek, afgezien van zijn zekerheid omtrent de ogen.

'Als je hem inderdaad wel eens gezien hebt, zou je dat toch nog weten?' Het lichaam van de man was antwoord genoeg op Rizzardi's vraag.

Brunetti knikte. 'Ik weet het, maar als ik hem door mijn gedachten laat gaan komt er niets.' Dat hij zich zoiets uitzonderlijks als het uiterlijk van deze man niet kon herinneren, zat Brunetti meer dwars dan hij wilde toegeven. Had hij een foto gezien, ergens in een politiedossier, of was het een afbeelding geweest in iets wat hij gelezen had? Een paar jaar geleden had hij door dat walgelijke boek van Lombroso gebladerd: deed deze man hem alleen maar denken aan een van die dragers van 'erfelijke misdadigheid'?

Maar de afbeeldingen van Lombroso waren in zwart-wit geweest; zouden ogen daarop herkenbaar zijn geweest als licht of donker? Brunetti zocht naar het beeld dat hij in zijn geheugen moest hebben en keek naar de muur tegenover hem om het herinneringsproces een handje te helpen. Maar er kwam niets, geen duidelijk beeld van een man met blauwe ogen, noch deze man, noch iemand anders.

In plaats daarvan vulde zijn geest zich onontkoombaar en ongevraagd met het beeld van zijn moeder, die hem, opzijgezakt in haar stoel, aankeek met wezenloze ogen die hem niet herkenden.

'Guido?' hoorde hij iemand zeggen, waarop hij zich omdraaide en het vertrouwde gezicht van Rizzardi zag.

'Alles goed?'

Brunetti dwong zich te glimlachen en zei: 'Ja. Ik probeerde me alleen te herinneren waar ik hem gezien zou kunnen hebben.'

'Als je het even laat rusten komt het misschien wel weer terug,' opperde Rizzardi. 'Het gebeurt mij om de haverklap. Dan weet ik iemands naam niet meer, en dan ga ik het alfabet af – A, B, C – en vaak als ik bij de eerste letter van de naam kom, schiet het me weer te binnen.'

'Kwestie van leeftijd?' vroeg Brunetti met gespeelde onverschilligheid.

'Dat mag ik hopen,' antwoordde Rizzardi luchthartig. 'Toen ik nog studeerde had ik een fantastisch geheugen. Dat heb je ook hard nodig: al die botten, die zenuwen, spieren...'

'De ziekten,' vulde Brunetti aan.

'Ja, die ook. Maar om alleen al alle onderdelen van dit hier te onthouden,' zei de patholoog, en hij gebaarde met zijn handen langs de voorkant van zijn lichaam, 'dat is een triomf.' Vervolgens, meer bespiegelend: 'Maar wat er binnenin zit, dat is een wonder.'

'Een wonder?' vroeg Brunetti.

'Bij wijze van spreken,' zei Rizzardi. 'Iets wonderbaarlijks.' Rizzardi keek zijn vriend aan en moest iets gezien hebben wat hem beviel, of wat hij vertrouwde, want hij vervolgde: 'Als je erover nadenkt, de simpelste dingen die we doen – een glas pakken, onze schoenveters strikken, fluiten... dat zijn allemaal kleine wonderen.'

'Waarom doe jij dan wat je doet?' vroeg Brunetti, en hij verraste zichzelf met die vraag.

'Wat?' zei Rizzardi. 'Ik begrijp niet wat je bedoelt.'

'Met mensen werken bij wie de wonderen voorbij zijn,' zei Brunetti, bij gebrek aan een betere manier om het te verwoorden.

Het duurde een tijd voor Rizzardi antwoord gaf. Uiteindelijk zei hij: 'Zo heb ik er nog nooit over nagedacht.' Hij keek naar zijn handen, draaide ze om en bestudeerde een ogenblik de handpalmen. 'Misschien omdat wat ik doe beter duidelijk maakt hoe dingen werken, de dingen die die wonderen mogelijk maken.'

Alsof hij opeens met zichzelf verlegen was, sloeg Rizzardi zijn handen ineen en zei: 'De mannen die hem binnengebracht hebben, zeiden dat hij geen papieren had. Geen legitimatie. Niets.'

'Kleren?'

Rizzardi haalde zijn schouders op. 'Ze brengen hem hier naakt binnen. Jouw mensen zullen alles meegenomen hebben naar het lab.'

Brunetti maakte een geluid van instemming of begrip, of misschien van dank. 'Ik ga er wel even naartoe om te kijken. In het rapport dat ik gelezen heb stond dat ze hem om een uur of zes hebben gevonden.'

Rizzardi schudde zijn hoofd. 'Daar weet ik niets van, alleen maar dat hij de eerste was vandaag.'

Verbaasd – dit was per slot van rekening Venetië – vroeg Brunetti: 'Waren er nog meer dan?'

Rizzardi knikte naar de twee volledig bedekte gedaanten aan de andere kant van het vertrek. 'Die oude mensen daar.'

'Hoe oud?'

'De zoon zegt dat zijn vader drieënnegentig was, zijn moeder negentig.'

'Wat is er gebeurd?' vroeg Brunetti. Hij had die ochtend de kranten gelezen, maar daar had niets over hun dood in gestaan.

'Een van hen heeft koffie gemaakt gisteravond. De pot stond in de gootsteen. Het vuur is uitgegaan maar het gas stond nog aan.' Rizzardi voegde eraan toe: 'Het was een oud gasfornuis, zo eentje waar je lucifers voor nodig hebt.'

Voordat Brunetti iets kon zeggen, ging de arts verder: 'De bovenbuurvrouw rook gas en heeft de brandweer gebeld, en toen die binnenkwamen stond het hele huis vol gas en lagen zij met z'n tweeën dood op bed. Allebei met een kop en schotel naast zich.'

Toen Brunetti niets zei voegde Rizzardi eraan toe: 'Het is maar goed dat de boel niet de lucht in is gevlogen.'

'Het is wel een vreemde plek om koffie te drinken,' zei Brunetti.

Rizzardi keek zijn vriend scherp aan. 'Zij had alzheimer en hij had geen geld om haar elders onder te brengen.' Hij vervolgde: 'Hun zoon heeft drie kinderen en woont in een driekamerwoning in Mogliano.'

Brunetti zei niets.

'Die zoon vertelde,' ging Rizzardi verder, 'dat zijn vader had gezegd dat hij niet meer voor haar kon zorgen, niet zoals hij wilde.'

'Had gezegd?'

'Hij heeft een briefje achtergelaten. Daar stond in dat hij niet wilde dat mensen zouden denken dat zijn geheugen hem in de steek begon te laten en dat hij vergeten had het gas uit te zetten.' Rizzardi keerde de doden de rug toe en liep naar de deur. 'Hij had een pensioen van 512 euro, en zij kreeg 508.' Vervolgens, als het noodlot zelf, voegde hij eraan toe: 'Ze hadden een huur van 750 euro per maand.'

'Ik snap het,' zei Brunetti.

Rizzardi deed de deur open, en ze liepen de gang van het ziekenhuis in.

2

Ze liepen in gemoedelijk stilzwijgen de gang door. Brunetti's gedachten waren verdeeld tussen zijn eigen doorzeurende ontzetting over zijn moeders lot en Rizzardi's gemijmer over een 'wonder'. Nou ja, wie kon daar beter zijn gedachten over laten gaan dan iemand die het elke dag onder zijn handen had?

Hij dacht na over het briefje dat de oude man had achtergelaten voor zijn zoon, woorden geschreven vanuit de diepte van iets wat Brunetti zo afschuwelijk vond dat hij het niet kon verdragen het te benoemen. Het was een welbewuste daad geweest, dit afscheid van het leven, en de oude man had de keuze voor hen beiden gemaakt. Maar eerst had hij koffie gezet. Met enige inspanning rukte Brunetti zich los van de kamer waar die twee oude mensen hun koffie hadden gedronken en van de onvermijdelijke keuze die hen had doen belanden in de kille ruimte waar hij ze gezien had.

Hij wendde zich tot Rizzardi en vroeg: 'Zou ik die ziekte van Marlung kunnen gebruiken – als hij ervoor behandeld wordt – om erachter te komen wie hij is?'

'Madelung,' verbeterde Rizzardi hem automatisch, waarna hij vervolgde: 'Je zou een officieel verzoek om informatie kunnen sturen naar alle ziekenhuizen met een afdeling voor genetische ziekten, met een beschrijving van hem erbij.' Na even nagedacht te hebben voegde de arts eraan toe: 'Als hij tenminste gediagnosticeerd is.'

Terugdenkend aan de man die hij op de tafel had zien liggen, vroeg Brunetti: 'Maar hoe zou hij dat niet kunnen zijn? Gediagnosticeerd, bedoel ik. Je hebt zijn nek gezien, die omvang van hem.'

Voor de deur van zijn kamer draaide Rizzardi zich naar hem om en zei: 'Guido, er lopen overal mensen rond met symptomen van ernstige ziekten die zo duidelijk zichtbaar zijn dat een arts onmiddellijk gealarmeerd zou zijn zodra hij ze zou zien.'

'Maar?'

'Maar ze houden zichzelf voor dat het niets is, dat het wel overgaat als ze het gewoon negeren. Dat ze wel ophouden met hoesten, dat het bloeden wel weer zal stoppen, dat dat ding op hun been wel weer verdwijnt.'

'En?'

'En soms gebeurt dat ook, en soms niet.'

'En als het niet gebeurt?' vroeg Brunetti.

'Dan komen ze bij mij terecht,' zei Rizzardi grimmig. Hij schudde met zijn schouders alsof hij zich, net als Brunetti, van bepaalde gedachten wilde bevrijden en zei: 'Ik ken iemand in Padua die misschien wat meer over Madelung weet. Ik zal haar wel bellen. Voor iemand uit Veneto is dat de meest voor de hand liggende plek om naartoe te gaan.'

En als de man niet uit Veneto komt? vroeg Brunetti zich af, maar hij zei niets tegen de patholoog. In plaats daarvan bedankte hij hem en vroeg of hij zin had om beneden in de cafetaria een kop koffie te gaan drinken.

'Nee, bedankt. Mijn leven bestaat, net als het jouwe, voornamelijk uit paperassen en rapporten, en ik had me voorgenomen om de rest van de ochtend er nog meer te lezen en nog meer te schrijven.'

Brunetti accepteerde zijn beslissing met een knikje en zette koers naar de hoofdingang van het ziekenhuis. Een levenslange goede gezondheid had hem niet weten te behoeden voor de effecten van zijn verbeelding. Zo werd Brunetti regelmatig belaagd door ziekten waaraan hij nooit was blootgesteld en waarvan hij geen symptomen vertoonde. Paola was de enige die hij er ooit over verteld had, al had zijn moeder, toen die nog in staat was dingen te weten, het ook geweten, of in ieder geval vermoed. Paola zag wel hoe absurd zijn onbehagen was; angsten kon je het niet eens noemen, want een groot deel van hem raakte er nooit echt van overtuigd dat hij de ziekte in kwestie daadwerkelijk had.

Zijn verbeelding haalde de neus op voor banale dingen zoals hartklachten of griep en zette vaak hoog in met bijvoorbeeld West-Nijlkoorts of meningitis. Malaria ooit. Diabetes, hoewel onbekend in zijn familie, was een oude vriend die vaak op bezoek kwam. Een deel van hem wist dat deze ziekten als bliksemafleiders fungeerden, dat ze hem beschermden tegen de gedachte dat geheugenverlies, hoe tijdelijk ook, het eerste symptoom was van wat hij werkelijk vreesde. Liever een nacht liggen piekeren over de bizarre symptomen van knokkelkoorts dan de plotselinge angst die hem overviel wanneer hij zich het nummer van Vianello's *telefonino* niet kon herinneren.

Brunetti richtte zijn gedachten weer op de man met de nek; in die termen dacht hij inmiddels aan hem. Zijn ogen waren blauw, en dat betekende dat Brunetti hem ergens gezien moest hebben, of een foto van hem gezien moest hebben; dat was het enige wat zijn zekerheid kon verklaren.

Met zijn verstand op de automatische piloot liep Brunetti; verder richting Questura. Hij stak de Rio di S. Giovanni over en keek of hij in het water tekenen zag van het zeewier dat de laatste jaren steeds dieper in het hart van de stad wist binnen te dringen. Hij raadpleegde zijn inwendige plattegrond en zag dat het de Rio dei Greci in zou drijven, als het kwam. Er was meer dan genoeg van, klotsend tegen de Riva degli Schiavoni, en het had bepaald geen sterke vloedstroom nodig om de ingewanden van de stad in te worden gestuwd.

Toen zag hij het, wanordelijke lappen die met het opkomende tij zijn kant op kwamen drijven. Hij moest denken aan die boten met hun platte neus en een schepbak aan de voorkant die hij een jaar of tien geleden in de *laguna* had zien rondtuffen, zich te goed doend aan de reusachtige opeenhopingen van zeewier. Waar waren ze gebleven en wat deden ze nu, die vreemde kleine bootjes? Malle, iele dingen, maar o zo allesverslindend nuttig. Hij was de week ervoor met de trein de brug overgestoken die de stad met het vasteland verbond en had aan weerszijden de uitgestrekte eilanden van drijvend wier zien liggen. Boten voeren eromheen; vogels vermeden ze, niets bleef eronder in leven. Zag niemand anders ze, of was het de bedoeling dat iedereen deed alsof ze er niet waren? Of was de jurisdictie over de *laguna* dermate verdeeld tussen rivaliserende overheden – de gemeente, de regio, de provincie, de Watermagistraat – dat het onmogelijk was om iets te doen?

Terwijl hij verder liep, dwaalden Brunetti's gedachten in het wilde weg af. Als hij vroeger iemand tegenkwam die hij wel eens ontmoet had, herkende hij hem soms zonder nog te weten wie die persoon was. Vaak ging die fysieke herkenning gepaard met de herinnering aan een emotionele aura – hij kon geen geschikter woord bedenken – die ze in hem achtergelaten hadden. Dan wist hij meteen of hij ze mocht of niet, al was de reden voor dat gevoel inmiddels samen met hun identiteit verdwenen.

Toen hij de man met de nek zag – hij moest ermee ophouden hem zo te noemen – had Brunetti een onbehaaglijk gevoel gekregen, want de emotionele aura die met de herinnering aan de kleur van zijn ogen gepaard was gegaan, was onzeker, en had ook een vaag verlangen opgeroepen om hem te helpen. Het lukte hem niet er de vinger op te leggen. De plek waar hij de man daarstraks had gezien, maakte het maar al te duidelijk dat iemand verzuimd had hem te helpen, of dat hij verzuimd had zichzelf te helpen, maar hij kon nu met geen mogelijkheid meer nagaan of de drang om hem te helpen moest worden toegeschreven aan de aanblik van de man eerder op de dag of aan het gevoel dat hij hem eerder gezien had.

Nog steeds hierover in gedachten verzonken kwam hij bij de Questura aan en ging op weg naar zijn kamer. Net voordat hij de laatste trap zou nemen draaide hij zich om en liep het vertrek binnen dat gedeeld werd door de mensen van de uniformdienst. Pucetti zat achter de computer, een en al aandacht voor het scherm terwijl zijn vingers over de toetsen vlogen. Brunetti bleef vlak bij de deur staan. Pucetti had net zo goed op een andere planeet kunnen zitten, zo weinig voeling leek hij te hebben met de ruimte waarin hij zich bevond.

Terwijl Brunetti toekeek werd Pucetti's houding steeds verkrampter en zijn ademhaling afgeknepener. De jonge agent begon in zichzelf te mompelen, of misschien tegen de computer. Van het ene op het andere moment ontspande Pucetti's gezicht zich, en vervolgens zijn lichaam. Hij haalde zijn handen van de toetsen, staarde een ogenblik naar het scherm, hief toen zijn rechterhand op met de wijsvinger gestrekt en liet die neerkomen op één enkele toets, als een jazzpianist die de laatste noot aanslaat waarvan hij weet dat die het publiek aan zijn voeten zal brengen.

Pucetti's hand stuiterde terug van het toetsenbord en bleef, vergeten, ergens ter hoogte van zijn oor in de lucht hangen, terwijl hij zijn ogen nog op het scherm gericht hield. Wat hij daar zag bracht hem omhoog uit zijn stoel, de armen in de lucht gestoken – het gebaar van alle zegevierende atleten die Brunetti op de sportpagina's voorbij had zien komen. 'Nou heb ik je te pakken, rotzak!' riep de jonge agent, terwijl hij woest met zijn vuisten boven zijn hoofd zwaaide en zijn gewicht afwisselend van de ene voet naar de andere verplaatste. Het was geen krijgsdans, maar het scheelde niet veel. Alvise en Riverre, die samen aan de andere kant van de kamer stonden, draaiden zich verbaasd om naar de commotie.

Brunetti deed een paar stappen verder het vertrek in. 'Wat heb je gedaan, Pucetti?' vroeg hij. 'Wie heb je te pakken?'

Stralend, met een mengeling van blijdschap en triomf die zijn gezicht tien jaar jonger maakte, draaide Pucetti zich om naar zijn chef. 'Die rotzakken van de luchthaven,' zei hij, en hij zette zijn antwoord kracht bij met twee snelle uppercuts in de lucht.

'De bagageafhandelaars?' vroeg Brunetti, hoewel dat niet echt nodig was. Hij hield hen al bijna tien jaar in de gaten en had al heel wat arrestaties verricht.

'Sì.' Pucetti slaagde er niet in een kreet van succes te onderdrukken en zijn dansende voeten deden nog twee triomfantelijke passen.

Alvise en Riverre kwamen nieuwsgierig dichterbij.

'Wat heb je gedaan?' vroeg Brunetti.

Met grote wilsinspanning bracht Pucetti zijn voeten bij elkaar en liet zijn handen zakken. 'Ik ben eens wat dieper...' begon hij, en na een blik op zijn collega's vervolgde hij met een stem waaruit de geestdrift wegvloeide, '... in de informatie over een van die kerels gedoken, meneer.'

Alle opwinding was uit Pucetti's gedrag verdwenen. Brunetti begreep de hint en reageerde gespeeld onverschillig. 'Ah, heel goed van je. Daar moet je me eens een keer over vertellen.' Vervolgens, tegen Alvise: 'Kun jij even naar mijn kamer komen?' Hij had geen idee wat hij tegen Alvise moest zeggen – de man was zo slecht in staat iets te begrijpen – maar Brunetti had het gevoel dat hij de aandacht van de twee agenten moest afleiden van wat Pucetti gezegd had en moest voorkomen dat ze er enig belang aan zouden hechten.

Alvise salueerde en wierp Riverre een blik toe die niet zonder eigendunk was. 'Riverre,' zei Brunetti, 'kun jij even naar de man bij de ingang lopen om te vragen of mijn pakket al gearriveerd is?' Ter ondervanging van het onvermijdelijke voegde hij eraan toe: 'Als het er nog niet is, hoef je dat niet te komen zeggen. Dan komt het morgen wel.'

Riverre was dol op opdrachten, en als ze maar eenvoudig genoeg waren en duidelijk werden uitgelegd, voerde hij ze over het algemeen goed uit. Ook hij salueerde. Hij draaide zich om naar de deur en Brunetti vond het jammer dat hij geen verzoek had weten te bedenken waardoor ze allebei het vertrek hadden moeten verlaten. 'Kom maar mee, Alvise,' zei hij.

Terwijl Brunetti Alvise naar de deur loodste, ging Pucetti weer achter de computer zitten en drukte een paar toetsen in. Brunetti zag het scherm donker worden.

3

Brunetti vond het in zekere zin wel toepasselijk om samen met Alvise de trap naar boven te nemen, aangezien een praatje met hem maken eveneens vaak zo'n moeizame onderneming was. Hij probeerde op dezelfde trede te blijven als de langzamer lopende agent, om hun verschil in lengte niet nog duidelijker te maken. 'Ik wou je eens vragen,' verzon Brunetti toen ze boven aankwamen, 'hoe jij denkt dat de stemming onder de collega's is.'

'Stemming, meneer?' vroeg Alvise met gretige nieuwsgierigheid. Hij was meer dan bereid om mee te werken en zijn nerveuze glimlach maakte duidelijk dat hij dat ook zou doen zodra hij het begreep.

'Of ze positief tegenover het werk staan en tegenover hun aanwezigheid hier,' zei Brunetti, die evenzeer als Alvise in het duister tastte over wat hij met 'stemming' zou kunnen bedoelen. Alvise deed zijn best om zijn glimlach vast te houden.

'Aangezien jij veel mensen al zo lang kent, dacht ik dat ze tegen jou misschien iets gezegd hadden.'

'Waarover, meneer?'

Brunetti vroeg zich af of ooit iemand bij zijn volle verstand Alvise in vertrouwen zou nemen of zijn mening ergens over zou vragen. 'Of dat je misschien iets gehoord had.' Zodra Brunetti dat gezegd had, bedacht hij dat Alvise dit zou kunnen opvatten als een uitnodiging om te spioneren en er aanstoot aan zou kunnen nemen, hoewel de kans dat Alvise ergens aanstoot aan nam net zo klein was als dat hij ergens een verborgen betekenis in zou kunnen ontdekken.

Alvise bleef bij Brunetti's deur staan en zei: 'Bedoelt u of ze het hier leuk vinden, meneer?'

Brunetti zette een ontspannen glimlach op en zei: 'Ja, dat is een goede manier om het te zeggen, Alvise.'

'Ik denk dat sommigen het leuk vinden en anderen niet, meneer,' zei hij ernstig, waarna hij er gauw aan toevoegde: 'Ik hoor bij degenen die het leuk vinden, meneer. Daar kunt u op rekenen.'

Nog steeds glimlachend zei Brunetti: 'O, daar heb ik nooit aan getwijfeld. Maar ik was nieuwsgierig naar de anderen en had gehoopt dat jij dat zou weten.'

Alvise bloosde. Vervolgens zei hij aarzelend: 'U hebt waarschijnlijk liever niet dat ik tegen de mannen zeg dat u ernaar gevraagd heeft, hè?'

'Nee, misschien maar beter van niet,' antwoordde Brunetti. Alvise moest dat antwoord verwacht hebben, want er was geen teleurstelling op zijn gezicht te zien. Zich ervan bewust hoe moeiteloos hij de vriendelijkheid in zijn stem liet glijden, vroeg Brunetti: 'Was er nog iets, Alvise?'

De agent stopte zijn handen in zijn broekzakken, keek naar zijn schoenen alsof de vraag die hij wilde stellen daarop geschreven stond, keek toen Brunetti aan en zei: 'Mag ik het wel tegen mijn vrouw zeggen, meneer? Dat u dat aan mij gevraagd heeft?' Hij legde onbewust wat nadruk op 'mij'.

Het kostte Brunetti moeite om niet zijn arm om Alvises schouder te slaan en hem even tegen zich aan te drukken. 'Natuurlijk, Alvise. Ik kan haar vast net zo vertrouwen als ik jou vertrouw.'

'O, nog veel meer, meneer,' zei Alvise, meer naar waarheid dan hij zelf besefte. Vervolgens, kordaat: 'Is het een groot pakket, meneer?'

Even van zijn à propos gebracht herhaalde Brunetti slechts: 'Pakket?'

'Het pakket dat zou komen, meneer. Als het groot is kan ik Riverre wel helpen om het naar boven te brengen.'

'Ach ja, natuurlijk,' zei Brunetti, die zich net de aanvoerder van het schoolelftal voelde die van een eersteklasser het verzoek kreeg zijn enkels vast te houden zodat hij sit-ups kon gaan doen. Vervolgens zei hij gauw: 'Nee hoor, bedankt, Alvise. Dat is heel aardig van je, maar het is alleen maar een envelop met wat dossiers.'

'Goed, meneer. Ik dacht: ik vraag het even. Voor het geval het dat wel was. Zwaar, bedoel ik.'

'Nogmaals bedankt,' zei Brunetti, en hij deed de deur open en ging zijn kamer binnen.

De aanblik van een computer op zijn bureau dreef de bekommernis om Alvise en diens gevoeligheden onmiddellijk uit Brunetti's gedachten. Hij liep erop af met iets wat het midden hield tussen vrees en nieuwsgierigheid. Er was hem niets verteld. Zijn verzoek om een eigen computer dateerde van zo lang geleden dat Brunetti al vergeten was dat hij het ooit had ingediend.

Hij zag dat het scherm een opdracht bevatte: 'Kies alstublieft een wachtwoord en bevestig dat. Druk daarna op "Enter". Als u wilt dat ik het wachtwoord onthoud, druk dan twee keer op "Enter".' Brunetti ging zitten en bestudeerde de instructies, las ze nog een keer en dacht na over de draagwijdte ervan. Signorina Elettra – iemand anders kon het niet zijn – had dit georganiseerd. Ze had ongetwijfeld de dingen op zijn computer gezet die hij nodig had en een systeem geïnstalleerd dat het onmogelijk maakte om erin binnen te dringen. Hij ging zijn opties na. Vroeg of laat zou hij advies nodig hebben. Hij zou zichzelf onherroepelijk verstrikken in iets waar hij weer uit moest zien te komen. En zij, het brein achter het hele ontwerp, zou degene zijn die hem moest helpen. Hij wist niet of ze zijn wachtwoord nodig had om de puinhoop die hij ervan zou maken weer op te ruimen.

En het kon hem niet schelen ook. Hij drukte een keer op 'Enter' en toen nog een keer.

Het scherm knipperde. Als hij had verwacht dat er een reactie van haar op het scherm zou oplichten, kwam hij bedrogen uit. Het enige wat er verscheen was de gebruikelijke rij icoontjes van de programma's die hij tot zijn beschikking had. Hij opende zijn mailboxen, zowel de officiële van de Questura als zijn persoonlijke. De eerste bevatte niets interessants, de tweede was leeg. Hij toetste signorina Elettra's werkadres in, vervolgens het enkele woord 'Grazie', en verstuurde de mail zonder ondertekening. Hij wachtte op de ping van haar antwoord, maar er kwam niets.

Brunetti, die trots op zichzelf was omdat hij die tweede keer op 'Enter' had gedrukt zonder er veel gedachten aan vuil te maken, verwonderde zich erover hoezeer de technologie de menselijke emoties had gekoloniseerd: iemand je wachtwoord geven was tegenwoordig net zoiets als iemand de sleutel van je hart geven. Of in ieder geval van je correspondentie. Of je bankrekening. Hij kende Paola's wachtwoord, maar vergat het altijd en had het dus in zijn adresboekje geschreven onder James: 'madamemerle', zonder hoofdletters, één woord; een verontrustende keuze.

Hij maakte verbinding met het internet en was verbijsterd over de snelheid waarmee die tot stand kwam. Hij zou het waarschijnlijk algauw normaal vinden, en daarna zou het hem te langzaam gaan.

Hij typte de juiste naam van de ziekte in, Madelung, en zag onmiddellijk een reeks artikelen in het Italiaans en in het Engels verschijnen. Hij koos het eerste, worstelde zich de daaropvolgende twintig minuten door een beschrijving van de symptomen en de voorgestelde behandelingen, en kwam niet veel meer te weten dan wat Rizzardi hem al verteld had. Bijna altijd mannen, bijna altijd drinkers, bijna altijd zonder genezing, en een behoorlijk hoge concentratie van de ziekte in Italië.

Hij sloot het programma af en besloot een oude kwestie af te handelen. Hij belde naar de agentenkamer en vroeg of Pucetti boven wilde komen. Toen de jongeman binnenkwam gebaarde Brunetti naar de stoel voor zijn bureau.

Voor hij ging zitten, kon Pucetti het niet laten een blik op Brunetti's computer te werpen. Hij keek naar zijn chef en toen weer naar de computer, alsof hij moeite had de twee met elkaar te verenigen. Brunetti onderdrukte de neiging om te glimlachen en tegen de jonge agent te zeggen dat hij, als hij zorgde dat hij zijn huiswerk maakte en zijn kamer netjes hield, ook een keertje mocht. In plaats daarvan zei hij: 'Vertel eens.'

Pucetti begreep meteen waar hij op doelde. 'Die ene die we al drie keer hebben gearresteerd – Buffaldi – heeft de afgelopen twee jaar twee keer een cruise gemaakt. Eersteklas. Hij heeft een nieuwe auto in de garage op het Piazzale Roma staan. En zijn vrouw heeft vorig jaar een nieuw appartement gekocht; dat kostte volgens de aangifte 250.000 euro, maar in werkelijkheid was het 350.000.' Pucetti stak bij ieder feit een vinger op, vouwde vervolgens zijn handen en legde ze in zijn schoot om aan te geven dat hij niets meer te zeggen had.

'Hoe ben je aan die informatie gekomen?' vroeg Brunetti.

De jongere man keek naar zijn gevouwen handen. 'Ik ben eens in zijn financiën gedoken.'

'Dat had ik zelf ook kunnen bedenken, Pucetti,' zei Brunetti op kalme toon. 'Hoe heb je toegang tot die informatie gekregen?'

'Ik heb het zelf gedaan, meneer,' zei Pucetti op ferme toon. 'Ze heeft me niet geholpen. Helemaal niet.'

Brunetti zuchtte. Als een brandkastkraker een laagje huid afvijlt om de vingertoppen van zijn leerling gevoeliger te maken, of hem leert hoe hij een slot moet opblazen, wie is er dan verantwoordelijk voor het openen van de kluis? Als Brunetti weer eens zijn inbrekersgereedschap gebruikte om een deur open te maken, hoeveel verantwoordelijkheid lag er dan bij de dief die hem had geleerd het te gebruiken? En, gegeven het feit dat Brunetti die vaardigheid had doorgegeven aan Vianello, wie droeg de schuld voor elke deur die de inspecteur had weten te openen?

'Het is te prijzen dat je signorina Elettra in bescherming neemt, Pucetti, en je eigen vaardigheid laat geen enkele twijfel bestaan over haar didactische capaciteiten.' Hij weigerde te glimlachen. 'Maar ik had iets praktischers in gedachten met mijn vraag: wat heb je geopend en welke gegevens heb je gestolen?'

Brunetti zag hoe Pucetti zijn trots en verwarring over het kennelijke ongenoegen van zijn chef onderdrukte. 'Zijn creditcardgegevens, meneer.'

'En dat appartement?' vroeg Brunetti, die maar niet zei dat de meeste mensen geen appartement betalen met een creditcard.

'Ik ben erachter gekomen wie de notaris is die de verkoop heeft afgehandeld.'

Brunetti wachtte, de ironie behoedzaam terzijde geschoven.

'En ik ken iemand die op zijn kantoor werkt,' voegde Pucetti eraan toe.

'Wie dan?'

'Dat zeg ik liever niet, meneer,' antwoordde Pucetti, de blik op zijn schoot gericht.

'Prijzenswaardige opstelling,' zei Brunetti. 'Heeft die persoon het verschil in prijs bevestigd?'

Pucetti sloeg zijn ogen op. 'Ze wist het niet zeker, meneer, maar ze zei dat toen ze de verkoop met de notaris bespraken, ze er geen geheim van maakten dat het prijsverschil minstens honderdduizend euro zou zijn.'

'Juist, ja.' Brunetti liet wat tijd voorbijgaan, waarin Pucetti twee keer een blik op de computer wierp, alsof hij de naam en de afmetingen in zijn geheugen wilde prenten. 'En wat kunnen wij daarmee?'

Pucetti keek hem gretig aan. 'Is dat niet genoeg om het onderzoek te heropenen? Hij verdient met die baan ongeveer vijftienhonderd euro per maand. Waar moet dat geld anders vandaan komen? Hij is gefilmd terwijl hij koffers openmaakte en er dingen uithaalde: sieraden, camera's, laptops.' Hij zweeg even, alsof hij niet degene was die vragen zou moeten beantwoorden.

'Die camerabeelden zijn bij het laatste proces afgewezen als bewijsmateriaal, zoals je weet, Pucetti, en we leven nog niet in een land waar louter en alleen het bezit van een grote som geld ook bewijst dat het gestolen is.' Brunetti bleef kalm en deed de stem na van de advocaat die de vorige keer dat de bagageafhandelaars van diefstal werden beschuldigd de verdediging voerde. 'Hij kan de loterij gewonnen hebben, of zijn vrouw kan die gewonnen hebben. Hij kan het geld van familieleden hebben geleend. Hij kan het op straat hebben gevonden.'

'Maar u weet ook dat dat niet zo is, meneer,' verweerde Pucetti zich. 'U weet ook wat hij doet, wat ze allemaal doen.'

'Wat ik weet en wat een openbaar aanklager in een rechtszaal kan bewijzen zijn twee totaal verschillende dingen, Pucetti,' zei Brunetti met iets berispends in zijn toon. 'En ik raad je ten sterkste aan dat feit in overweging te nemen.' Hij zag dat de jongeman wilde protesteren en verhief zijn stem om hem de mond te snoeren. 'Bovendien wil ik dat je stap voor stap teruggaat en heel zorgvuldig alle sporen wist die je tijdens het uitpluizen van signor Buffaldi's financiën hebt achtergelaten.' Voor Pucetti hier iets tegen in kon brengen voegde hij eraan toe: 'Als jij die gegevens hebt kunnen achterhalen, dan kan iemand anders achterhalen dat jij erin rondgesnuffeld hebt, en die informatie zou signor Buffaldi voor de rest van zijn carrière onaantastbaar maken.'

'Hij is nu ook al behoorlijk onaantastbaar, hè?' zei Pucetti, nog net niet boos.

Dat was genoeg om Brunetti op zijn beurt boos te maken. Onbezonnen knul, die denkt dat hij dingen kan veranderen: precies

Brunetti tientallen jaren geleden, net toegetreden tot het korps en gespitst op gerechtigheid. Bij die herinnering kalmeerde Brunetti, en hij zei: 'Pucetti, we moeten het doen met het systeem dat we hebben. Er kritiek op hebben is net zo zinloos als er de loftrompet over steken. Je weet net zo goed als ik hoe beperkt onze macht is.'

Alsof hij toegaf aan een kracht sterker dan zijn vermogen om zich ertegen te verzetten, zei Pucetti: 'Maar zij dan? Zij ontdekt ook dingen, en die gebruikt u wel.' Brunetti was zich opnieuw bewust van Pucetti's elan.

'Pucetti, ik heb je gezicht gezien toen ik zei dat je je sporen moest wissen: je weet dat je er een paar hebt achtergelaten. Als het je niet lukt, vraag dan of signorina Elettra je helpt. Ik wil niet dat deze zaak moeilijker wordt gemaakt dan hij al is.'

'Maar als u dit niet gebruikt...' riep Pucetti vertwijfeld uit.

Brunetti legde hem met zijn blik het zwijgen op en zei met ingehouden stem: 'Ik heb die informatie, Pucetti. Die heb ik al sinds ze de tickets voor die cruises hebben geboekt en die auto hebben gekocht, én dat huis hebben gekocht. Ga dus maar terug en zorg dat je sporen verdwijnen, en haal het niet in je hoofd om ooit nog eens zoiets te doen zonder mijn medeweten, zonder mijn toestemming.'

'Wat is het verschil dan?' vroeg Pucetti, op vragende, niet op sarcastische toon. 'Als het gaat om informatie vergaren?'

In hoeverre hem te vertrouwen? Hoe Pucetti ervan te weerhouden hen mee te slepen in een juridisch moeras en hem tegelijkertijd aan te moedigen risico's te nemen? 'Zij laat geen sporen achter, en jij wel.'

Vervolgens pakte Brunetti de telefoon en toetste het nummer van signorina Elettra in. Toen ze opnam zei hij: 'Signorina, ik ga zo naar buiten voor een kop koffie. Zou u misschien even naar mijn kamer kunnen komen terwijl ik weg ben? Pucetti heeft wat dingen die hij moet veranderen in een onderzoek waar hij mee bezig is, en ik vroeg me af of u hem daarbij kunt helpen.' Nadat ze antwoord had gegeven, zei hij: 'Ik wacht uiteraard tot u boven bent.' Hij legde de telefoon neer en ging bij het raam op haar staan wachten.

4

Omdat hij die ochtend al drie koppen koffie had gedronken en geen zin had in een vierde, ging Brunetti naar beneden naar het lab, op zoek naar Bocchese en de informatie die hij zou hebben over de man die die ochtend was gevonden. Toen hij binnenkwam zag hij twee technisch rechercheurs aan een lange tafel achterin staan. De ene had plastic handschoenen aan en haalde voorwerpen uit een doos en de andere leek, telkens wanneer er een nieuw voorwerp werd gepakt, iets af te vinken op een lijst. De gehandschoende man deed een stap naar links op het moment dat Brunetti binnenkwam, en ontnam hem daarmee de kans de voorwerpen te onderscheiden.

Bocchese zat aan zijn bureau in de hoek over een vel papier gebogen en was zo te zien bezig een tekening te maken. De chef van het lab keek niet op bij het geluid van de naderende voetstappen, en Brunetti zag dat de kale plek boven op zijn hoofd zich in de afgelopen maanden had uitgebreid. Zoals hij daar zat, gehuld in een vormeloze witte werkmanstuniek, had Bocchese gemakkelijk een monnik in een of ander middeleeuws klooster kunnen zijn. Brunetti liet dit idee varen toen hij dichterbij kwam en zag dat de man een smal lemmet tekende en niet bezig was de beginletter van een Bijbelse tekst te verluchten.

'Is dat het moordwapen?' vroeg Brunetti.

Bocchese pakte het potlood op een andere manier beet en gebruikte de zijkant van de punt om schaduw aan te brengen op de onderkant van het lemmet. 'Dit is wat Rizzardi in zijn rapport beschrijft,' zei hij, terwijl hij het papier omhooghield zodat hij het samen met Brunetti kon bekijken. 'Het is bijna twintig centimeter lang en verbreedt zich tot vier centimeter bij het heft.' Vervolgens, met bruuske deskundigheid: 'Dus het was een gewoon mes, niet iets wat hij dicht kon klappen en in zijn zak kon stoppen. In elke keuken te vinden, zou ik zeggen.'

'En de punt?' vroeg Brunetti.

'Heel smal. Maar dat is normaal bij messen, hè? Het grootste deel ervan is ongeveer twee centimeter breed.' Hij tikte met de gumkant van het potlood tegen de punt van het mes op de tekening. Toen voegde hij er nog een paar lijnen aan toe en liet de scherpe kant van het lemmet met een boog uitlopen tot de punt. 'Volgens het rapport is het weefsel aan de bovenkant van de wonden opengehaald, waarschijnlijk van toen het mes eruit werd getrokken,' verduidelijkte hij. 'De wonden waren aan de bovenkant breder, maar dat zijn steekwonden altijd.' Hij tikte nogmaals met het gummetje tegen de tekening. 'Daar zijn we naar op zoek.'

'Je hebt geen heft getekend,' zei Brunetti.

'Natuurlijk niet,' zei de TR-man terwijl hij het papier op zijn bureau legde. 'Er staat niets in het rapport waardoor ik zou kunnen weten hoe dat eruitziet.'

'Maakt dat wat uit, dat we dat niet weten?' vroeg Brunetti.

'Bedoel je om vast te stellen wat voor soort mes het is?'

'Ja.'

Bocchese legde zijn hand plat op het papier, bij de brede kant van het lemmet, alsof hij hem om een denkbeeldig heft wilde sluiten. 'Het zou minstens tien centimeter lang moeten zijn,' zei hij, met zijn hand nog steeds op het papier. 'Dat zijn de meeste heften.' Vervolgens voegde hij daaraan toe, en hij verbaasde Brunetti met de irrelevantie ervan: 'Zelfs die van een aardappelschilmesje.'

Hij haalde zijn hand weg en keek Brunetti voor het eerst aan.

'Je hebt minstens tien centimeter nodig om een beetje houvast te hebben. Waarom vraag je dat?'

'Omdat hij het bij zich heeft moeten dragen, en als het lemmet twintig centimeter is en het heft tien, dan moet het een lastig ding zijn geweest om mee rond te lopen.'

'Een krant eromheen gevouwen, in een computertas, een aktetas; het zou zelfs in een dossiermap passen als je het er schuin in stopt,' zei Bocchese. 'Maakt dat wat uit?'

'Je loopt alleen maar met zo'n lang mes rond als je daar een reden voor hebt. Je moet bedenken hoe je het mee kunt nemen zonder dat iemand het ziet.'

'En dat duidt op voorbedachten rade?'

'Dat denk ik wel. Hij is toch niet vermoord in de keuken of in de werkplaats, of waar zo'n mes dan ook zou kunnen rondslingeren?'

Bocchese haalde zijn schouders op.

'Wat wil je zeggen?' zei Brunetti, en hij leunde met één heup tegen het bureau en sloeg zijn armen over elkaar.

'We weten niet waar het gebeurd is. In het ambulancerapport staat dat hij is gevonden in de Rio del Malpaga, vlak achter het Giustinian. In het rapport van Rizzardi staat dat hij water in zijn longen had, dus hij kan overal zijn neergestoken en in het water zijn gegooid, en toen daarnaartoe zijn gedreven.' Boccheses oog viel op een onzichtbare onvolkomenheid in de tekening; hij pakte zijn potlood en voegde halverwege het lemmet nog een vaag lijntje toe.

'Dat is nog niet zo eenvoudig om te doen,' zei Brunetti.

'Wat?'

'Een lijk in een kanaal laten zakken.'

'Vanuit een boot is het misschien makkelijker,' opperde Bocchese.

'Dan heb je bloed in je boot.'

'Vissen bloeden ook.'

'En vissersboten hebben een motor, en na acht uur 's avonds zijn motoren niet toegestaan.'

'Taxi's wel,' zei Bocchese.

'Mensen nemen geen taxi als ze een lijk in het water willen dumpen,' zei Brunetti gemoedelijk. Hij wist hoe Bocchese was.

Na niet meer dan een korte aarzeling zei de TR-man: 'Een boot zonder motor dan.'

'Of een waterpoort van een huis.'

'En geen nieuwsgierige buren.'

'Een rustig kanaal, een plek waar geen buren zijn, nieuwsgierig of anderszins,' opperde Brunetti, die de plattegrond in zijn hoofd begon te bestuderen. Toen zei hij: 'Rizzardi dacht na middernacht.'

'Altijd voorzichtig, de dokter.'

'Om zes uur gevonden,' zei Brunetti.

'"Na middernacht",' herhaalde Bocchese. 'Dat wil niet zeggen dat hij om middernacht het water in gegaan is.'

'Waar achter het Giustinian is hij gevonden?' vroeg Brunetti, die de eerste coördinaten op zijn plattegrond nodig had.

'Aan het eind van de Calle Degolin.'

Brunetti bromde instemmend, keek naar de muur achter Bocchese en stuurde zichzelf op pad volgens een onmogelijke spiraalvormige route die begon bij dat vaste punt, springend over kanalen van de ene doodlopende *calle* naar de andere, terwijl hij vergeefs probeerde zich te herinneren welke gebouwen deuren en trappen naar het water hadden.

Even later zei Bocchese: 'Je moet Foa maar naar de getijden vragen. Die weet dat wel.'

Dat had Brunetti ook al bedacht. 'Ja. Ik zal het vragen.' Toen vroeg hij: 'Mag ik zijn spullen even zien?'

'Natuurlijk. Die zouden ondertussen wel droog moeten zijn,' zei Bocchese. Hij liep naar de tafel waar de twee mannen nog steeds de spullen uit de doos aan het inventariseren waren, passeerde hen en opende de deur van een opslagruimte links van hen. Brunetti ging met hem mee naar binnen en werd getroffen door de hitte en de stank: een combinatie van aarde en schimmel en dingen die aan hun lot zijn overgelaten.

Netjes over een gewoon huis-tuin-en-keukendroogrek gedrapeerd hingen daar een overhemd en een broek, mannenondergoed en een paar sokken. Brunetti boog zich voorover om ze beter te bekijken, maar zag niets ongewoons. Eronder stond één enkele schoen, bruin, ongeveer Brunetti's maat. Een klein tafeltje bood plaats aan een trouwring, een metalen horloge met een uitvouwbare metalen band, een paar munten en een bos sleutels.

Brunetti pakte de sleutels op zonder de moeite te nemen om te vragen of hij ze mocht aanraken. Vier ervan zagen eruit als gewone deursleutels, een vijfde was veel kleiner en de laatste droeg het markante vw dat de fabrikant op al zijn sleutels zette. 'Hij heeft dus een auto,' zei Brunetti.

'Net als veertig miljoen andere mensen,' antwoordde Bocchese.

'Dan zal ik maar niets zeggen over die huissleutels of het sleuteltje van de brievenbus,' zei Brunetti met een glimlach.

'Vier huizen?'

'Voor mijn huis heb je er twee nodig,' zei Brunetti. 'Voor de meeste huizen in de stad. En dan nog twee voor mijn werk.'

'Ik weet het,' zei Bocchese. 'Ik zit een beetje te stangen.'

'Ik merk het,' zei Brunetti. 'En dat kleine sleuteltje. Zou dat inderdaad voor een brievenbus zijn?'

'Zou kunnen,' gaf Bocchese toe, op een toon die duidelijk maakte dat het net zo goed niet het geval kon zijn.

'Wat nog meer?'

'Klein kluisje, niks bijzonders; gereedschapskist; tuinschuurtje; deur naar een tuin of een binnenplaats; en dan vergeet ik waarschijnlijk nog een paar mogelijkheden.'

'Nog iets in de ring gegraveerd?'

'Niks,' zei Bocchese. 'Fabriekswerk – worden overal verkocht.'

'Kleren?'

'Bijna allemaal gemaakt in China – wat niet tegenwoordig? – maar die schoen is Italiaans: Fratelli Moretti.'

'Vreemde combinatie: kleren uit China en dure schoenen.'

'Hij kan ze van iemand gekregen hebben,' opperde Bocchese.

'Heb jij ooit een paar schoenen van iemand gekregen?'

'Bedoel je dat ik moet ophouden met stangen?' vroeg de TR-man.

'Dat zou wel helpen.'

'Oké.' Vervolgens: 'Wil je dat ik hardop ga gissen?'

'Dat zou ook helpen.'

'Ik heb gekeken naar de dingen die hij aanhad, en het ziet er niet naar uit dat hij in een boot heeft gelegen. Zijn kleren zijn schoon: geen olie, geen teer, niks van het soort spul dat je op je krijgt als je op de bodem van een boot wordt gelegd. Zelfs als die geen motor heeft. Het zijn smerige dingen.'

'En dus?'

'Dus denk ik dat hij op het land is vermoord, op straat of in een huis, en dat hij in het water is gegooid nadat hij was neergestoken. Degene die het gedaan heeft moet gedacht hebben dat hij dood was, of zo goed geweten hebben wat hij deed dat hij wist dat de man geen enkele kans maakte, en het kanaal was alleen maar een manier om van hem af te komen. Misschien om hem meer tijd te geven om de stad te verlaten, of misschien wilde hij dat het lijk weg zou drijven van de plaats delict.'

Brunetti knikte. Daar had hij ook al aan gedacht. 'Een man die op de bodem van een boot ligt zou van bovenaf altijd zichtbaar zijn.'

'We zullen op zoek gaan naar vezels, om te kijken of hij afgedekt was of ergens in gewikkeld was. Maar ik denk niet dat dat het geval is geweest,' zei Bocchese, en hij gebaarde naar het overhemd: eenvoudig wit katoen, iets wat iedereen zou kunnen dragen.

'Geen jas?' vroeg Brunetti.

'Nee. Hij droeg alleen een overhemd en een broek,' zei Bocchese. 'Maar hij moet wel een jas of een trui aangehad hebben. Het was te koud vannacht om zo naar buiten te gaan.'

'Misschien is hij in zijn eigen huis vermoord?' opperde Brunetti. Het was zijn beurt om te stangen: als Bocchese met hem instemde, kon hij daarna opmerken dat de meeste mensen niet thuis met sleutels in hun zak rondliepen.

'Ja,' zei Bocchese, en hij klonk niet erg overtuigd.

'Maar?'

'In het rapport van Rizzardi staat dat hij Madelung heeft. Hij heeft nog geen foto's gestuurd, maar ik weet hoe dat eruitziet. Het zou kunnen dat iemand hier hem wel eens gezien heeft. Of dat ze hem kennen in het ziekenhuis.'

'Misschien,' beaamde Brunetti, die betwijfelde of iemand een foto van dat gehavende gezicht zou herkennen. Bocchese was erg behulpzaam, dus hij besloot maar niets meer te zeggen over de sleutels.

'Verder nog iets?' vroeg Brunetti.

'Nee. Als ik iets vind of nog iets bedenk, laat ik het je wel weten, oké?'

'Bedankt,' zei Brunetti. Bocchese had de ziekte van de man ter sprake gebracht, in de overtuiging dat iemand die hem ooit gezien had hem niet meer zou vergeten. Hij vroeg zich af of dat ook voor een schoenverkoper zou gelden. 'Kun je me een mailtje sturen met de informatie over die schoen?'

5

Toen hij terugkwam op zijn kamer zag Brunetti dat signorina Elettra nog steeds achter zijn computer zat. Ze keek op toen hij binnenkwam en glimlachte. 'Ik ben bijna zover, commissario. Ik dacht: als ik hier toch ben, kan ik meteen nog even een paar dingen downloaden, dan is het klaar.'

'Mag ik vragen hoe u dit schitterende apparaat hebt weten te bemachtigen, signorina?' vroeg hij, terwijl hij vooroverleunde met beide handen op de rugleuning van een stoel.

Ze stak één vinger omhoog, hem beduidend even te wachten, en richtte haar aandacht weer op het toetsenbord. Ze droeg groen vandaag, een lichte wollen jurk waarvan hij zich niet kon herinneren dat ze die ooit eerder aan had gehad. Ze droeg zelden groen. Misschien was haar keuze een eerbetoon aan de lente; zelfs de Kerk gebruikte groen als de kleur van de hoop. Terwijl hij probeerde te doen alsof dat niet zo was keek hij toe hoe ze werkte, en het viel hem op hoe volkomen geconcentreerd ze was. Hij had net zo goed ergens anders kunnen zijn, zo weinig aandacht had ze voor hem. Was het het programma of het werken op de nieuwe computer waar ze zo in opging? vroeg hij zich af. En hoe was het mogelijk dat iets wat zo ver af stond van de chaotische warboel van het leven op zo iemand zo'n aantrekkingskracht kon uitoefenen? Computers interesseerden Brunetti niet. Ja, hij gebruikte ze wel en prees zich gelukkig dat dat kon, maar hij was altijd nog veel blijer als hij zijn groene jaagster kon afsturen op het wild dat telkens weer aan zijn beperkte vaardigheden wist te ontsnappen. Hij kon voor het hele idee gewoon geen enthousiasme opbrengen, had geen zin om eindeloos voor dat scherm te zitten en te kijken wat hij de computer voor zich kon laten doen.

Brunetti had voldoende voeling met de tijd waarin hij leefde om te weten hoe dwaas zijn vooroordeel was en dat het soms het tempo waarin hij zou kunnen werken vertraagde. Was dat niet gebeurd bij het onderzoek naar die protestactie tegen de Europese melkquota afgelopen najaar, toen de autostrada bij Mestre twee dagen geblokkeerd was geweest? Omdat signorina Elettra op dat moment op vakantie was geweest, had het twee dagen geduurd voor hij te horen kreeg dat de mannen die daar auto's in brand hadden gestoken die vast stonden door de blokkade van de boeren, kleine criminelen uit Vicenza waren, stadscriminelen die waarschijnlijk nog nooit van hun leven een koe hadden gezien. En pas toen ze weer terug was, was hij erachter gekomen dat het bovendien neven waren van het hoofd van de provinciale landbouworganisatie, de man die de protestactie had georganiseerd.

Zijn gedachten gingen terug naar dat protest, dat hij in opdracht van zijn baas, vice-questore Patta, in de gaten had moeten houden voor het geval het geweld zich zou verspreiden naar de brug naar Venetië, en daarmee naar hun grondgebied. Hij zag de gehelmde carabinieri weer voor zich, met hun schilden en gezichtskappen van plexiglas en hun opgepoetste zwarte laarzen die hun benen in glimmende stengels veranderden, en herinnerde zich nog dat hij vond dat ze op reusachtige insecten leken. Hij zag ze in gedachten weer marcheren, de schilden aaneengesloten, oprukkend om iedere tegenstand van de verzamelde boeren de kop in te drukken.

En daar was hij opeens, de man met de nek. Zomaar ineens dook hij in Brunetti's herinnering op. Hij had deel uitgemaakt van een groepje mensen dat Brunetti aan de overkant van de geblokkeerde weg bij hun stilstaande auto's had zien staan, uitkij-kend over de vangrail naar de boeren en de politie. Brunetti her-innerde zich de stierennek en het bebaarde gezicht en de lichte ogen die met een mengeling van onbegrip en ergernis naar de twee rijen mensen aan de andere kant hadden gekeken, maar vervolgens was Brunetti's aandacht afgeleid door de uitbarsting van geweld en vandalisme waarin de protestactie was ontaard.

'... vele gunsten die het liefdadige Europa ons heeft verleend,' hoorde hij signorina Elettra zeggen en hij richtte zijn aandacht weer op haar.

'Op wat voor manier precies, signorina?' vroeg hij.

'Het geld voor Interpol, ter bestrijding van het vervalsen van handelswaar die beschermd wordt door patenten uit landen van de Europese Unie,' zei ze met een glimlach, de glimlach die ze ge-bruikte wanneer ze op haar roofzuchtigst was. Brunetti huiverde inwendig bij de gedachte aan de niet-aflatende patentenstromen die sommige landen moesten voortbrengen.

'Ik dacht dat de NAS dat allemaal deed,' zei hij.

'Dat is ook zo, in ieder geval in Italië.' Ze liet haar vingers te-der over de toetsen gaan en veegde daarna een willekeurig stofje van het scherm. Vervolgens keek ze hem aan en zei opgewekt: 'Het schijnt dat er aan het einde van het ministeriële besluit een kleine clausule staat die erin voorziet dat lokale instanties aan-vullende fondsen kunnen aanvragen.'

Zich ervan bewust hoe vormelijk hun gesprekken soms kon-den worden, vroeg hij: 'Fondsen bestemd voor welk doel, signo-rina?'

'Om te helpen met onderzoek op lokaal niveau naar...' begon ze. Er ontsnapte een geluidloze zucht aan haar lippen en ze stak een hand op. De andere begon, als de tong van een moederkat die te lang is afgehouden van het likken van haar jongstgebo-rene, langs de toetsen te strijken, en haar blik ging weer naar het scherm. Ze tikte zwijgend een verzoek in.

Brunetti kwam achter het bureau staan en ging op de rand zitten.

Nog geen minuut later keek ze naar hem op, keek toen weer naar het scherm en las: '"... op lokaal niveau teneinde ervoor te zorgen dat alle inspanningen van het bevoegde ministerie om het vervalsen van gepatenteerde producten te onderzoeken en tegen te gaan, worden ondersteund door aanvullende financiering conform de richtlijn... bla bla bla, subsectie bla bla, onder verwijzing naar het ministeriële besluit bla bla bla, van 23 februari 2001."'

'En als dat niet pretendeert begrepen te willen worden, wat zou het dan kunnen betekenen?' informeerde Brunetti.

'Het creëert een nieuwe ruif waaraan slimmeriken zich te goed kunnen doen, meneer,' zei ze simpelweg, haar ogen nog steeds op het scherm gericht, genietend alsof ze zich inderdaad te goed deden aan een copieuze interpretatie van die woorden. Toen Brunetti niet reageerde vervolgde ze: 'En in wezen betekent het dat we het geld gewoon mogen gebruiken zoals we willen, zolang het maar onze bedoeling is de productie van die producten te onderzoeken en tegen te gaan.'

'Dat geeft de instantie die zich met dat onderzoeken en tegengaan bezighoudt een hoop speelruimte bij de besteding van die gelden.'

'Ze zijn niet gek, die mensen in Brussel,' merkte ze op.

'Hoezo?'

'Dit is gewoon een cadeautje voor bureaucraten die net zo inventief zijn als zijzelf.' Ze zweeg even, misschien om haar volgende woorden extra gewicht te verlenen, en voegde er toen aan toe: 'Of voor degenen die volhardend genoeg zijn om de 412 pagina's van het besluit door te lezen om die specifieke alinea te vinden.'

'Of misschien voor degenen die stiekem op dat soort lucratieve passages worden gewezen?' zei Brunetti.

'Hoor ik hier iets van euroscepsis in doorklinken, meneer?'

'Jazeker.'

'Ah,' fluisterde ze. Vervolgens, alsof ze het niet kon laten dat te vragen: 'Maar dat weerhoudt u er niet van om de computer te houden?'

'In de nabijheid van een ruif is het moeilijk om niet te hinniken,' antwoordde Brunetti.

Ze keek hem aan, haar ogen groot van genoegen. 'Ik geloof dat ik nog nooit zo'n treffende verklaring voor het falen van ons politieke systeem heb gehoord, meneer.'

Brunetti zei even niets, om hen beiden nog een keer te laten genieten van het gevoel de ruimte tussen hun woorden te hebben geladen met betekenis. Signorina Elettra raakte een paar toetsen aan en maakte toen aanstalten om op te staan.

Brunetti hief een hand op om haar tegen te houden. 'Herinnert u zich nog dat gedoe op de autostrada vorig jaar?' Toen hij zich realiseerde hoe onduidelijk die vraag was, voegde hij eraan toe: 'Met de boeren?'

'Over de melkquota?'

'Ja.'

'Wat is daarmee, meneer?'

'Er is vanmorgen een man vermoord. Ik ben net bij Rizzardi geweest.' Ze knikte om duidelijk te maken dat het nieuws de Questura inmiddels had bereikt. 'Toen ik hem zag – die man, niet Rizzardi – kwam hij me bekend voor, en daarna schoot me te binnen dat ik hem destijds daar op de autostrada heb gezien.'

'Was hij een van de betogers?'

'Nee. Hij stond aan de andere kant van de weg; zijn auto stond vast door die protestactie. Ik heb hem daar gezien, samen met de andere mensen die vast stonden.'

'En u kon zich hem nog herinneren?'

'Als u Rizzardi's rapport leest, begrijpt u waarom,' zei Brunetti.

'Wat wilt u dat ik doe, meneer?'

'Contact opnemen met de carabinieri. Lovello in Mestre had toen de leiding. Kijkt u eens of ze foto's hebben, of misschien een video.' Er waren de laatste jaren zo veel aanklachten wegens excessief geweld tegen de politie en de carabinieri geweest dat sommige politiechefs erop stonden dat acties die mogelijk tot geweld konden leiden, gefilmd werden.

'En informeert u ook bij Televeneto,' vervolgde hij. 'Die zijn daar met een ploeg geweest, dus zij zouden wel wat moeten hebben. Kijk eens of u een kopie kunt krijgen.'

'Was RAI er ook?'

'Dat weet ik niet meer. Maar die lokale mensen weten nog wel of de grote jongens ook zijn geweest. Zo ja, kijkt u dan of u van hen ook kopieën kunt krijgen van wat ze daar gefilmd hebben.'

'Hoe ziet die man eruit?'

'Hij is groot, heel dik rond de schouders en nek. Een baard; die had hij toen ook al. Donker haar, lichte ogen.'

Ze knikte. 'Dank u wel, meneer. Ik zal het tegen ze zeggen, dan kunnen ze de beelden daarop selecteren voor ze me wat sturen.'

'Goed, mooi zo,' zei Brunetti.

'Hij is toch neergestoken?' vroeg ze.

'Ja. Maar Rizzardi zei dat hij water in zijn longen had. Ze hebben hem in een kanaal gevonden.'

'Is hij verdronken?'

'Nee, het mes heeft hem gedood.'

'Hoe oud was hij?' vroeg ze.

'In de veertig.'

'Arme man,' zei ze, en Brunetti kon niet anders dan het met haar eens zijn.

6

Bleef Patta over. Bij het vooruitzicht zijn baas te woord te moeten staan maakte zich vaak bij voorbaat al een vermoeidheid van Brunetti meester, alsof hij een zwemmer was die zijn baantjes verkeerd geteld heeft en opeens beseft dat hij er nóg tien te gaan heeft in water dat steeds kouder wordt. Bovendien had Brunetti, zoals iedere wedstrijdsporter, de prestaties van zijn tegenstander zorgvuldig bestudeerd. Patta had een snelle start, deinsde er niet voor terug andere deelnemers te hinderen zolang hij daarmee weg kon komen, maar miste uithoudingsvermogen en viel vaak terug op de langere afstand. Maar hoe ver hij ook achter raakte tijdens een wedstrijd, je kon er donder op zeggen dat hij aanwezig was bij de prijsuitreiking, en er bestond geen macht groot genoeg om hem ervan te weerhouden zichzelf het podium op te hijsen zodra de medailles werden uitgereikt.

Dit weten was gewaarschuwd zijn, maar gewaarschuwd zijn betekende niet veel wanneer een mens te maken had met vicequestore Giuseppe Patta, Siciliës mooiste geschenk aan het politiewezen, die al meer dan tien jaar op het pluche zat in Venetië, geheel in strijd met de regel dat hoge politiefunctionarissen elke paar jaar worden overgeplaatst. Brunetti kon aanvankelijk niet begrijpen waarom Patta maar op zijn post bleef zitten, totdat hij zich realiseerde dat de enige politiemensen die systematisch werden overgeplaatst vanuit de steden waar ze de misdaad bestreden, degenen waren die succes hadden, met name degenen die zich met succes teweerstelden tegen de maffia. Wie erin slaagde de hoogste leden van een maffiaclan in een grote stad te arresteren, werd gegarandeerd weggebonjourd naar een of andere negorij in Molise of Sardinië, waar geen zwaardere misdrijven te verwachten waren dan veediefstal en openbare dronkenschap.

Misschien dat Patta het daarom zo lang volhield in Venetië, waar de zich opstapelende bewijzen voor maffia-infiltratie hem op geen enkele manier aanspoorden die te bestrijden. Burgemeesters kwamen en gingen, stuk voor stuk zwerend een einde te zullen maken aan de misstanden die hun voorgangers hadden genegeerd of aangemoedigd. De stad werd smeriger, er kwamen steeds meer hotels, de huren bleven omhooggaan, iedere beschikbare vierkante centimeter trottoir werd verhuurd aan mensen die vanaf opklapbare straatstalletjes onbruikbare rommel wilden verkopen, en evengoed rezen de golven van beloften om al deze euvels te verhelpen hoger en hoger. En daar, in alle rust en op veilige afstand van de brekende golven, was vicequestore Giuseppe Patta, vriend van alle politici die hij ooit had ontmoet, het inmiddels niet meer weg te denken gezicht van het gezag in de stad.

Brunetti, een tolerant en gematigd mens, had zich er echter op toegelegd niet zozeer naar de tekortkomingen als wel naar de goede kanten van zijn meerdere te kijken, en erkende dus dat er geen bewijs bestond dat Patta werd betaald door een criminele organisatie; hij had nooit opdracht gegeven tot het mishandelen van een gevangene; hij kon nu en dan geloof hechten aan onweerlegbaar bewijs voor de schuld van een vermogende verdachte. Als hij rechter was geweest, zou Patta ongetwijfeld een bedachtzame zijn, altijd bereid de sociale positie van de verdachte te laten meewegen. In breder perspectief gezien, bedacht Brunetti vaak, waren dit geen verderfelijke zwakheden.

Signorina Elettra zat aan haar bureau voor de kamer van haar baas en glimlachte naar Brunetti toen hij binnenkwam. 'Ik wilde even verslag uitbrengen aan de vice-questore,' zei hij.

'Hij zal blij zijn met de afleiding,' zei ze ernstig. 'Zijn jongste zoon belde net om te zeggen dat hij gezakt is voor zijn tentamen.'

'Die minder intelligente?' vroeg Brunetti, die zich geweld aandeed om de jongen niet dom te noemen, ook al was hij dat wel.

'Ach, commissario, u dwingt me een onderscheid te maken dat mijn macht te boven gaat,' zei ze met een uitgestreken gezicht.

Enkele jaren geleden was Roberto Patta meer dan eens bijna gearresteerd geweest, maar zijn vaders positie had hem gered. Aan zijn betrokkenheid bij het verkopen van drugs was echter een einde gekomen na een auto-ongeluk in de vroege ochtend waarbij zijn verloofde om het leven was gekomen, en hij had het aan zijn vaders positie te danken gehad dat hij pas een volle dag na het ongeluk op alcohol en drugs was getest, zodat beide tests negatief waren uitgevallen. Maar met haar dood leek er in de jongen iets te zijn geknapt, en hij had – volgens geruchten op de Questura – zowel de drugs als de drank vaarwel gezegd en zijn beperkte vermogens in dienst gesteld van het voltooien van zijn studie teneinde accountant te worden.

Het was een hopeloze onderneming. Brunetti wist dat, en Patta waarschijnlijk ook, maar de jongen bleef volhouden en deed jaar na jaar dezelfde tentamens, en keer op keer zakte hij en nam hij zich voor nog harder te studeren en ze opnieuw te doen, zonder er waarschijnlijk ooit bij stil te staan dat – mocht hij ze door goddelijke interventie een keer halen – het staatsexamen nog moeilijker zou zijn. Een paar agenten met kinderen die dezelfde opleiding deden als hij gaven de verhalen door over zijn hardnekkige pogingen, en in de loop der jaren was het beeld van hem op de Questura veranderd van dat van het verwende kind van een onachtzame vader in dat van de hardwerkende, zij het beperkte zoon van een toegewijde ouder. Het mysterie in dezen – het vaderschap was voor Brunetti altijd iets mysterieus – was

Patta's toewijding aan zijn twee zoons en zijn wens dat ze op eigen kracht zouden slagen in het leven, een idee dat zich in hem had gevormd als reactie op het ongeluk.

'Hoe lang geleden heeft hij hem gesproken?' vroeg Brunetti.

'Een uur ongeveer,' antwoordde ze, en ze voegde er op andere toon aan toe: 'Zijn vader was in gesprek op zijn *telefonino*, dus Roberto belde mij om te vragen of ik hem wilde doorverbinden.' Ze perste berustend haar lippen op elkaar. 'Hij vertelde wat er gebeurd was. Hij huilde.'

'Hoe oud is hij nu, weet u dat?'

'Zesentwintig, geloof ik.'

'God, hij gaat het nooit halen, hè?'

Ze schudde van nee op een manier die die mogelijkheid ten enen male uitsloot. 'Alleen als iemand iets voor hem kan regelen bij de examencommissie.'

'Wil hij dat niet doen?' vroeg Brunetti, en hij gebaarde met zijn kin naar de deur van Patta's kamer. 'Hij heeft het in het verleden ook gedaan.'

'Dat wil hij niet meer.'

'Maar waarom niet?'

'God mag het weten. Het zou makkelijk genoeg zijn. Hij heeft de laatste tien jaar in ieder geval de juiste mensen voor zich gewonnen.'

'Misschien weten ze niet wiens zoon hij is,' opperde Brunetti.

'Misschien,' antwoordde ze, duidelijk niet overtuigd.

'Dus het is echt waar?' zei Brunetti, die zich erover verwonderde dat een ouder niet de regels zou wensen te omzeilen om zijn kind te helpen.

Brunetti liep door en klopte op Patta's deur.

'*Avanti!*' luidde de reactie, en Brunetti ging naar binnen.

Patta zag er ouder uit dan de dag ervoor. Hij was nog steeds een mooie man: gespierd, breedgeschouderd, en met een gezicht dat erom schreeuwde in brons of steen te worden vereeuwigd.

Maar zijn wangen leken vanochtend een tikkeltje ingevallen, iets wat Brunetti nooit eerder was opgevallen, en zijn huid stond gespannen en had bijna iets stoffigs.

'Goedemorgen, vice-questore,' zei Brunetti, en hij liep op het bureau toe.

'Ja, wat is er?' vroeg Patta, alsof er een ober bij zijn tafel was komen staan terwijl hij diep in gesprek was.

'Ik wilde u even vertellen over de man die vanmorgen bij het Giustinian is gevonden, meneer.'

'De man die verdronken is?' vroeg Patta.

'Het rapport moet onduidelijk zijn geweest, meneer,' zei Brunetti, die op enige afstand van Patta's bureau bleef staan. 'Er zat water in zijn longen, dat staat in Rizzardi's rapport. Maar hij is met een mes gestoken voordat hij in het water terechtkwam. Drie keer.'

'Dus het is moord?' zei Patta op een toon waaruit bleek dat hij het begrepen had, maar die gespeend was van enige belangstelling of nieuwsgierigheid.

'Ja, meneer.'

'Ga dan maar zitten, Brunetti,' zei Patta, alsof opeens tot hem doordrong dat de man tegenover hem nog steeds stond.

'Dank u wel, meneer,' antwoordde Brunetti. Hij ging zitten en zorgde ervoor geen onverwachte bewegingen te maken, in ieder geval niet zolang hij nog niet wist in wat voor stemming Patta verkeerde.

'Waarom zou iemand hem neersteken en hem dan in het water gooien?' vroeg Patta, en Brunetti onderdrukte de neiging om te zeggen dat hij, als hij dat wist, degene die het gedaan had meteen zou hebben gearresteerd en hun daarmee allemaal een hoop tijd en moeite zou hebben bespaard.

'Heb je hem al geïdentificeerd?' vroeg Patta voordat Brunetti antwoord kon geven op zijn eerste vraag.

'Daar is signorina Elettra mee bezig, meneer.'

'Juist, ja,' zei Patta, en hij liet het daar verder bij. Opeens stond de vice-questore op en liep naar het raam. Hij bleef zo lang naar buiten staan kijken dat Brunetti zich afvroeg of hij hem iets moest vragen om zijn aandacht weer te krijgen, maar hij besloot te wachten. Patta deed het raam open en liet een stroom zachte lucht de kamer binnen, daarna deed hij het weer dicht en liep terug naar zijn stoel. 'Wil jij het doen?' vroeg hij toen hij weer zat.

De mogelijkheden die Brunetti had, maakten de vraag belachelijk. Hij kon kiezen uit Pucetti's bagageafhandelaars, de verwachte toename van het aantal zakkenrollers, die door het voorjaar en Pasen naar de stad werden gelokt, de nooit aflatende illegale venusschelpenvisserij, of een moord. Maar heel, heel zachtjes waarschuwde hij zichzelf. Laat Patta nooit weten wat je denkt, en laat hem al helemaal nooit weten wat je wilt. 'Als er niemand anders beschikbaar is om het te doen, meneer. Ik zou de Chioggia-zaak' – zo veel beter dan het 'de illegale venusschelpenvisserij' te noemen – 'aan de uniformdienst kunnen overdragen. Twee zijn er zelf Chiogiotti en die zouden waarschijnlijk hun familie kunnen gebruiken om uit te zoeken wie de schelpen oogst.' Acht jaar universiteit om achter illegale schelpenvissers aan te zitten.

'Goed dan. Neem Griffoni maar. Die vindt een moord misschien wel leuk voor de verandering.' Na al die jaren kon Patta hem nog steeds versteld doen staan van de dingen die hij soms zei.

Hij kon Brunetti ook versteld doen staan van de dingen die hij niet wist. 'Ze zit in Rome, meneer: die cursus over huiselijk geweld.'

'Ach, natuurlijk, natuurlijk,' zei Patta, met het wuivende gebaar van een man die het zo druk had dat je niet kon verwachten dat hij alles onthield.

'Vianello heeft op dit moment niets specifieks omhanden.'

'Neem maar wie je wilt,' zei Patta ruimhartig. 'We kunnen dit soort dingen niet gebruiken.'

'Nee, meneer. Natuurlijk niet.'

'Een mens kan toch niet zomaar naar deze stad komen en dan vermoord worden?' Patta klonk verontwaardigd, maar het was onmogelijk te zeggen of zijn emoties werden opgeroepen door wat er met de man was gebeurd of door wat er als gevolg daarvan met het toerisme zou gebeuren. Brunetti wilde er niet naar vragen.

'Dan ga ik er maar mee aan de slag, meneer.'

'Ja, doe dat maar,' zei Patta. 'Hou me op de hoogte.'

'Natuurlijk, meneer,' antwoordde Brunetti. Hij wierp een blik op Patta, maar die had zich inmiddels verdiept in een van de kranten op zijn bureau. Zonder iets te zeggen verliet Brunetti stilletjes de kamer.

7

Hij deed de deur achter zich dicht. In antwoord op signorina Elettra's blik zei Brunetti terwijl hij naar haar bureau liep: 'Hij heeft gevraagd of ik die zaak wil doen.'

Ze glimlachte. 'Gevraagd, of moest u hem een beetje aanmoedigen?'

'Nee, het was zijn idee. Hij zei zelfs dat ik Griffoni moest vragen om er samen met mij aan te werken.' Als haar glimlach verbonden was geweest met een dimmer, hadden zijn woorden de knop omlaaggedraaid. Ogenschijnlijk zonder iets bijzonders op te merken aan haar reactie op de naam van de aantrekkelijke blonde vrouwelijke commissario vervolgde hij: 'Die zit in Rome, natuurlijk. Dus heb ik om Vianello gevraagd, en daar had hij geen bezwaar tegen.'

De rust keerde weer, maar om het zekere voor het onzekere te nemen vroeg Brunetti, teruggrijpend op iets wat hem te binnen was geschoten toen hij bij Patta was: 'Was er niet een nieuwe regel, een soort verjaringswet, voor studenten aan de universiteit?' Zelfs Patta verdiende het niet om jaar na jaar met de consequenties van deze farce te worden geconfronteerd.

'Er zijn stemmen opgegaan om de regels te veranderen zodat ze na een bepaalde tijd moeten vertrekken,' antwoordde ze, 'maar ik betwijfel of het er ooit van komt.'

Het praatje over gewone dingen had haar goede humeur hersteld. Om het in stand te houden vroeg Brunetti: 'Hoezo?'

Ze draaide zich helemaal naar hem toe en liet haar kin op haar hand rusten voordat ze antwoord gaf. 'Denkt u zich eens in wat er zou gebeuren als iedereen daarmee akkoord zou gaan en er honderdduizenden van die studenten weggestuurd zouden worden.' Toen hij geen commentaar gaf vervolgde ze: 'Dan zouden ze moeten accepteren – en hun ouders zouden moeten accepteren – dat ze werkloos zijn en waarschijnlijk ook zullen blijven.' Voordat Brunetti iets kon zeggen kwam ze met de tegenwerping die hij had willen maken: 'Ik weet wel dat ze nooit gewerkt hebben, dus ze zullen niet in de statistieken opduiken als mensen die hun baan zijn kwijtgeraakt. Maar ze zouden wel onder ogen moeten zien, en hun ouders ook, dat ze praktisch onbemiddelbaar zijn.' Brunetti gaf haar met een kort knikje gelijk. 'Dus zolang ze bij een universiteit staan ingeschreven, kunnen ze in de statistieken worden genegeerd, en zij op hun beurt kunnen het feit negeren dat ze nooit een fatsoenlijke baan zullen krijgen.' Hij dacht dat ze klaar was, maar ze voegde er nog aan toe: 'Er is een enorm reservoir van jonge mensen die jarenlang op kosten van hun ouders leven en nooit een vak leren waar ze mee aan de slag kunnen.'

'Zoals?' wilde Brunetti weten.

Ze ging met haar hand door haar haar. 'O, ik weet het niet. Loodgieten. Timmeren. Iets nuttigs.'

'In plaats van?'

'De zoon van een vriendin van me heeft zeven jaar kunstmanagement gestudeerd. De regering bezuinigt·jaar in jaar uit op de musea en op kunst, maar hij gaat afstuderen in kunstmanagement.'

'En dan?'

'En dan mag hij blij zijn als hij een baan als suppoost krijgt, maar daar zou hij zich veel te goed voor voelen, want hij is kunstmanager,' zei ze. Op vriendelijker toon voegde ze eraan toe: 'Het is een slimme jongen en hij houdt van zijn studie, en volgens mij zou hij geknipt zijn voor een baan in een museum. Alleen zullen er geen banen zijn.'

Brunetti dacht aan zijn eigen zoon, die nu in het eerste jaar zat, en aan zijn dochter, die binnenkort naar de universiteit ging. 'Betekent dat dat mijn kinderen eenzelfde toekomst tegemoet gaan?'

Ze opende haar mond om iets te zeggen, maar hield zich in.

'Toe maar,' zei Brunetti. 'Zeg het maar.'

Hij zag het moment waarop ze besloot dat te doen. 'De familie van uw vrouw zal er wel voor zorgen dat ze beschermd worden, of anders zorgen de vrienden van uw schoonvader wel dat ze een baan aangeboden krijgen.'

Brunetti wist dat ze iets als dit een paar jaar geleden nooit gezegd zou hebben, en dat ze het nu waarschijnlijk ook nooit gezegd zou hebben als hij haar niet geprovoceerd had met zijn verwijzing naar Griffoni. 'Zoals dat ook gebeurt met kinderen van andere families met goede connecties?' vroeg hij.

Ze knikte.

Hij dacht opeens aan haar politieke opvattingen en vroeg: 'Heeft u daar geen bezwaar tegen?'

Ze haalde haar schouders op en zei: 'Of ik er bezwaar tegen heb of niet, het blijft toch zoals het is.'

'Heeft het u geholpen om uw baan bij die bank te krijgen?' vroeg hij, verwijzend naar de baan die ze meer dan tien jaar geleden vaarwel had gezegd om op de Questura te komen werken, een keuze die geen van haar collega's ooit begrepen had.

Ze lichtte haar kin van haar hand en zei: 'Nee, mijn vader heeft niet geholpen. Sterker nog, hij wilde niet eens dat ik op die bank ging werken. Hij heeft geprobeerd me over te halen om het niet te doen.'

'Ook al was hij zelf bankdirecteur?' zei Brunetti.

'Juist daarom. Hij zei dat dat hem duidelijk had gemaakt hoe zielsbedervend het was om met geld te werken en de hele tijd aan geld te denken.'

'Maar u heeft het toch gedaan?' Het verbaasde Brunetti dat hij met haar in dit gesprek gewikkeld was geraakt; normaal gesproken werden hun uitwisselingen van persoonlijke informatie half gesmoord in ironie of gemaskeerd door indirectheid.

'Een aantal jaren, ja.'

'Totdat?' vroeg hij, benieuwd of hij op het punt stond het geheim te ontsluieren dat de Questura al jaren bezighield en zich ervan bewust dat, mocht ze het hem vertellen, hij het nooit zou mogen doorvertellen.

Haar glimlach veranderde en deed hem op zeker moment denken aan een beroemde andere glimlach, die van de Cheshire Cat. 'Totdat het mijn ziel begon te bederven.'

'Ah,' zei Brunetti, die het erop hield dat hij meer dan dit niet te horen zou krijgen, en waarschijnlijk ook niet wilde horen.

'Was er verder nog iets, meneer?' Voor hij antwoord kon geven zei ze: 'Ze hebben foto's en videobeelden van die protestactie gestuurd.'

Brunetti kon zijn verbazing niet verbergen. 'Zo snel?'

Haar glimlach was vol mededogen, als die van een renaissancistische madonna. 'Via de computer, meneer. Ze zitten in uw e-mail.' Ze wierp een blik over zijn schouder en keek een paar seconden peinzend naar de muur, waarna ze vervolgde: 'Ik heb een vriend die bij de centrale gezondheidsdienst van Veneto werkt. Ik kan eens vragen of hij wil kijken of er ergens een centraal bestand bestaat met gevallen van die ziekte...'

'Van Madelung,' vulde Brunetti aan. Ze keek hem aan op een manier die duidelijk maakte dat de aanvulling niet nodig was geweest.

'Dank u,' zei ze om te laten merken dat ze het hem niet kwalijk nam. 'Er zitten misschien telefoonnummers bij voor Veneto, als er mensen behandeld worden.'

'Rizzardi zei dat hij iemand zou bellen die hij kent in Padua,' zei Brunetti, in de hoop haar het extra werk te besparen.

Ze maakte een afkeurend geluid. 'Ze willen misschien een officieel verzoek. Dat willen dokters vaak,' zei ze, alsof ze een bioloog was die het over een of andere lagere insectenorde had. 'Dat kan dagen duren. Langer zelfs.' Brunetti waardeerde het dat ze zo discreet was om niet te zeggen hoe snel haar vriend het zou kunnen doen.

'Hij stond op de rijbaan naar het zuiden toen ik hem zag,' zei hij opeens.

'En dat betekent?'

'Dat hij misschien op weg was vanuit Friuli. Kunt u uw vriend vragen of ze daar misschien ook zo'n bestand hebben?'

'Uiteraard,' zei ze minzaam. 'De mensen die de weg geblokkeerd hadden, protesteerden die niet tegen de nieuwe melkquota?' vroeg ze. 'Waardoor de productie omlaag moest?'

'Ja.'

'Inhalige idioten,' zei ze met een felheid die hem verbaasde.

'U bent daar nogal uitgesproken in, signorina,' merkte hij op.

'Natuurlijk. Er is te veel melk, er is te veel kaas, er is te veel boter, en er zijn te veel koeien.'

'In vergelijking waarmee?' vroeg hij.

'In vergelijking met het gezonde verstand,' zei ze bozig, en Brunetti vroeg zich af waar hij op gestuit was.

Paola gebruikte bij het koken olie, geen boter, hij zou misselijk worden als hij een glas melk moest drinken, ze aten niet veel kaas, en Chiara's principes hadden al lang geleden het vlees van hun tafel gebannen, dus wat hier ook ter discussie stond, in termen van gedrag bevond Brunetti zich onbetwistbaar aan signorina Elettra's kant. Wat hij echter niet begreep was de reden voor haar felheid, maar daar wilde hij nu liever niet op ingaan.

'Als u iets binnenkrijgt van uw vriend, laat u het me dan weten?'

'Natuurlijk, commissario,' zei ze met haar gewone warmte, en ze draaide zich om naar de computer. Brunetti besloot te kijken of hij de dode man kon vinden in de toegestuurde filmbeelden van het incident van afgelopen najaar.

Brunetti ging de trap op naar zijn kamer en bedacht dat hij nu toegang had tot ieder videobestand dat in het nieuwe systeem werd gestopt.

Hij opende zijn mailbox en vond de link. Binnen een paar seconden toonde het scherm het originele rapport en de aantekeningen van de verschillende agenten die daar aanwezig waren geweest. Nadat hij die had gelezen, had hij geen moeite om het bestand met de filmbeelden van de politie en van het televisiestation te openen. Toen hij het eerste fragment bekeek en zag dat het busje met het logo Televeneto in vlammen opging, begreep hij waarom de omroep zo prompt zijn medewerking had verleend.

Hij bekeek de eerste twee fragmenten, die allebei maar een paar seconden duurden, maar kon de man niet ontdekken, en daarna nog een derde, zonder succes. Vervolgens, in het vierde fragment, dook de man op. Hij stond, zoals Brunetti zich inmiddels herinnerde, aan de rand van de middenberm die de noordelijke en zuidelijke rijbaan van de autostrada van elkaar scheidde. Hij was maar een paar seconden in beeld, zijn hoofd en opvallende nek en romp zichtbaar voor een rode auto die midden op de weg stilstond. Er stonden een paar mensen naast hem, drie mannen en een vrouw, en ze keken allemaal recht voor zich uit. De camera zwenkte terug naar een enkele rij gehelmde mannen die als één man voorwaarts marcheerden, met de doorzichtige schilden tegen elkaar aan. Daar eindigde het fragment.

Brunetti opende het volgende. Dit keer filmde de camera vanachter de rij carabinieri die op de wanordelijke groep boeren af ging, waarbij de oprukkende linie zich opende voor een in brand gestoken auto om zich even later weer te sluiten. Het volgende fragment leek opgenomen met een *telefonino*, maar

er werd geen bron vermeld: het kon net zo goed van een poli-
tieagent afkomstig zijn als van een omstander wiens mobiel in
beslag was genomen. Het toonde een man die met een emmer
vol bruine vloeistof uithaalde naar een carabiniere en hem recht
op de borst trof. De carabiniere reageerde met een zijwaartse
mep met zijn wapenstok tegen de onderarm van de actievoer-
der, waardoor de emmer de lucht in vloog en een plens van zijn
inhoud verloor terwijl hij rechts uit het beeld verdween. De man
boog zich voorover en greep met zijn andere hand zijn arm beet,
waarna hij door twee carabinieri tegen de grond werd gewerkt.
Daar eindigde het fragment.

Hij typte Pucetti's adres in en stuurde de mail met de filmfragmenten naar hem door, zette zijn computer uit en ging naar
beneden om de man zelf te zoeken.

8

Brunetti bleef even in de deuropening van de agentenkamer staan en keek rond. Vianelli, in gesprek met de nieuweling Dondini, stond met zijn rug naar de deur. Pucetti, van wiens gezicht Brunetti de effecten van hun laatste gesprek nog kon aflezen, leek net zo weinig oog te hebben voor zijn omgeving als voor de papieren die op zijn bureau lagen uitgespreid. Brunetti's slechtere ik was blij om de jonge agent zo afwezig te zien: het zou iedereen in de toekomst een hoop narigheid besparen als hij leerde grotere discretie te betrachten bij het overtreden van de regels of misschien ook wel van de wet.

'Pucetti,' riep hij terwijl hij naar binnen stapte. 'Ik wou je om een gunst vragen.' Hij liep op het bureau van de jongeman af en gebaarde Vianello zich bij hen te voegen zodra hij kon.

Pucetti schoot overeind, maar salueerde tegenwoordig niet meer meteen wanneer hij zijn chef zag. 'Ik heb die man gevonden die vanmorgen in het kanaal lag. Heb je het rapport gelezen?' vroeg Brunetti.

'Jawel, meneer,' zei Pucetti.

'Er zijn een stuk of wat filmfragmenten van dat incident met de boeren op de autostrada vorig jaar. Daar was hij bij.'

'Bedoelt u dat we hem gearresteerd hebben?' vroeg Pucetti met slecht verhulde verbazing. 'En niemand weet dat meer?' Zijn toon zei impliciet dat híj dat zeker nog zou hebben geweten, maar Brunetti liet het maar gaan.

'Nee. Hij was er wel bij, maar alleen als toeschouwer. Er is geen politiefoto,' zei Brunetti. 'Hij is gefilmd terwijl hij langs de kant van de weg stond toe te kijken.'

Pucetti was zeer geïnteresseerd.

'Ik zou graag willen dat je me ergens mee helpt,' zei Brunetti met een glimlach. Als een jachthond die een bekend fluitje heeft gehoord, stond de jongere man met gespitste oren klaar om te doen wat er van hem verlangd werd.

Op dat moment kwam Vianello naar hen toe en vroeg: 'Wat heb je gevonden?'

'Een video met de man met wie Rizzardi vanmorgen bezig is geweest,' antwoordde Brunetti, en die formulering stond hem tegen zodra hij haar uit zijn mond hoorde komen. 'Hij heeft vast gestaan op de autostrada tijdens dat protest van de boeren vorig jaar.' Hij vertelde Pucetti over de mail die hij hem zojuist gestuurd had en zei: 'Ik zou graag willen dat je kijkt of je prints kunt maken van afzonderlijke beelden.'

'Dat is doodeenvoudig, meneer,' zei Pucetti op de gretige toon die Brunetti van hem gewend was. 'In welk filmpje heeft u hem gezien?'

'Hij komt voor in het vierde fragment. Een man met een donkere baard; heel dikke schouders en nek. Ik wil graag dat je kijkt of je hem stil kunt zetten en er een foto uit kunt krijgen die we voor identificatiedoeleinden kunnen gebruiken.' Voor Pucetti iets kon vragen zei Brunetti, zonder uitleg: 'We kunnen geen foto van hem laten zien zoals hij er nu uitziet.'

Pucetti keek naar de agentencomputer, hetzelfde apparaat dat er jaren geleden ook al stond. 'Het zou een stuk makkelijker zijn als ik er thuis op mijn eigen apparatuur aan kan werken, meneer,' zei hij, niet hijgend, maar wel zichtbaar popelend om van de lijn te worden losgelaten.

'Doe dat maar. Als iemand ernaar vraagt, zeg dan maar dat het deel uitmaakt van het moordonderzoek,' zei Brunetti, in de wetenschap dat de enige die ernaar zou kunnen vragen hoofdinspecteur Scarpa was, de eeuwige nagel aan de doodskist van de uniformdienst, Patta's rechterhand, zijn ogen en oren. Vervolgens, vanuit de automatische neiging om informatie voor de hoofdinspecteur te verzwijgen, verbeterde hij zichzelf: 'Nee, als iemand ernaar vraagt is het beter om te zeggen dat ik je naar San Marco heb gestuurd om wat papieren van het commissariaat daar op te halen.'

'Ik zal zo vaag zijn als ik maar kan, meneer,' zei Pucetti ernstig. Brunetti zag vanuit zijn ooghoek Vianello's vluchtige grijns.

'Mooi zo.' Zich tot Vianello wendend, zei Brunetti: 'Er zijn nog een paar andere dingen.' Hij wierp een blik op zijn horloge om aan te geven dat het tijd was om een kop koffie te gaan drinken. Tegen de tijd dat Vianello was teruggelopen naar zijn bureau en zijn jas had gepakt, was Pucetti verdwenen. Op weg naar de bar bij de Ponte dei Greci vertelde Brunetti Vianello over de autopsie, over de vreemde ziekte van de man, en zijn eigen overtuiging dat hij hem eerder had gezien, bevestigd door de filmbeelden die Pucetti nu thuis ging bekijken en afdrukken.

Al pratend stapte Brunetti als eerste de bar binnen. Bambola, de steun en toeverlaat van de eigenaar, knikte toen ze hem voorbijliepen op weg naar het tafeltje achterin. Even later kwam hij aanlopen met twee koffie en twee glazen water en een bord met vier stuks gebak. Hij zette alles op tafel en ging terug naar de bar.

Brunetti pakte een koffiebroodje. Het was inmiddels bijna tijd om te lunchen, maar Brunetti had die dag al het lichaam van een vermoorde man gezien en Pucetti, zijn favoriet binnen de uniformdienst, een uitbrander gegeven; signorina Elettra had een persoonlijk gesprek met hem gevoerd; en de man die hem zijn koffie had gebracht was een zwarte Afrikaan in een lange witte jurk. 'Tegen de tijd dat wij met pensioen gaan, komt signorina Elettra naar haar werk in een baljurk en een tiara en staat Bambola kippen te offeren in het achterzaaltje,' merkte hij op tegen Vianello, en hij nam een hap van zijn koffiebroodje.

Vianello nam een slok koffie, pakte een slakvormig stuk gebak met rozijnen en zei: 'Tegen de tijd dat wij met pensioen gaan zijn we een kolonie van China en geven Bambola's kinderen les aan de universiteit.'

'Dat tweede bevalt me wel,' zei Brunetti, en hij vroeg: 'Heb je weer in je onheilsboeken zitten lezen, Lorenzo?'

Vianello was zo beleefd, als altijd, om te glimlachen. Hij en signorina Elettra waren de verklaarde milieubeschermers op de Questura, hoewel Brunetti de laatste tijd had gemerkt dat hun aanhang groeide; bovendien was het al een tijd geleden dat hij een van beiden aangeduid had horen worden als *talibano dell'ecologia*. Foa had een verzoek ingediend om bij de toekomstige aankoop van politieboten rekening te houden met brandstofzuinigheid; angst voor de toorn van signorina Elettra weerhield iedereen ervan het verkeerde soort afval in de bakken op de verschillende verdiepingen te deponeren; en zelfs vice-questore Patta had zich bij gelegenheid wel eens laten overhalen om gebruik te maken van het openbaar vervoer.

'*A proposito*,' ging hij verder, 'signorina Elettra heeft zich vanmorgen nog net weten te weerhouden van een openlijke veroordeling van koeien; of liever gezegd: daar heb ik haar van weten te weerhouden. Heb jij enig idee waar dat vandaan komt?'

Vianello pakte zijn tweede stuk gebak, een enigszins droog ogend ding bedekt met stukjes noot. 'De tijd van Heidi is voorbij, Guido,' zei hij, en hij nam een hap.

'En dat betekent?' vroeg Brunetti, die zijn eigen tweede stuk gebak voor zich in de lucht hield.

'Dat betekent dat er te veel koeien zijn, en dat we het ons niet meer kunnen veroorloven om ze nog te houden of te fokken of te eten.'

'Wie zijn "wij"?' vroeg Brunetti, en hij nam een hap.

'"Wij" zijn de mensen in de ontwikkelde wereld – wat gewoon

een eufemisme is voor rijke wereld – die te veel vlees en te veel zuivelproducten eten.'

'Maak je je zorgen om je gezondheid?' vroeg Brunetti, die aan cholesterolniveaus dacht, iets waar hij nooit een moment bij stilgestaan had, en hij was benieuwd waar en wanneer Vianello en signorina Elettra hun celbijeenkomsten hielden.

'Nee, niet echt,' zei Vianello opeens ernstig. 'Ik denk aan die arme sloebers in wat we niet langer ontwikkelingslanden mogen noemen, waar bossen gekapt worden zodat grote bedrijven er vee kunnen houden waarvan het vlees verkocht wordt aan rijke mensen die het eigenlijk niet zouden moeten eten.' Hij zag dat zijn koffiekopje leeg was en nam een slok water. Vervolgens verraste hij Brunetti door te zeggen: 'Ik geloof dat ik hier verder niet meer over wil praten. Vertel eens over die man.'

Brunetti haalde een pen uit de zak van zijn jasje en gebruikte een servetje om de tekening die Bocchese van het wapen had gemaakt ruwweg na te tekenen, er zorg voor dragend dat het lemmet bij de punt omhoogboog. 'Met zo'n soort mes is hij vermoord. Het is ongeveer twintig centimeter lang en heel smal. Hij is er drie keer mee gestoken. Onder in zijn rug, rechterkant. In het rapport – ik heb het nog niet gelezen – staat ongetwijfeld precies wat er geraakt is, maar Rizzardi zegt dat hij is doodgebloed.'

'In het water?' vroeg Vianello, terwijl hij zijn gebak teruglegde op het bord.

'Hij heeft nog lang genoeg geleefd om wat water binnen te krijgen, maar niet lang genoeg om te verdrinken. Bocchese en ik hebben het erover gehad waar het gebeurd kan zijn en hoe het gegaan kan zijn. Of hij zat in een boot, wat me niet waarschijnlijk lijkt – te veel risico dat je gezien wordt, en Bocchese zei dat er geen sporen van dat soort vuil op zijn kleren zaten. Of ze hebben het in een huis gedaan en hem via de waterdeur in het kanaal geschoven, of misschien is het aan het eind van een *calle* gebeurd, waar die bij het water uitkomt, en hebben ze hem er gewoon in gegooid.'

'Grote kans dat je gezien wordt, in beide gevallen,' merkte Vianello op. 'Of gehoord wordt.'

'Minder vanuit een huis, denk ik. Ook minder kans dat iemand het gehoord zou hebben.'

Vianello keek door het raam van de bar en richtte zijn blik op de voorbijgangers, zijn aandacht op de mogelijkheden van de moord. Na een tijdje wendde hij zich weer tot Brunetti en zei: 'Ja, een huis klinkt beter. Enig idee waar?'

'Ik heb Foa nog niet gesproken,' zei Brunetti, die zich voornam dat zo snel mogelijk te doen. 'Ze hebben het lijk rond zes uur aan de achterkant van het Giustinian gevonden, in de Rio del Malpaga. Foa kan wel uitrekenen wat de...' Brunetti kon het woord 'drijfroute' niet over zijn lippen krijgen, zo afschuwelijk vond hij het, dus maakte hij ervan: '... waar hij begonnen zou kunnen zijn.'

Dit keer deed Vianello zijn ogen dicht, en Brunetti zag hem precies datgene doen wat hij zelf ook had gedaan: de tientallen jaren oude plattegrond uit zijn geheugen oproepen en rondlopen door de buurt, de kanalen afgaan en, voor zover hij dat kon, nagaan welke kant het water op stroomde. Hij opende zijn ogen en keek Brunetti aan. 'We weten niet of het opkomend of afgaand tij was.'

'Daarom moet ik met Foa praten.'

'Oké. Die weet het wel,' zei Vianello, en hij duwde zich overeind. Hij ging naar de bar om te betalen en wachtte tot Brunetti zich bij hem voegde, waarna ze samen terugliepen naar de Questura, kijkend naar het water van het kanaal rechts van hen, speurend naar beweging, terwijl ze zich afvroegen wat de stroomrichting van het tij was geweest op het moment dat de dode man in het water terecht was gekomen.

9

Toen Brunetti de Questura binnenstapte, keek hij op zijn horloge en zag dat het al na enen was. Als hij nu zou vertrekken, was hij misschien nog op tijd thuis om iets te eten. Opnieuw passeerden de gebeurtenissen van die dag de revue in zijn hoofd, dit keer gekleurd door te veel cafeïne en te veel suiker: waarom had hij twee zoete broodjes gegeten terwijl hij wist dat hij nog naar huis moest? Was hij soms een of ander onopgevoed kind, dat de verleiding van zoete dingen niet kon weerstaan?

Hij draaide zich om naar Vianello en zei: 'Ik ben er na de lunch weer. Dan praat ik wel met Foa.'

'Die begint toch pas om vier uur. Tijd genoeg.'

Met twee koffiebroodjes die binnen in hem rommelden, besloot Brunetti de hele weg naar huis te lopen, maar meteen daarna veranderde hij van gedachten en ging de Riva degli Schiavoni op om de vaporetto te nemen.

Hij betreurde zijn besluit al binnen vijf minuten. In plaats van ongehinderd en zonder gedrang via het Campo Santa Maria Formosa en het Campo Santa Marina te lopen en pas bij Rialto met de onvermijdelijke opstopping te worden geconfronteerd, had hij ervoor gekozen zich meteen in de toeristenstroom te storten, zelfs hier al. Toen hij rechtsaf de *riva* op liep, zag hij de golf naderbij komen, al bewoog de mensenmassa zich veel langzamer dan welke golf ook.

Zoals ieder weldenkend mens zou doen, vluchtte hij naar de

vaporettohalte en stapte op de Nummer Een, waar hij binnen, aan de linkerkant, een zitplaats vond. Dat was een heel wat veiliger plek om zich door de schoonheid van de stad te laten overweldigen. De zon weerkaatste van het roerloze oppervlak van het *bacino* en dwong hem zijn ogen tot spleetjes te knijpen toen ze langs het pas gerestaureerde Dogana en de Salute-kerk voeren. In eerstgenoemde was hij onlangs geweest, opgetogen over hoe mooi het was gerestaureerd en geschrokken van wat er allemaal tentoon werd gesteld.

Wanneer hadden ze stiekem de regels veranderd? vroeg hij zich af. Wanneer was het opzichtige tot kunst verklaard, en wie had het gezag gehad om dat te bepalen? Waarom was het banale van belang voor de toeschouwer, en waar o waar was de eenvoudige schoonheid gebleven? 'Je bent een ouwe zak, Guido,' mompelde hij in zichzelf, waardoor de man voor hem zich omdraaide en hem aankeek. Brunetti negeerde hem en richtte zijn aandacht weer op de gebouwen links van hem.

Ze kwamen langs een palazzo waar hij zes jaar geleden een appartement had kunnen kopen van een vriend van hem, die hem had verzekerd dat hij er een vermogen mee zou verdienen: 'Je houdt het gewoon drie jaar en dan verkoop je het door aan een buitenlander. Dan verdien je een miljoen.'

Brunetti, wiens morele systeem monosyllabisch in zijn eenvoud was, had het aanbod afgeslagen omdat hij zich niet prettig voelde bij het idee om winst te maken met grondspeculatie, net zomin als bij het idee om iemand iets verschuldigd te zijn vanwege een makkelijk verdiende miljoen euro. Al zou het maar tien euro zijn geweest.

Ze kwamen langs de universiteit en Brunetti keek ernaar met dubbele genegenheid: zijn vrouw werkte er, en zijn zoon was nu student. Tot Brunetti's genoegen had Raffi gekozen voor geschiedenis, niet de geschiedenis van de oudheid die Brunetti zo fascineerde, maar de geschiedenis van het moderne Italië, die

Brunetti weliswaar ook fascineerde maar op een manier die hem bijna tot wanhoop dreef.

De aankomst bij de halte San Silvestro haalde hem uit zijn bespiegeling over de parallellen die er altijd weer te vinden waren tussen het Italië van tweeduizend jaar geleden en dat van nu. Het was een kwestie van minuten voordat hij de voordeur van het pand opende en de eerste trap begon te beklimmen. Op iedere overloop voelde Brunetti het gewicht van de koffiebroodjes minder worden en tegen de tijd dat hij zijn appartement bereikt had, was hij er zeker van dat hij alles had verbrand en was hij er helemaal klaar voor om recht te doen aan wat er restte van de lunch.

Toen hij de keuken binnenkwam zag hij zijn kinderen nog op hun plaats zitten, met het onaangeraakte middageten voor zich. Paola zette net een bord met iets wat eruitzag als tagliatelle met sint-jakobsschelpen bij zijn plaats neer. Ze liep terug naar het fornuis en zei: 'Ik was laat vandaag: ik moest nog een student te woord staan. Dus toen hebben we besloten om op je te wachten.' Vervolgens, als om te voorkomen dat hij zich ideeën in het hoofd zou halen over eventuele occulte gaven harerzijds, voegde ze eraan toe: 'Ik hoorde je binnenkomen.'

Hij bukte zich om allebei zijn kinderen een kus op het hoofd te geven, en zodra hij zat vroeg Raffi: 'Weet jij iets over de oorlog in Alto Adige?' Hij zag dat de vraag Brunetti verraste en zei erachteraan: 'De Eerste Wereldoorlog.'

'Zoals jij het zegt, klinkt het net zo lang geleden als de oorlog tegen Carthago,' zei Brunetti met een glimlach, en hij vouwde zijn servet open en legde het op zijn schoot. 'Vergeet niet dat je overgrootvader nog in die oorlog heeft gevochten.'

Raffi zat zwijgend met zijn ellebogen op tafel en met zijn kin op zijn gevouwen vingers, een gebaar waarin zijn moeder te herkennen was. Brunetti wierp een blik opzij naar Chiara en zag dat zij haar handen gevouwen in haar schoot hield. Hoe lang had het geduurd om hen zo te trainen?

Paola kwam terug naar de tafel, zette haar eigen bord neer en ging zitten. '*Buon appetito*,' zei ze terwijl ze haar vork pakte.

Normaal gesproken fungeerde die aansporing als het startsein voor Raffi, die altijd door de eerste gang heen sprintte met een snelheid die zijn ouders nog steeds verbaasde. Maar vandaag negeerde hij het eten en zei: 'Dat heb je nooit verteld.'

Brunetti had de oorlogsverhalen van zijn grootvader vaak genoeg verteld, tot algehele desinteresse van zijn kinderen. Hij beperkte zich tot een 'Nou ja, dat is dus zo', en begon toen wat pasta om zijn vork te draaien.

'Heeft hij daar gevochten?' vroeg Raffi. 'In Alto Adige?'

'Ja. Daar heeft hij vier jaar gezeten. Hij heeft in bijna alle campagnes gevochten, op eentje na, geloof ik, toen hij gewond was en naar Vittorio Veneto werd gestuurd om te herstellen.'

'Werd hij niet naar huis gestuurd?' mengde Chiara zich in het gesprek.

Brunetti schudde van nee op een manier alsof daar geen sprake van kon zijn. 'Ze stuurden gewonden niet naar huis om te herstellen.'

'Waarom niet?' vroeg ze, de vork zwevend boven haar bord.

'Omdat ze wisten dat ze dan niet terug zouden komen,' zei Brunetti.

'Waarom niet?' herhaalde ze.

'Omdat ze wisten dat ze dan zouden sterven.' Voordat ze kon zeggen dat hun overgrootvader, want over hem zaten ze nu toch te praten, niet gestorven was, verduidelijkte Brunetti: 'De meesten gingen dood. Nou ja, honderdduizenden in elk geval, dus ze wisten dat ze niet veel kans maakten.'

'Hoeveel zijn er doodgegaan?' vroeg Raffi.

Brunetti las niet veel moderne geschiedenis, en als hij over de Italiaanse geschiedenis las, had hij de neiging vertaalde boeken te lezen, zo weinig durfde hij erop te vertrouwen dat de Italiaanse studies niet gekleurd waren door politieke of historische banden. 'Ik weet niet precies hoeveel. Maar het waren er meer dan een half miljoen.' Hij legde zijn vork neer en nam een slok, en daarna nog een.

'Een half miljoen?' herhaalde Chiara, verbijsterd door dat aantal. Alsof commentaar of vragen nutteloos waren, kon ze alleen maar nog een keer herhalen: 'Een half miljoen.'

'Ik denk eigenlijk dat het er meer waren. Misschien zeshonderdduizend, maar het hangt ervan af wie je leest.' Brunetti nam nog een slok, zette zijn glas weer neer en zei: 'En dan zijn de burgerslachtoffers niet meegerekend, geloof ik.'

'Jezus aan het kruis,' fluisterde Raffi.

Paola wierp hem een scherpe blik toe, maar het was voor hen allemaal duidelijk dat de opmerking voortkwam uit verbijstering, niet uit godslastering.

'Dat is twaalf Venetiës,' zei Raffi, zachtjes en onthutst.

In zijn behoefte aan duidelijkheid, zelfs statistische duidelijkheid, zei Brunetti: 'Aangezien het alleen jonge mannen in de leeftijd van zestien tot pakweg vijfentwintig waren, zijn het er in feite nog veel meer. Reken maar dat je op die manier een groot deel van Veneto in de volgende generatie zou ontvolken.' Na even nagedacht te hebben voegde hij eraan toe: 'En dat is ook precies wat er gebeurd is.' Hij herinnerde zich dat hij als kind zijn oma en haar vriendinnen vaak had horen zeggen dat ze zich gelukkig mochten prijzen dat ze een man gevonden hadden om mee te trouwen – een goede man of een slechte man – terwijl zo veel vriendinnen van hen nooit een echtgenoot hadden kunnen vinden. En hij dacht aan de oorlogsmonumenten die hij gezien had in het noorden, bij Asagio en boven Merano, met de namen van de 'Helden van de Natie', vaak lange lijsten van mannen met dezelfde achternaam, allemaal gestorven in de sneeuw en in de modder, hun levens weggegooid voor een meter onvruchtbaar land, of een medaille op de borst van een generaal.

'Cadorna,' zei hij, de naam noemend van de opperbevelhebber van die achterlijke campagne.

'Ze hebben tegen ons gezegd dat hij een held was,' zei Raffi.

Brunetti sloot even zijn ogen.

'Tenminste, dat zeiden ze op het *liceo*, dat hij zich teweer heeft gesteld tegen de Oostenrijkse indringers.'

Met enige moeite onderdrukte Brunetti de neiging om te vragen of diezelfde leraren misschien ook vol lof waren over de dappere Italiaanse manschappen die zich teweer hadden gesteld tegen de Ethiopische en de Libische indringers. Hij beperkte zich tot de opmerking: 'Italië heeft Oostenrijk de oorlog verklaard.'

'Waarom?' wilde Raffi weten, en hij keek alsof hij dit niet kon geloven.

'Waarom verklaren landen altijd de oorlog?' zei Paola, die zich nu ook in het gesprek mengde. 'Om meer land te krijgen, om grondstoffen in te pikken, om macht te houden.' Brunetti vroeg zich ineens af waarom er zo moeilijk over werd gedaan als ouders het mechanisme van seks aan hun kinderen moesten uitleggen. Was het niet veel gevaarlijker om als ouders het mechanisme van de macht te moeten uitleggen?

Hij kwam tussenbeide. 'Jij hebt het over een agressieoorlog, neem ik aan. Niet zoals Polen, de laatste keer?'

'Natuurlijk niet,' beaamde Paola. 'Of België, of Nederland, of Frankrijk. Die werden binnengevallen en ze vochten terug.' Ze keek haar kinderen aan en zei: 'En jullie vader heeft gelijk: wij hebben inderdaad de oorlog verklaard aan Oostenrijk.'

'Maar waarom?' vroeg Raffi nogmaals.

'Ik heb altijd aangenomen, afgaande op wat ik gelezen heb, dat dat was om land terug te veroveren dat de Oostenrijkers in het verleden hadden afgepakt, of gekregen hadden,' antwoordde Paola.

'Maar hoe weet je van wie het is?' vroeg Chiara.

Paola zag dat hun borden leeg waren – Raffi had zijn portie op de een of andere manier toch naar binnen weten te werken – en maakte een gebaar als een voetbalscheidsrechter die het eindsignaal geeft. 'Ik wil iedereen vragen een beetje consideratie te tonen,' zei ze, waarbij ze hen een voor een aankeek. 'Ik heb de hele ochtend vergeefs het idee proberen te verdedigen dat sommige boeken beter zijn dan andere, en ik kan een tweede serieuze discussie nu even niet verdragen, zeker niet aan deze tafel terwijl ik zit te eten. Ik stel dus voor dat we een ander gespreksonderwerp kiezen, iets frivools en onzinnigs als liposuctie of breakdancen.'

Raffi begon te protesteren, maar Paola snoerde hem de mond door te zeggen: 'Er komen zo nog *calamari in umido* met doperwten – en *finocchio al forno* voor Chiara – en daarna is er een *crostata di fragole*, maar alleen voor diegenen die zich onderwerpen aan mijn wil.'

Brunetti zag Raffi hier goed over nadenken. Zijn moeder maakte altijd meer finocchio dan één persoon op kon, en dit was de beste tijd van het jaar voor fragole. 'Er is maar één ding in dit leven waar ik vreugde uit put,' zei hij, terwijl hij zijn bord pakte en aanstalten maakte om het in de gootsteen te zetten, 'en dat is mij geheel en al ondergeschikt te maken aan de wil van mijn ouders.'

Paola wendde zich tot Brunetti. 'Guido, jij leest al die Romeinen: welke godin baarde ook alweer een slang?'

'Geen van alle, vrees ik.'

'Dan hebben ze dat aan de mensen overgelaten.'

10

Brunetti kreeg die middag op de Questura zo weinig gedaan dat hij net zo goed de rest van de dag thuis had kunnen blijven. Foa, zo hoorde hij om vier uur, was uitgekozen om de questore en een delegatie van het parlement rond te leiden langs het MOSE-project – die geldverslindende onderneming die de stad misschien wel en misschien niet tegen het *acqua alta* zou beschermen – en daarna naar een diner in Pellestrina te brengen. 'Daarom is er nooit iemand in Rome om te stemmen,' mompelde Brunetti bij zichzelf toen hij de telefoon neerlegde nadat hij dit nieuws had vernomen. Hij wist dat hij zonder probleem het kantoor van de Watermagistraat kon bellen om naar de getijden te vragen, maar hij wilde liever alle informatie over de aard van het onderzoek zo veel mogelijk binnen de Questura houden.

Hij sprak kort met Patta, die vertelde dat hij bij afwezigheid van de questore de pers had toegesproken en de gebruikelijke verzekeringen had gegeven dat er op korte termijn een arrestatie werd verwacht en dat ze verschillende aanwijzingen volgden. Er was niet veel gebeurd de afgelopen maand – weinig grote misdrijven in de regio – dus de uitgehongerde pers zou zich ongetwijfeld op deze zaak storten. En wat zouden de lezers het verfrissend vinden om nu eens een mannelijk slachtoffer te hebben; het was niets dan vrouwen geweest wat de klok sloeg: er werd één vrouw per dag vermoord in Italië, in de meeste gevallen door de ex-vriend of ex-echtgenoot, waarbij de moordenaar volgens de pers altijd tot zijn daad was gebracht door een *raptus di gelosia*, een excuus dat steevast een van de pijlers van de latere verdediging vormde. Als Brunetti ooit bij Scarpa zijn zelfbeheersing zou verliezen en hem opzettelijk letsel zou toebrengen, zou hij zich zeker ook beroepen op een *raptus di gelosia*, al kon hij niet een-twee-drie bedenken waarom hij jaloers zou zijn op de hoofdinspecteur.

Pucetti belde na zessen om te zeggen dat hij een technisch probleem had gehad, maar dat het hem zojuist gelukt was een paar losse beelden uit de eerste video te isoleren en dat hij ervan uitging dat hij de afdrukken binnen een uur of zo zou hebben. Brunetti zei tegen hem dat de volgende ochtend vroeg genoeg was.

Hij onderdrukte de neiging om signorina Elettra te bellen en te vragen of ze nog succes had gehad met haar vriend bij de gezondheidsdienst, in de overtuiging dat ze het hem zou laten weten zodra ze iets hoorde, maar daarom niet minder ongeduldig.

Weer tot rust gekomen zette Brunetti zijn computer aan en typte *mucche* in, benieuwd wat Vianello en signorina Elettra zo bezwaarlijk vonden aan die arme koeienbeesten. Zijn familie woonde al sinds mensenheugenis in Venetië, dus er was niet zoiets als een atavistische herinnering aan een of andere betovergrootvader die een koe in de schuur achter het huis had gehouden, en dus ook geen verklaring voor de sympathie die Brunetti voor ze voelde. Hij had er nooit een gemolken. Voor zover hij wist had hij nooit meer gedaan dan een paar neuzen aangeraakt van wat vriendelijk vee dat veilig achter een hek stond wanneer ze gingen wandelen in de bergen. Paola, die nog stadser was dan hij, had ooit toegegeven dat ze haar angst inboezemden, maar dat had Brunetti nooit begrepen. Het waren perfecte melkmachines, vond hij: het gras ging er aan de ene kant in en de melk kwam er aan de andere kant uit, zo ging het altijd maar door.

Hij koos een willekeurig artikel uit de resultatenlijst en begon te lezen. Een uur later zette Brunetti geschokt de computer uit, legde zijn vingertoppen tegen elkaar en drukte zijn lippen ertegenaan. Dat was het dus, dat was de reden waarom de doorgaans vegetarische Chiara, die alleen af en toe een terugval had wanneer er een geroosterd kippetje in de buurt was, pertinent weigerde rundvlees te eten. Net als Vianello en signorina Elettra. Hij vroeg zich af hoe het kon dat hij dit allemaal nooit geweten had. Alles wat hij zojuist gelezen had, was toch voor iedereen toegankelijk. Voor sommige mensen was het zelfs gesneden koek.

Hij beschouwde zichzelf als een belezen man, en toch had hij veel hiervan niet geweten. De vernietiging van het regenwoud om ruimte te maken voor vee: natuurlijk wist hij daarvan. Gekkekoeienziekte en mond-en-klauwzeer: daar was hij ook van op de hoogte, van hun komen en gaan. Alleen leek het erop dat ze niet weggingen, niet echt.

Brunetti's onwetendheid was in rook opgegaan toen hij het lange verslag las van een Zuid-Amerikaanse veehouder die een veeteeltprogramma had gevolgd aan een universiteit in de Verenigde Staten. Hij schetste een beeld van dieren die ziek werden geboren, louter in leven werden gehouden door enorme doses antibiotica, productief werden gemaakt met even grote doses hormonen, en vervolgens nog steeds ziek doodgingen. De schrijver eindigde het artikel met te verklaren dat hij nooit meer rundvlees zou eten, tenzij van een van zijn eigen dieren, dat hij zelf had grootgebracht en geslacht had zien worden. Net als Paola die te veel over boeken had gehoord die dag, besloot Brunetti opeens dat hij te veel over rundvlees had gelezen. Even voor zevenen ging hij naar beneden en schreef een briefje voor Foa waarin hij hem naar de getijden vroeg, en vervolgens verliet hij de Questura. Hij ging op weg naar huis en stak even later alsnog het niet langer zo volle Campo Santa Maria Formosa over. Campo San Bartolo was druk, maar hij had geen moeite het over te steken, en er waren ook niet veel mensen op de brug.

Hij arriveerde voor halfacht in een leeg appartement, trok zijn jas en schoenen uit, ging naar de slaapkamer, pakte zijn exemplaar van de toneelstukken van Aeschylus – wat voor macht had hem ertoe gedreven die weer te lezen? – en ging languit op de bank in Paola's werkkamer liggen. Hij keek ernaar uit om een boek te lezen waarin geen gevaar voor sentimentaliteit bestond – alleen grimmige menselijke waarheid – en hij keek er ook naar uit om Paola over de koeien te vertellen.

Agamemnon was net bezig na een afwezigheid van tientallen jaren zijn vrouw te begroeten door haar te vertellen dat haar welkomsttoespraak, net als zijn afwezigheid, nogal lang geduurd had, en de haren in Brunetti's nek stonden inmiddels overeind van de dwaasheid van die man, toen hij Paola's sleutel in het slot hoorde. Wat zou zij doen, vroeg hij zich af, als hij haar zou verraden, haar te schande zou maken en een nieuwe geliefde in huis zou halen? Minder dan Clytaemnestra, vermoedde hij, en zonder fysiek geweld. Maar hij twijfelde er niet aan dat ze haar best zou doen om hem met woorden en de macht van haar familie kapot te maken, en hij wist zeker dat ze zou zorgen dat hij niets overhield.

Hij hoorde haar wat tassen met boodschappen bij de deur neerzetten. Zodra ze haar jas ophing zou ze de zijne zien. Hij riep haar naam, en ze riep terug dat ze er zo aankwam. Daarna hoorde hij het geritsel van de plastic tassen en haar voetstappen die naar de keuken gingen.

Ze zou het niet uit jaloezie doen, wist hij, maar uit gekwetste trots en het gevoel in haar eer te zijn aangetast. Haar vader zou er met één telefoontje voor zorgen dat hij geruisloos werd overgeplaatst naar een of ander achtergebleven, door de maffia geteisterd dorp in Sicilië; ze zou binnen een dag alles wat aan hem herinnerde uit de woning hebben verwijderd. Zelfs zijn boeken. En ze zou zijn naam nooit meer uitspreken; misschien tegenover de kinderen, hoewel die zo verstandig zouden zijn om hem niet te noemen of naar hem te vragen. Waarom maakte dit te weten hem zo gelukkig?

Ze kwam binnen met twee glazen prosecco. Hij was zo bezig geweest met hun verwijdering en haar wraak dat hij het knallen van de kurk niet had gehoord, ook al was dat een geluid dat voor Brunetti de schoonheid van muziek had.

Paola gaf hem een glas en tikte op zijn knie, waarop hij zijn voet optrok om plaats voor haar te maken. Hij nam een slokje. 'Dit is echte champagne,' zei hij.

'Ik weet het,' zei ze, en ze nam ook een slokje. 'Ik vond dat ik wel een beloning verdiend had.'

'Hoezo dat?'

'Vanwege mijn geduld.'

'Een schone zaak?'

Ze snoof minachtend. 'Luisteren naar die onzin van ze en zogenaamd geïnteresseerd zijn of net doen alsof hun idiote ideeën het bespreken waard zijn.'

'Dat gedoe over goede boeken?'

Ze duwde met één hand haar haar naar achteren en krabde terloops wat aan de onderkant van haar schedel. Van opzij gezien was ze nog steeds de vrouw op wie hij tientallen jaren geleden verliefd was geworden. Het blonde haar vertoonde sporen wit, maar dat was moeilijk te zien tenzij je van heel dichtbij keek. Neus, kin, de lijn van de mond: die waren allemaal nog hetzelfde. En face, wist hij, zag je plooitjes rond de ogen en bij haar mondhoeken, maar ze kon nog steeds hoofden doen omdraaien op straat of tijdens een etentje.

Ze nam een grote slok en liet zich tegen de rugleuning van de bank vallen, oppassend dat ze geen wijn morste. 'Ik weet niet waarom ik nog blijf lesgeven,' zei ze, en Brunetti hield de opmerking voor zich dat ze dat deed omdat ze het heerlijk vond. 'Ik kan er ook mee ophouden. Het huis is van ons, en jij verdient genoeg om ons allemaal te onderhouden.' En als het moeilijk werd, zei hij niet, konden ze altijd nog de Canaletto uit de keuken verpanden. Laat haar maar praten, laat haar haar hart maar luchten.

'Wat zou je dan gaan doen, de hele dag in pyjama op de bank liggen lezen?' vroeg hij.

Ze klopte met haar vrije hand op zijn knie. 'De bank gaat niet lukken, daar zorg jij wel voor, hè?'

'Maar wat zóú je doen?' vroeg hij, opeens serieus.

Ze nam nog een slokje en zei toen: 'Dat is het probleem natuurlijk. Als jíj ermee ophoudt kun je altijd nog beveiligingsbeambte worden en de hele nacht rondlopen om papiertjes tussen de deuren van huizen en winkels te steken zodat ze kunnen zien dat je langs geweest bent. Maar niemand zal mij ooit vragen om iets over de Engelse roman te komen vertellen, hè?'

'Waarschijnlijk niet, nee,' beaamde hij.

'Ik kan net zo goed blijven leven,' zei ze tot zijn verbijstering, maar hij wilde zo graag over koeien praten dat hij niet vroeg waar dat op sloeg.

'Wat weet jij van koeien?' vroeg hij.

'O, mijn god. Niet nog een,' zei ze, en ze liet zich op de bank onderuitzakken met haar hand voor haar ogen.

11

'Hoe bedoel je: "Nog een"?' vroeg hij, hoewel hij eigenlijk wilde weten wie ze dan nog meer op het oog had.

'Zoals ik de afgelopen decennia al minstens twaalfduizend keer heb gezegd: niet zo bijdehand, Guido Brunetti,' zei ze met gespeelde strengheid. 'Je weet precies om wie het gaat: Chiara, signorina Elettra, en Vianello. En afgaande op wat jij hebt verteld, denk ik dat die laatste twee de Questura binnenkort tot vleesloos gebied zullen laten verklaren.'

Na wat hij die middag had gelezen, leek dat Brunetti niet zo'n slecht idee. 'Zij zijn gewoon de fanatieke vleugel, maar andere mensen beginnen er ook over na te denken,' zei hij.

'Als jij ooit een supermarkt binnen zou lopen en zou zien wat mensen allemaal kopen, zou je dat niet zeggen. Heus, geloof me.'

De paar keer dat Brunetti die ervaring had gehad, was hij – zo moest hij bekennen – gefascineerd geweest door wat hij mensen had zien kopen, ervan uitgaande dat ze waarschijnlijk ook van plan waren die dingen op te eten. Hij deed maar zo zelden boodschappen dat hij in het duister had getast over de aard van sommige producten die hij zag en niet had kunnen achterhalen of ze voor consumptie bedoeld waren of een of ander huishoudelijk doel dienden: de gootsteen ontstoppen of zo.

Hij herinnerde zich dat hij als jongen wel eens naar de winkel was gestuurd om bijvoorbeeld een pond limabonen te halen. Dan kwam hij thuis met zo'n cilinder van krantenpapier waarin de winkelier ze had gewikkeld. Maar nu waren ze alleen te krijgen in een zak van cellofaan, dichtgebonden met een goudkleurige strik, en het was onmogelijk om minder dan een kilo te kopen. Zijn moeder had de kachel in de keuken aangestoken met die krant, het cellofaan en de strik gingen, amper bevrijd van de schappen, zo de vuilnisbak in.

'We eten niet meer zo veel vlees als vroeger,' zei hij.

'Alleen omdat Chiara nog te jong is om het huis uit te gaan.'

'Zou ze dat doen?'

'Of ophouden met eten,' verklaarde Paola.

'Is ze echt zo overtuigd?'

'Ja.'

'En hoe zit het met jou?' vroeg hij. Het was per slot van rekening Paola die iedere dag besloot wat ze zouden eten.

Ze nam de laatste slok champagne en liet het glas ronddraaien tussen haar handen, alsof ze er vuur mee hoopte te maken.

'Ik vind het steeds minder lekker,' zei ze ten slotte.

'Door hoe het smaakt of door wat je erover leest?'

'Allebei.'

'Je houdt er toch niet mee op om het klaar te maken?'

'Natuurlijk niet, doe niet zo raar.' Vervolgens, terwijl ze hem haar glas aanreikte: 'Zeker niet als jij nog wat champagne voor ons gaat halen.'

Met visioenen van lamskoteletten, gebraden kip en kalfsvlees gestoofd in marsala in zijn hoofd ging hij naar de keuken om haar te gehoorzamen.

Op weg naar de Questura de volgende ochtend stapte Brunetti een bar binnen voor een kop koffie en las het verslag in de *Gazzettino* over de ontdekking van het lijk in het kanaal, gevolgd door een korte beschrijving van de man en zijn vermoedelijke leeftijd. Op het bureau hoorde hij dat er geen aangifte was gedaan van een man die vermist was, noch in de stad, noch in de omgeving. Een paar minuten nadat hij op zijn kamer was aangekomen, stond Pucetti in de deuropening. De jongeman was er ofwel in geslaagd een chip in Brunetti's oor aan te brengen of, en dat was waarschijnlijker, de man bij de ingang had hem gebeld om te zeggen dat zijn baas was gearriveerd.

Toen Brunetti hem gebaarde binnen te komen, kwam Pucetti dichterbij en legde een foto van de dode man op zijn bureau. Brunetti had geen idee hoe het hem gelukt was om één enkel beeld te isoleren, maar de foto was volkomen natuurlijk en toonde de man voor zich uit kijkend met een ontspannen uitdrukking op zijn gezicht. Hij leek iemand anders dan de man die nu in een koud vertrek in het Ospedale Civile lag.

Brunetti glimlachte breed en knikte goedkeurend. 'Goed werk, Pucetti. Dat is hem, de man die ik gezien heb.'

'Ik heb kopieën gemaakt, meneer.'

'Mooi. Zorg dat er eentje gescand wordt en naar de *Gazzettino* wordt gestuurd. En ook naar de andere kranten. En kijk eens of er beneden iemand is die hem herkent.'

'Jawel, meneer,' zei Pucetti. Hij liet de foto op Brunetti's bureau achter en vertrok weer.

Bij haar kamer aangekomen zag Brunetti dat signorina Elettra er vandaag voor gekozen had geel te dragen, een kleur die maar heel weinig vrouwen konden hebben. Het was dinsdag, bloemendag op de markt, dus haar kamer – en vermoedelijk ook die van Patta – stond er vol mee, een vleugje beschaving dat ze had meegenomen naar de Questura. 'Ze zijn mooi, hè, die narcissen?' zei ze toen Brunetti binnenkwam, gebarend naar een driedubbel boeket op de vensterbank.

De eerste roerselen van de lente zouden in vroeger tijden een ongetrouwde Brunetti hebben aangespoord te zeggen dat ze niet zo mooi waren als degene die ze daar had neergezet, maar deze Brunetti beperkte zich tot de opmerking: 'Ja, inderdaad,' en daarna de vraag: 'En welke kleur heeft dit keer het aanzien van de kamer van de vice-questore veranderd?'

'Roze. Ik ben er dol op en hij vindt het vreselijk. Maar hij durft niet te klagen.' Ze keek even weg, keek toen Brunetti weer aan en zei: 'Ik heb ooit gelezen dat roze het marineblauw van India is.'

Het duurde even, maar vervolgens barstte Brunetti in lachen uit. 'Dat is een goeie,' zei hij, en hij bedacht dat Paola dat ook leuk zou vinden.

'Bent u hier voor die dode man?' vroeg ze, opeens ernstig.

'Ja.'

'Niets van mijn vriend. Misschien heeft Rizzardi meer geluk.'

'Het kan zijn dat hij uit een andere provincie komt,' opperde Brunetti.

'Misschien,' zei ze. 'Ik heb het gebruikelijke bericht aan de hotels gestuurd, met de vraag of er ergens een gast verdwenen is.'

'Zonder succes?'

'Alleen een Hongaar die met een hartaanval in het ziekenhuis bleek te liggen.'

Brunetti dacht aan het enorme netwerk van verhuurde appartementen en bed-and-breakfasts dat zich over de stad uitstrekte. De meeste opereerden zonder enige vorm van officiële erkenning of controle, betaalden geen belasting en gaven niet aan de politie op welke mensen er verbleven. Als een gast niet meer zou komen opdagen, hoe waarschijnlijk was het dan dat de eigenaars zijn verdwijning aan de politie zouden melden en daarmee hun illegale activiteiten onder de aandacht van de autoriteiten zouden brengen? Het was veel eenvoudiger om gewoon een paar dagen te wachten, de spullen die de vertrokken klant had achtergelaten in te pikken ter compensatie van de onbetaalde huur, en het daarbij te laten.

Eerder in zijn carrière zou Brunetti hebben aangenomen dat iedere zichzelf respecterende, gezagsgetrouwe burger contact zou opnemen met de politie, zeker zodra hij gelezen had dat er een vermoorde man was gevonden die volgens de beschrijving sprekend leek op de man van kamer drie, boven de tuin. Maar tientallen jaren ervaring met het gedraai en de halve waarheden waartoe die gezagsgetrouwe burgers maar al te zeer geneigd waren, hadden hem van dat soort illusies genezen.

'Pucetti heeft een foto, uit een van die video's. Die stuurt hij naar de kranten, en hij is beneden aan het vragen of iemand hem herkent,' zei Brunetti. 'Maar ik ben het met u eens, signorina: mensen verdwijnen niet.'

12

Brunetti trof Vianello in de agentenkamer aan, waar hij aan de telefoon zat. Toen de inspecteur hem zag, verscheen er een uitdrukking van opluchting op zijn gezicht. Hij zei een paar woorden, haalde zijn schouders op, zei nog een paar woorden en legde de telefoon neer.

Brunetti liep naar hem toe en vroeg: 'Wie?'

'Scarpa.'

'Wat wilde hij?'

'Narigheid. Dat is het enige wat hij ooit wil, volgens mij.'

Brunetti was het met hem eens. 'Wat voor soort narigheid dit keer?'

'Iets met de benzinebonnetjes en of Foa de politierekening zou kunnen gebruiken om brandstof voor zijn eigen boot te kopen.' Vervolgens mompelde Vianello zachtjes iets wat Brunetti voorgaf niet te horen. 'Staat er niet iets in de Bijbel over dingen zien bij anderen terwijl je datzelfde ding in je eigen oog niet ziet?'

'Iets dergelijks, ja,' beaamde Brunetti.

' 'Patta laat zich door Foa ophalen en naar een diner in Pellestrina brengen, en als het een beetje lelijk weer is laat hij zich thuisbrengen, en ondertussen is Scarpa bang dat Foa benzine steelt.' Hij zweeg even en liet er toen op volgen: 'Iedereen is gek.'

Brunetti, die het met die laatste opmerking alleen maar eens kon zijn, zei: 'Foa zou dat nooit doen. Ik ken zijn vader.' Die inschatting sneed voor allebei hout en waarborgde voldoende Foa's integriteit. 'Maar waarom moet hij Foa juist nú hebben?' Scarpa's gedrag was vaak onbegrijpelijk, en zijn motieven waren altijd raadselachtig.

'Misschien heeft hij een neef uit Palermo die een boot kan besturen en die om werk verlegen zit,' opperde Vianello. 'Die zou zijn lol op kunnen hier.'

Brunetti vroeg zich af hoe Vianello die laatste opmerking precies bedoelde, maar ging er niet op in. In plaats daarvan vroeg hij of Vianello mee naar buiten ging, om op de *riva* verder te praten terwijl ze ondertussen naar de boten konden kijken.

Toen ze op het bankje zaten en de ochtendzon op hun gezicht en dijen voelden, gaf Brunetti Vianello de map die de foto's bevatte. 'Had Pucetti deze laten zien?'

Vianello knikte terwijl hij de map opensloeg en ernaar keek. 'Ik begrijp wat je bedoelt van die nek,' zei hij en hij sloeg de map weer dicht, waarna hij naar hun vorige onderwerp terugkeerde. 'Maar wat zou Scarpa echt van plan zijn, denk je?'

Brunetti hief zijn handen op in een gebaar van machteloos onbegrip. 'In dit geval denk ik dat hij gewoon iemand die populair is een hak wil zetten, maar volgens mij is het nooit echt te begrijpen wat mensen als Scarpa doen.' Vervolgens voegde hij eraan toe: 'Paola geeft dit jaar een werkgroep over het korte verhaal, en in een van die verhalen moordt de slechterik – De Kneus wordt hij genoemd – een heel gezin uit, inclusief de oude oma, en daarna blijft hij daar doodkalm zitten en zegt zoiets als: "Gemeenheid is het enige waar je van kan genieten."' Als om de waarheid hiervan te onderstrepen begonnen twee meeuwen verderop op de *riva* krijsend en heftig klapwiekend om iets te vechten.

'Ik zal je zeggen, toen Paola dat aan me voorlas,' vervolgde Brunetti, 'dacht ik aan Scarpa. Hij houdt gewoon van gemeenheid.'

'Bedoel je dat letterlijk – dat hij ervan hóúdt?' vroeg Vianello.

Voordat Brunetti antwoord kon geven, werden ze allebei afge-leid doordat er van links een reusachtig – had het acht dekken? Negen? Tien? – cruiseschip naderde. Het voer gedwee achter een sleepboot aan, maar doordat de kabel die ze met elkaar verbond slap in het water hing, werd het idee van slepen gelogenstraft en was niet langer duidelijk welk schip bepaalde waar ze naar-toe gingen. Wat een perfecte metafoor, dacht Brunetti: het leek net alsof de regering de maffia de haven binnensleepte om die te ontmantelen en te vernietigen, maar het schip dat schijnbaar het sleepwerk deed had verreweg de kleinste motor, en het andere schip kon wanneer het maar wilde een ruk aan de kabel geven om de sleper eraan te herinneren waar de macht lag.

Toen de schepen voorbij waren zei Vianello: 'Nou?'

'Ja, ik denk dat hij er inderdaad van houdt,' zei Brunetti ten slotte. 'Sommige mensen hebben dat gewoon. Geen goddelijke bezetenheid, geen Satan, geen ongelukkige jeugd of chemisch defect in de hersenen. Voor sommige mensen is gemeenheid het enige waar ze van kunnen genieten.'

'En daarom blijven ze het doen?' vroeg Vianello.

'Dat moet toch wel?' antwoordde Brunetti.

'*Gesù*,' fluisterde Vianello. Hij werd opnieuw afgeleid door het voortgaande gevecht van de meeuwen, en zei toen: 'Dat heb ik nooit willen geloven.'

'Wie wel?'

'En wij zitten met hem opgescheept?' zei Vianello.

'Totdat hij te ver gaat of steken laat vallen.'

'En dan?'

'Dan lozen we hem,' zei Brunetti.

'Dat klinkt wel erg simpel.'

'Dat is het misschien ook.'

'Ik hoop het maar,' zei Vianello, met een oprechtheid die de meeste mensen voorbehouden aan het gebed.

'Wat die man betreft – ik begrijp nog steeds niet waarom niemand hem als vermist heeft opgegeven. Mensen hebben toch familie? Hoe kan dat nou!'

'Misschien is het nog te vroeg,' zei Vianello.

Brunetti was niet overtuigd. 'Die foto zou morgen in de kranten moeten staan. Met een beetje geluk is er iemand die hem herkent en ons belt.'

'En tot die tijd?' vroeg de inspecteur.

Brunetti nam de map weer van hem over, stond op en zei: 'Laten we naar schoenen gaan kijken.'

De Fratelli Moretti-winkel in Venetië ligt vlak bij het Campo San Luca. Brunetti was al een generatie lang een groot bewonderaar van hun schoenen, maar had om de een of andere reden nog nooit een paar gekocht. Het was niet zozeer de prijs – alles in Venetië was duur geworden – als wel... Brunetti kwam opeens tot het besef dat er eigenlijk helemaal geen reden voor was. Hij was doodeenvoudig nooit die winkel binnengestapt, weggehouden door God mocht weten wat. Met dat als rechtvaardiging nam hij Vianello nu mee naar de schoenenzaak, waar ze buiten even de etalage bekeken. 'Ik vind die wel mooi,' zei Brunetti, wijzend naar een paar donkerbruine instappers met kwastjes.

'Als je die zou kopen,' zei Vianello, na de kwaliteit van het leer te hebben beoordeeld, 'en je zou het echt moeilijk krijgen, dan kun je ze altijd nog koken en een paar dagen van de bouillon leven.'

'Heel grappig,' zei Brunetti, en hij ging naar binnen.

De robuuste bedrijfsleidster wierp een blik op hun legitimatie en bekeek de foto van de dode man, maar schudde haar hoofd. 'Misschien dat Letizia hem herkent,' zei ze, met een gebaar naar de trap die naar de bovenverdieping leidde. 'Ze is met een paar klanten bezig, maar komt zo weer beneden.' In afwachting van haar komst slenterden Brunetti en Vianello wat door de zaak. Brunetti keek nog een keer naar de instappers.

Letizia, jonger en slanker dan de andere vrouw, kwam een paar minuten later de trap af, voorafgegaan door een Japans stel en met vier schoenendozen in haar armen. Ze was misschien achter in de twintig, met jongensachtig kort blond haar dat in grillige pieken omhoog was gekamd en een gezicht dat aan alledaagsheid ontsnapte dankzij de intelligentie die uit haar blik sprak.

Brunetti wachtte tot de verkoop was afgerond en de klanten naar de deur waren begeleid, waar een uitwisseling van diepe buigingen volgde, die van de kant van de verkoopster allerminst geforceerd leken.

Toen Letizia naar hen toe kwam, vertelde de bedrijfsleidster wie ze waren en wat ze van haar wilden. Letizia's glimlach was belangstellend, nieuwsgierig zelfs. Brunetti overhandigde haar de foto.

Bij het zien van het gezicht van de dode man zei ze: 'Die man uit Mestre.'

'Uit Mestre?' vroeg Brunetti.

'Ja. Hij is hier geweest – o, dat moet een maand of twee geleden zijn geweest – en heeft geprobeerd een paar schoenen te kopen. Volgens mij zei hij dat hij instappers wilde.'

'Is er een reden waarom u zich hem nog herinnert, signorina?'

'Nou,' begon ze, en ze ging verder met een snelle blik op de bedrijfsleidster, die naar dit alles stond te luisteren: 'Ik wil niets vervelends zeggen over onze klanten, helemaal niet, maar het komt doordat hij zo vreemd was.'

'Zijn gedrag?' vroeg Brunetti.

'Nee hoor, helemaal niet. Hij was heel aardig, heel beleefd. Het ging om hoe hij eruitzag.' Terwijl ze dit zei keek ze weer naar de andere vrouw, alsof ze toestemming vroeg om het te vertellen. De bedrijfsleidster tuitte haar lippen en knikte.

Zichtbaar opgelucht ging Letizia verder. 'Hij was zo dik. Nou ja, niet dik zoals Amerikanen dik zijn. Weet u wel: overal, en dan ook nog groot. Het was alleen zijn romp en zijn nek die zo dik waren. Ik weet nog dat ik me afvroeg wat voor maat overhemd hij zou hebben en hoe hij er een zou kunnen vinden die qua hals groot genoeg was voor hem. Maar voor de rest was hij normaal.' Ze keek naar Brunetti's gezicht, en toen naar dat van Vianello. 'Het moet ook ontzettend lastig voor hem zijn om een pak te kopen, bedenk ik nu: zijn schouders en borst zijn gigantisch. Het colbert zou zeker twee of drie maten groter moeten zijn dan de broek.'

Voordat een van beiden hierop kon reageren zei ze: 'Hij heeft een suède jasje gepast, dus toen zag ik dat zijn heupen net zo waren als bij een gewoon iemand. En zijn voeten waren ook normaal: maat drieënveertig. Maar voor de rest was hij helemaal... nou ja, ik weet het niet, helemaal opgepompt.'

'Weet u zeker dat het deze man was?' vroeg Brunetti.

'Absoluut,' zei ze.

'Uit Mestre?' mengde Vianello zich in het gesprek.

'Ja. Hij zei dat hij een dagje in de stad was en dat hij geprobeerd had schoenen in onze winkel in Mestre te kopen – maar die hadden zijn maat niet, dus besloot hij hier maar eens te kijken.'

'Had u die schoenen?' vroeg Brunetti.

'Nee,' zei ze, met teleurstelling in haar stem. 'We hadden één maat groter en één maat kleiner. We hadden zijn maat alleen maar in het bruin, maar die wilde hij niet – alleen zwart.'

'Heeft hij toen een ander model gekocht?' vroeg Brunetti, die hoopte dat dat het geval was, en nog meer hoopte dat hij ze met een creditcard had betaald.

'Nee. Dat is precies wat ik zelf ook tegen hem zei, maar hij zei dat hij de zwarte wilde omdat hij ze al in het bruin had, en die bevielen hem goed.' Dat moesten de schoenen zijn die hij droeg toen hij werd vermoord, dacht Brunetti, die de jonge vrouw met een glimlach aanmoedigde om te blijven praten.

'En dat suède jasje?' vroeg hij toen hij merkte dat ze klaar was.

'Dat paste niet over zijn schouders,' zei ze, en ze voegde er op zachtere toon aan toe: 'Ik had echt met hem te doen toen hij het probeerde te passen en niet eens zijn andere arm in de mouw kon krijgen.' Ze schudde haar hoofd, en haar medelijden was duidelijk. Ze vervolgde: 'Normaal gesproken blijven we staan kijken als mensen een suède jasje passen, zodat ze het niet stelen. Maar ik kon het niet. Hij leek bijna een beetje verbaasd, maar ook verdrietig, echt verdrietig dat het niet paste.'

'Heeft hij uiteindelijk iets gekocht?' vroeg Vianello.

'Nee, niets. Maar ik wou dat hij een jasje had kunnen vinden dat wel paste.' Vervolgens, opdat ze het niet verkeerd zouden begrijpen: 'Niet omdat ik iets had willen verkopen of zo, maar gewoon zodat hij er dan een had gevonden dat wel paste. Arme man.'

Brunetti vroeg: 'Heeft hij met zoveel woorden gezegd dat hij in Mestre woonde?'

Ze keek naar haar collega, alsof ze wilde vragen of die alsjeblieft kon zeggen wat het ook alweer was wat de man gezegd had waardoor ze dacht dat hij uit Mestre kwam. Ze hield haar hoofd scheef, op een zeer vogelachtige manier. 'Hij zei dat hij daar een aantal paren had gekocht, en toen heb ik gewoon aangenomen dat hij daar woonde. Ik bedoel, je koopt normaal gesproken toch schoenen in de stad waar je woont?'

Brunetti knikte beamend, en bedacht dat een mens normaal gesproken niet het geluk had geholpen te worden door zo'n aardig iemand, waar hij zijn schoenen ook kocht.

Hij bedankte zowel haar als de bedrijfsleidster, gaf Letizia zijn kaartje en vroeg of ze hem wilde bellen als ze zich nog iets anders herinnerde dat de man gezegd had en dat misschien meer informatie over hem zou geven.

Toen ze zich omdraaiden naar de deur maakte Letizia een geluidje. Het was geen woord, hooguit een geaspireerde klank.

Brunetti draaide zich weer naar haar om en ze vroeg: 'Was hij die man in het water?'

'Ja. Waarom vraagt u dat?'

Ze maakte een gebaar naar hem en Vianello, alsof hun aanwezigheid, of hun verschijning, antwoord genoeg was, maar zei toen: 'Omdat hij ook bezorgd leek, niet alleen maar verdrietig.' Voor Brunetti haar erop kon wijzen dat ze daar eerder niets over gezegd had, vervolgde ze: 'Ik weet het, ik weet het, ik heb gezegd dat hij aardig en beleefd was. Maar daaronder was er iets wat hem dwarszat. Ik dacht eerst dat het door dat jasje kwam, of doordat we niet de schoenen hadden die hij wilde, maar het was meer dan dat.'

Iemand die zo opmerkzaam was als zij hoefde niet te worden aangespoord, en dus wachtten Brunetti en Vianello zwijgend het vervolg af.

'Meestal, als mensen moeten wachten tot ik iets voor ze heb gehaald – een andere maat of een andere kleur – kijken ze om zich heen naar de schoenen, of staan ze op en lopen wat rond, gaan bij de riemen staan kijken. Maar hij zat daar gewoon maar, naar zijn voeten te staren.'

'Maakte hij een ongelukkige indruk?' vroeg Brunetti.

Dit keer duurde het even voor ze antwoord gaf. 'Nee, nu u ernaar vraagt, zou ik zeggen dat hij eerder ongerust leek.'

13

Brunetti en Vianello besloten samen te lunchen, maar ze moesten er allebei niet aan denken om ergens binnen een straal van tien minuten rond de San Marco te eten.

'Hoe kan dat toch?' zei Vianello. 'Vroeger konden we overal in de stad fatsoenlijk eten, nou ja, bijna overal. Het was bijna altijd goed en je betaalde je niet blauw.'

'Hoe lang geleden is "vroeger", Lorenzo?' vroeg Brunetti.

Vianello ging langzamer lopen om hierover na te denken. 'Een jaar of tien.' Maar vervolgens zei hij, met hoorbare verbazing: 'Nee, het is veel langer geleden, hè?'

Ze kwamen langs het pand waar boekhandel Mondadori vroeger zat, een paar honderd meter van de boog die toegang gaf tot de Piazza San Marco, en hadden nog steeds niet besloten waar ze zouden gaan eten. Een plotselinge golf in de krioelende stroom toeristen overspoelde hen en duwde hen tegen de ramen van de winkel. Verderop, bij de Piazza, splitste de pastelkleurige stroom zich en vervolgde zijn weg in beide richtingen. Blind, traag en hardnekkig bewoog hij zich voort van en naar de Piazza, zonder begin en zonder eind.

Vianello legde een hand op Brunetti's onderarm. 'Ik kan het niet,' zei hij. 'Ik kan de Piazza niet oversteken. Laten we de boot nemen.' Ze sloegen rechts af en baanden zich een weg naar de *embarcadero*. Lange rijen slingerden zich van de kaartverkoop naar de drijvende kaden, die laag in het water lagen door het gewicht van de mensen die op de vaporetti stonden te wachten.

Vanaf de rechterkant kwam een Nummer Een aanvaren en de rij bewoog zich een paar stapjes naar voren, hoewel hij nergens anders naartoe kon dan het water in. Brunetti haalde zijn politiepas uit zijn portefeuille en glipte langs de stang die de toegang versperde tot het gangpad bestemd voor uitstappende passagiers. Vianello volgde hem. Ze hadden nog geen vier stappen gezet toen er vanaf de steiger recht voor hen een *marinaio* begon te schreeuwen en gebaarde dat ze terug moesten.

De twee mannen negeerden hem en liepen door, terwijl Brunetti zijn pas voor zich uit hield. '*Scusi, signori*,' zei de werkman toen hij die zag, en hij deed een stap naar achteren om hen op de steiger toe te laten. Hij was jong, zoals de meesten van hen tegenwoordig, en klein en donker, maar hij sprak Veneziano. 'Ze proberen allemaal op die manier naar binnen te glippen, en dan moet ik schreeuwen dat ze terug moeten. Er komt nog eens een dag dat ik er eentje een klap verkoop.' De glimlach waarmee hij dat zei sloot die mogelijkheid uit.

'De toeristen?' vroeg Brunetti, verbaasd dat die dat soort initiatief zouden tonen.

'Nee, wij doen dat, signore,' zei de man, kennelijk doelend op de Venetianen. 'De toeristen zijn net schapen, echt waar: zo mak als wat, het enige wat je hoeft te doen is zeggen waar ze naartoe moeten. De slechteriken, echt de ergsten, zijn de oude dametjes. Die lopen te klagen over de toeristen, maar de meesten varen gratis mee als ze oud genoeg zijn, of kopen evengoed geen kaartje als ze jonger zijn.' Als om zijn gelijk te bewijzen verscheen er een oude vrouw achter Brunetti en Vianello, die hen alle drie negeerde en zich langs hen drong om precies voor het punt te gaan staan waar de passagiers zo dadelijk zouden uitstappen.

De man die op de boot werkte legde hem vast aan de meerpaal en wachtte met zijn hand op het schuifhek, terwijl hij de oude vrouw vroeg opzij te gaan om de passagiers van boord te laten; ze negeerde hem. Hij vroeg het nog een keer, en ze bleef nog steeds staan. Ten slotte gaf hij toe aan de druk en het gemor van de mensen die achter hem stonden te wachten. Hij schoof het hek open en de massa golfde naar voren. De oude vrouw werd als een stuk drijfhout opzijgeduwd door de druk en het gestoot van schouders, armen en rugzakken.

Ze reageerde op soortgelijke wijze, zij het verbaal, en gaf zich over aan een lange reeks verwensingen in een Veneziano met het accent van Castello, waar de boot naar op weg was. Ze verketterde de voorouders van de toeristen, hun seksuele gewoonten en de staat van hun persoonlijke hygiëne, totdat het pad uiteindelijk vrij was en het dek leeg, en ze de cabine in kon wandelen en kon gaan zitten, zich hullend in een wolk van gemompelde klachten over de slechte manieren van die buitenlanders die het leven van fatsoenlijke Venetianen kwamen vergallen.

Toen de boot weer van de steiger was weggevaren, schoof Brunetti de deuren van de cabine dicht om het geluid van haar stem niet te hoeven horen, waarop Vianello zei: 'Het is een verschrikkelijk mens, maar ze heeft wel een punt.'

Het was een punt waar Brunetti niet langer over kon praten of naar kon luisteren, zo'n alomtegenwoordig onderwerp van gesprek was het geworden in de stad. 'Heb je al bedacht waar we naartoe kunnen?' vroeg hij, alsof Vianello's reactie op de toeristenstroom hun gesprek helemaal niet had onderbroken.

'Laten we naar het Lido gaan en vis eten,' zei de inspecteur met het enthousiasme van een schooljongen die spijbelde.

Andri was maar tien minuten lopen vanaf de halte Santa Maria Elisabetta, en de eigenaar, een schoolkameraad van Vianello, vond nog een tafeltje voor hen in het drukke restaurant. Hij bracht ongevraagd een halve liter witte wijn en een liter mineraalwater, en zei tegen Vianello dat hij de salade met garnalen, rauwe artisjok en gember moest nemen, en daarna de *zuppe di pesche*. Vianello knikte; Brunetti knikte ook.

'Goed, Mestre dus,' zei Brunetti.

Voordat Vianello iets kon zeggen was de eigenaar terug met wat brood. Het zette het op tafel en vroeg of ze wat artisjokbodems wilden, en was weer verdwenen zodra ze ja zeiden.

'Ik heb niet zo veel zin om in een of andere territoriumstrijd verzeild te raken,' zei Vianello uiteindelijk. 'Jij kent de regels beter dan ik.'

Brunetti knikte. 'Ik denk dat ik Patta's tactiek ga toepassen: gewoon ervan uitgaan dat je, omdát je iets wilt doen, ook het récht hebt om het te doen.' Hij schonk voor hen allebei wat wijn en wat water in en nam toen een grote slok water. Hij maakte een pakje *grissini* open en at er een, en daarna nog een, zich opeens bewust van zijn honger. 'Maar om het toch correct te doen zal ik ze bellen en zeggen dat we daarnaartoe komen om te vragen of iemand in de schoenenwinkel de man op de foto herkent.'

Vianello pakte ook een pakje soepstengels.

De eigenaar kwam terug met de artisjokken, zette ze neer en liep snel weer weg. Het was één uur en het restaurant zat vol. Het deed beide mannen goed om te zien dat het zo op het oog vol met lokale mensen zat. Drie tafels waren bezet door stoffige werklieden met dikke kleren en zware schoenen.

'Denk je dat er plekken bestaan waar iedereen meewerkt?' vroeg Vianello.

Brunetti werkte zijn eerste artisjok weg en legde zijn vork neer. 'Is dat een retorische vraag, Lorenzo?' vroeg hij, en hij nam een slokje wijn.

De inspecteur scheurde wat brood af en veegde de olijfolie van zijn bord. 'Deze zijn lekker. Ik heb ze het liefst zonder knoflook.' Het was inderdaad een retorische vraag.

'We gaan er met een auto naartoe en zijn zo weer terug.'

De eigenaar verving hun lege borden door de salade: reepjes artisjok en een behoorlijke hoeveelheid kleine garnalen, bestrooid met sliertjes gember.

'Als niemand in de winkel hem herkent, vragen we de jongens daar of ze ons willen helpen,' zei Brunetti.

Vianello knikte en spietste een paar garnalen aan zijn vork.

'Ik zal Vezzani bellen om te zeggen dat we even langskomen zodra we in die winkel zijn geweest,' zei Brunetti, en hij haalde zijn mobiel tevoorschijn.

Als Mestre zijn stadscentrum niet had gehad, klein en aantrekkelijk, zou iedere Venetiaan die gedwongen was ernaartoe te verhuizen dat lot als tragisch hebben beschouwd. Dat had Brunetti tenminste altijd gedacht. 'Van hoge tot lage staat vervallen,' schreef Aristoteles, toen hij de regels opstelde. Koningen vielen van hun troon en werden blinde bedelaars, koninginnen vermoordden hun kinderen, de machtigen stierven voor een hopeloze zaak of werden veroordeeld tot een leven van bittere ellende. Als Mestre verpauperd was geweest, als er alleen maar torenflats hadden gestaan, van elkaar gescheiden door kille troosteloosheid, als het meer op Milaan had geleken en minder op Venetië, dan zou het inderdaad een tragedie zijn geweest om gedwongen te zijn, of te verkiezen, daarheen te verhuizen. Het stadscentrum echter zorgde ervoor dat de verhuizing, hoe pijnlijk ook, intens verdrietig zelfs, niet geheel en al tragisch zou zijn.

De schoenenzaak was even smaakvol ingericht als zijn zusterwinkel in Venetië, en de schoenen die er stonden zagen er hetzelfde uit. Dat gold ook voor de twee vrouwen die er werkten: een oudere die duidelijk de leiding had en een jongere die glimlachte toen ze binnenkwamen. Brunetti wilde de hiërarchische verhoudingen respecteren en stapte op de vrouw af die hij voor de bedrijfsleidster hield en stelde zich voor. Ze leek niet verrast door zijn komst en had blijkbaar een telefoontje uit Venetië gekregen.

'Ik wil u vragen, en ook uw collega, om naar de foto van een man te kijken en te zeggen of u hem herkent.'

'Zijn jullie de heren die ook in de andere winkel zijn geweest?'

vroeg de jongere vrouw terwijl ze kwam aanlopen, een opmerking die haar op een scherpe blik van haar cheffin kwam te staan.

'Ja,' antwoordde Brunetti. 'De vrouw die we daar hebben gesproken, zei dat die man geprobeerd had hier schoenen te kopen, maar dat jullie zijn maat niet hadden.' Hij wist dat zij wisten dat 'die man' de dode man uit het kanaal was, en zij wisten dat hij dat wist, dus niemand zei iets.

De oudere vrouw, mager op het uitgemergelde af en met een boezem die daar misschien niet door de hand van de natuur was aangebracht, vroeg of ze de foto mocht zien. Brunetti gaf hem aan haar en bevestigde daarmee dat zij de cheffin was. 'Ja,' zei ze toen ze de foto van de dode man bekeek. Ze gaf hem door aan de jongere vrouw en sloeg haar armen onder die boezem over elkaar.

Toen ze de dode man zag, zei de jongere vrouw: 'Ja, hij is hier een paar keer geweest. De laatste keer was ongeveer twee maanden geleden.'

'Heeft u hem geholpen, signorina?' vroeg Brunetti.

'Ja. Maar we hadden zijn maat niet, en hij wilde niets anders.'

Brunetti wendde zich tot de andere vrouw en vroeg: 'Kunt u zich hem nog herinneren, signora?'

'Nee. We krijgen hier zo veel klanten,' zei ze, en op datzelfde moment kwamen er twee vrouwen, beladen met tassen, de winkel binnen. Zonder de moeite te nemen zich te verontschuldigen liep de bedrijfsleidster naar hen toe en vroeg of ze hen kon helpen.

Brunetti vroeg aan de jonge vrouw – eigenlijk niet veel meer dan een meisje: 'Kunt u nog iets over hem vertellen, signora? U zei dat hij hier eerder geweest is?'

Brunetti had nog steeds zijn hoop gevestigd op een creditcardbetaling. De jonge vrouw dacht even na en zei toen: 'Een paar keer. Eén keer kwam hij binnen met een paar schoenen en toen heeft hij diezelfde schoenen gekocht.'

Brunetti keek even naar Vianello, wiens manier van doen vaak meer uitnodigde tot praten. 'Kunt u nog iets speciaals over hem vertellen, signorina? Iets wat u is opgevallen aan hem?' vroeg de inspecteur.

'Bedoelt u dat hij zo dik was geworden en dat hij zo verdrietig was?'

'Was hij dat?' vroeg Vianello, ogenschijnlijk zeer begaan.

Ze leek hem in gedachten weer even voor zich te zien in de winkel. 'Nou, hij was flink aangekomen, dat viel me op, zelfs onder zijn winterjas, en hij heeft niet echt iets gezegd waardoor ik het idee kreeg dat hij eenzaam of verdrietig was of zo, maar hij leek het gewoon; hij was zo stil en alles ging een beetje langs hem heen.' Vervolgens, om hun allebei iets duidelijk te maken, zei ze: 'Hij heeft ongeveer acht paar schoenen geprobeerd, en de dozen lagen overal om hem heen op de grond en op de stoel naast hem. Toen hij klaar was en nog steeds niet de schoenen had gevonden die hij wilde, zei hij – ik denk dat hij zich schuldig voelde dat hij mij er zo veel had laten halen; misschien dat ik daarom nog weet wie hij is – toen zei hij dat hij zou helpen om ze weer terug in de dozen te doen. Maar hij stopte een zwarte schoen bij een bruine in de doos, en toen er op een gegeven moment nog maar één schoen over was, een zwarte, en er in de enige doos die nog over was een bruine zat, moesten we ze allemaal weer openmaken om de goede schoenen bij elkaar te doen. Hij vond het heel gênant en verontschuldigde zich ervoor.' Ze dacht hier even over na en zei toen: 'Niemand maakt zich daar ooit druk om, weet u. Ze passen tien, vijftien paar en lopen zo de deur uit zonder zelfs maar dank je wel te zeggen. Dus dat er nu iemand was die me gewoon als mens behandelde, nou, dat was heel fijn.'

'Heeft hij zijn naam genoemd?'

'Nee.'

'Of iets over zichzelf verteld wat u nog weet?'

Daar moest ze om glimlachen. 'Hij zei dat hij van dieren hield.'

'Pardon?' zei Brunetti.

'Ja, dat zei hij. Toen ik bezig was hem te helpen kwam er een vrouw binnen, een van onze vaste klanten. Ze is heel rijk; dat merk je aan alles – zoals ze zich kleedt en zo, en zoals ze praat. Maar ze heeft een heel lief oud hondje dat ze uit het asiel heeft gehaald. Ik heb er een keer naar gevraagd, en toen zei ze dat ze haar honden altijd uit het asiel haalt, en dat ze speciaal om oude honden vraagt. Je zou denken dat zo'n soort vrouw een, nou ja, ik weet het niet, zo'n afschuwelijk mormeltje heeft dat bij je op schoot zit, of een poedel of zo. Maar ze heeft zo'n rare, kleine straathond; er zit misschien iets van een beagle in, maar God mag weten wat nog meer. En ze is gek op hem, en dat hondje is dol op haar. Dus dan is het niet erg dat ze zo rijk is,' zei ze, waarop Brunetti zich afvroeg of de revolutie misschien dichterbij was dan hij gedacht had.

'En waarom zei hij dat hij van dieren hield?' vroeg Vianello.

'Nou, toen hij die hond zag, vroeg hij aan die vrouw hoe oud hij was, en toen ze zei dat hij elf was, vroeg hij of ze hem had laten controleren op artritis. Ze zei van niet, en toen zei hij dat hij dacht, aan de manier van lopen te zien, dat die hond dat had. Artritis.'

'Wat zei die vrouw toen?' vroeg Vianello.

'O, die bedankte hem. Wat ik al zei: ze is heel aardig. En toen ze weg was, vroeg ik het aan hem, en toen zei hij dat hij van dieren hield, vooral van honden, en dat hij er ook wel verstand van had.'

'Verder nog iets?' vroeg Brunetti, die zich realiseerde dat dit wel erg weinig was om op voort te bouwen.

'Nee, alleen dat het een aardige man was. Dat zijn mensen die van dieren houden meestal, vindt u ook niet?'

'Ja, inderdaad,' zei Vianello. Brunetti beperkte zich tot een knikje.

De bedrijfsleidster was nog steeds met de twee vrouwen bezig.

Er lag een hele verzameling dozen om hen heen en de vloer voor hen was bezaaid met schoenen. 'Heeft uw collega hem ook gesproken?' vroeg Brunetti.

'O, nee. Die hielp signora Persilli.' Toen ze hun niet-begrijpende blik zag, zei ze: 'Die mevrouw met het hondje.'

Brunetti haalde zijn portefeuille tevoorschijn en gaf haar zijn kaartje. 'Als u nog iets anders te binnen schiet, signora, belt u me dan alstublieft.'

Ze draaiden zich om naar de deur, maar hoorden haar achter hen vragen: 'Is hij echt die dode man? In Venetië?'

Brunetti draaide zich weer om en zei, verbaasd over zijn eigen openhartigheid: 'Ik denk het wel.' Haar mond trok zich samen in een kleine grimas en ze schudde haar hoofd bij dit nieuws. 'Dus als u nog iets te binnen schiet, belt u ons dan alstublieft; het zou kunnen helpen,' zei hij, zonder precies te vermelden op welke manier dat mogelijk zou zijn.

'Ik zou graag willen helpen,' zei ze.

Brunetti bedankte haar nogmaals, waarna Vianello en hij de winkel verlieten.

14

'Een man met Madelung die van dieren houdt en iets van honden af weet,' zei Vianello toen ze naar de auto liepen.

Brunetti stelde zich praktischer op: 'We zullen maar eens met Vezzani gaan praten. Die zou nu wel terug moeten zijn uit Treviso.' Hij was naar de schoenenwinkel gegaan in de hoop, in de verwachting zelfs, de naam en identiteit van de man te achterhalen. Hij geneerde zich nu dat hij zich erop verheugd had Vezzani's kamer binnen te lopen met de naam van de dode man in zijn bezit. Nu die mogelijkheid van de baan was, legde hij zich neer bij het feit dat er niets anders op zat dan datgene te doen wat ze, zo wisten ze inmiddels allebei, meteen hadden moeten doen: naar de Questura van Mestre gaan en de hulp van hun collega's daar inroepen.

Hij ging voor in de auto zitten en vroeg de chauffeur hen naar de Questura te brengen. De chauffeur herinnerde hem aan de veiligheidsgordel, en hoewel Brunetti het dwaasheid vond om die voor zo'n kort ritje te gebruiken, deed hij hem toch om. Het was ruim na vieren en het verkeer leek erg druk, al was Brunetti niet bepaald deskundig als het om verkeer ging.

Eenmaal in het gebouw liet hij zijn legitimatie zien en zei dat hij een afspraak had met commissario Vezzani. Ze hadden een paar jaar geleden samengewerkt in het team dat onderzoek deed naar de bagageafhandelaars op de luchthaven, het onderzoek waar Pucetti zich nog steeds mee bezighield. Ze hadden die beproeving samen doorstaan en waren er allebei wijzer en pessimistischer uit tevoorschijn gekomen, zij het met een veel beter inzicht in wat een slimme advocaat allemaal kon doen om de grenzen rond de rechten van een verdachte op te rekken.

De dienstdoende agent wees naar de lift en zei hun dat de kamer van de commissario op de derde verdieping was. Vezzani kwam oorspronkelijk uit Livorno, maar woonde al zo lang in Veneto dat hij in zijn manier van praten de zangerige cadans had overgenomen, en hij had Brunetti ooit verteld, tijdens een pauze in een eindeloos verhoor van twee mannen die verdacht werden van een gewapende overval, dat zijn kinderen met hun vriendjes de Mestre-variant van het Veneziano spraken.

Hij stond op toen ze binnenkwamen, een lange, magere man met vroegtijdig grijs haar, dat heel kort geknipt was, misschien in een vruchteloze poging om de kleur te verbergen. Hij schudde Brunetti de hand, waarbij hij hem hartelijk op zijn schouder klopte, en stak vervolgens zijn hand uit naar Vianello, met wie hij ook al eerder had gewerkt.

'Weten jullie al wie het is?' vroeg hij toen ze zaten.

'Nee. We hebben met de vrouwen van de schoenenwinkel gesproken, maar die konden ons niet vertellen wie hij was. Het enige wat een van hen zei was dat hij van honden hield en iets van dieren af wist.'

Als Vezzani dat al een vreemd stukje informatie vond om te onthullen tijdens het kopen van een paar schoenen, zei hij er niets over. Hij vroeg alleen: 'En die ziekte waar je het over had?'

'Madelung. Die komt voor bij alcoholisten of verslaafden, maar Rizzardi zei dat er geen aanwijzingen waren dat deze man een drinker was of drugs gebruikte.'

'Dus het is hem zomaar overkomen?'

Brunetti knikte, denkend aan de dikke nek en de gebogen romp van de dode man.

'Mag ik de foto zien?' vroeg Vezzani.

Brunetti gaf hem die.

'Zei je dat Pucetti dit gedaan had?' vroeg Vezzani, die de foto van dichtbij bekeek.

'Ja.'

'Ik had al over hem gehoord,' zei Vezzani. Daarna, op een andere toon: 'God, wat zou ik er graag een paar zoals hij hier hebben rondlopen.'

'Zo erg?'

Vezzani haalde zijn schouders op.

'Of wil je het niet zeggen?' vroeg Brunetti.

Vezzani liet een humorloos lachje horen. 'Als ik een vacature tegenkwam voor een baan als straatagent in Caltanissetta zou ik in de verleiding komen, dat kan ik je wel zeggen.'

'Waarom dat?'

Vezzani wreef over zijn rechterwang. Zijn baard was op dit tijdstip van de dag al zo zwaar dat Brunetti een raspend geluid hoorde. 'Omdat er zo weinig gebeurt, gecombineerd met het feit dat áls er iets gebeurt, er zo weinig is wat we kunnen doen.' Vervolgens stond Vezzani snel op, alsof het onderwerp hem te zeer tegenstond. 'Ik wil die foto even mee naar beneden nemen om aan de jongens te laten zien. Kijken of iemand hem herkent.' Toen Brunetti knikte, verliet hij de kamer.

Brunetti stond ook op en liep naar een prikbord, waarop brieven hingen met het logo van het ministerie van Binnenlandse Zaken. Hij las er een paar en merkte dat het dezelfde mededelingen en rapporten waren die zijn eigen kantoor in en uit stroomden. Misschien moest hij die van hun bureau in koffers stoppen, die naar het station brengen en ze dan een paar minuten onbeheerd achterlaten tot ze gestolen waren. Er leek geen andere manier om er ooit echt van af te komen. Zou hij het aan Patta voorleggen? vroeg hij zich af. Hij stond daar naar die brieven te kijken en stelde zich ondertussen het gesprekje met Patta voor.

Vezzani kwam snel de kamer weer binnen. 'Het is een dierenarts,' zei hij.

Alsof de stem van de jonge vrouw in de schoenenwinkel weerklonk, zei Brunetti: 'Houdt van dieren en weet iets van honden.' Daarna vroeg hij: 'Wie wist dat?'

'Een van onze mensen. Die heeft hem op de school van zijn zoon gezien.' Vezzani liep verder de kamer in. 'Er was een of andere speciale dag op school waarvoor ouders waren uitgenodigd om de kinderen iets over hun werk of beroep te vertellen. Hij zei dat ze dat elk jaar doen, en vorig jaar heeft deze man iets verteld over het vak van dierenarts en het verzorgen van dieren.'

'Weet hij dat zeker?' vroeg Brunetti.

Vezzani knikte.

'Hoe heet hij?'

'Dat wist hij niet meer. Hij zei dat hij alleen het laatste stukje van zijn verhaal gehoord had. Maar er worden alleen ouders uitgenodigd, dus als hij op die school een praatje heeft gehouden, moeten ze daar weten wie hij is.'

'Welke school is het?'

'San Giovanni Bosco. Ik kan ze bellen,' zei Vezzani, die naar zijn bureau liep. 'Of we kunnen even met ze gaan praten.'

Brunetti's antwoord kwam onmiddellijk. 'Ik wil daar niet met een politieauto naartoe, zeker niet als zijn kind er nog op school zit. Er wordt altijd gekletst, en dat is geen manier voor hem om erachter te komen wat er met zijn vader is gebeurd.'

Vezzani was het met hem eens, en Vianello, die zelf schoolgaande kinderen had en net als de anderen een potentieel gevaarlijk beroep uitoefende, knikte.

Bellen was gauw genoeg gebeurd, en na eerst twee keer te zijn doorverbonden kreeg Vezzani de naam van de dode man te horen. Dottor Andrea Nava, zijn zoon zat nog steeds op die school, maar er waren wat moeilijkheden in het gezin geweest en de vader was de laatste keer niet op de ouderavond verschenen. Ja, hij was daar vorig jaar geweest en had over huisdieren gepraat en hoe je die het beste kon verzorgen. Hij had voorgesteld dat de kinderen hun eigen huisdieren zouden meenemen, en die had hij als voorbeelden gebruikt. De kinderen hadden zijn praatje veel leuker gevonden dan dat van de anderen, en het was echt jammer dat dottor Nava dit jaar niet weer had kunnen komen.

Vezzani schreef het adres en telefoonnummer op die bij de contactinformatie van de jongen stonden, bedankte degene die hij gesproken had zonder te vertellen waarom de politie naar de dierenarts op zoek was en hing op.

'Nou?' zei Vezzani, van de een naar de ander kijkend.

'God, wat heb ik hier een hekel aan,' mompelde Vianello.

'Jouw mannetje wist het zeker?' vroeg Brunetti.

'Absoluut,' antwoordde Vezzani. Hij zweeg even en zei toen: 'Zullen we eerst bellen?'

'Hoe ver is het?' vroeg Brunetti, met een gebaar naar het papier in Vezzani's hand.

Hij keek er nog een keer naar. 'Precies aan de andere kant van de stad.'

'Dan bellen we,' zei Brunetti, die geen tijd wilde verknoeien in het verkeer om er vervolgens achter te komen dat de echtgenote of *fidanzata* of partner, of wie het ook was met wie mannen tegenwoordig samenleefden, niet thuis was.

Vezzani pakte de telefoon, aarzelde even en gaf hem toen aan Brunetti. 'Spreek jij maar met ze. Het is jouw zaak.' Hij drukte op het cijfer voor een buitenlijn en toetste het nummer in.

Bij de derde keer overgaan nam een vrouw op. '*Pronto,*' zei ze, maar ze noemde geen naam.

'*Buon giorno,* signora,' zei Brunetti. 'Kunt u me zeggen of dit het huis is van dottor Andrea Nava?'

'Met wie spreek ik?' vroeg ze op een toon met een lagere temperatuur.

'Commissario Guido Brunetti, signora. Van de politie in Venetië.'

Na een stilte die Brunetti niet buitensporig lang voorkwam, vroeg ze: 'Kunt u zeggen waarom u belt?'

'We proberen dottor Nava te bereiken, signora, en dit is het enige nummer dat we van hem hebben.'

'Hoe bent u daar aangekomen?' vroeg ze.

'We hebben het van de politie in Mestre gekregen,' zei hij, in de hoop dat ze niet zou vragen waarom de politie in Mestre het zou moeten hebben.

'Hij woont hier niet meer,' zei ze.

'Mag ik vragen met wie ik spreek, signora?'

Dit keer duurde de stilte wel buitensporig lang. 'Ik ben zijn vrouw,' zei ze.

'Juist, ja. Zou ik misschien even langs kunnen komen om u te spreken, signora?'

'Waarom?'

'Omdat we graag met u willen spreken over uw man, signora,' zei Brunetti, die hoopte dat de ernst van zijn toon haar alvast zou waarschuwen voor wat er zou volgen.

'Hij heeft toch niets gedaan, hè?' vroeg ze, en ze klonk eerder verbaasd dan bezorgd.

'Nee,' zei Brunetti.

'Wat is er dan?' vroeg ze. Hij hoorde de toenemende ergernis in haar stem.

'Ik zou u liever persoonlijk spreken, als dat kan, signora.' Dit had al te lang geduurd, en het was nu onmogelijk geworden om het haar over de telefoon te vertellen.

'Mijn zoon is thuis,' zei ze.

Dat zette Brunetti voor het blok. Hoe moest je een kind afleiden terwijl je zijn moeder vertelde dat haar man dood was? 'Een van mijn mensen komt met me mee, signora,' zei hij, zonder erbij te zeggen hoe dat een verschil zou maken.

'Hoe lang duurt het voordat u hier bent?'

'Twintig minuten,' verzon Brunetti.

'Goed dan, ik zal zorgen dat ik er ben,' zei ze, en het was duidelijk dat ze een einde aan het gesprek wilde maken.

'Kunt u het adres nog even bevestigen, signora?' vroeg Brunetti.

'Via Enrico Toti 26,' zei ze. 'Is dat het adres dat u heeft?'

'Ja,' bevestigde Brunetti. 'We zijn er over twintig minuten,' zei hij nogmaals, waarop hij haar bedankte en de telefoon neerlegde.

Hij wendde zich tot Vezzani en vroeg: 'Twintig minuten?'

'Nog niet eens. Wil je dat ik meega?'

'Met zijn tweeën is genoeg, denk ik. Ik neem Vianello mee, want wij hebben dit soort dingen vaker samen gedaan.'

Vezzani stond op. 'Ik breng jullie wel met mijn auto. Zeg maar tegen jullie chauffeur dat hij terug kan. Dan staat er straks geen politieauto voor hun deur.' Toen hij zag dat Brunetti wilde protesteren, zei hij: 'Ik wil niet met jullie mee naar binnen. Ik ga aan de overkant van de straat een kop koffie drinken en daar wacht ik op jullie.'

15

Nummer 26 was een van de eerste huizen in een rij twee-onder-een-kapwoningen in een straat die begon bij een klein groepje winkels in een buitenwijk van Mestre. Ze reden langs het huis; Vezzani parkeerde de burgerauto ongeveer honderd meter verderop. Toen de drie mannen waren uitgestapt, wees Vezzani naar een bar aan de overkant van de straat. 'Ik zit daar,' zei hij.

Brunetti en Vianello liepen langs de rij huizen en beklommen de trap van nummer 26. Er waren twee deuren en twee bellen met daaronder een venstertje dat de namen van de bewoners bevatte. In het ene, de letters flets geworden door het licht, stonden de namen 'Cerulli' en 'Fabretti'; het andere droeg, in een vers en donker handschrift, de naam 'Doni'. Brunetti drukte op die bel.

Even later werd de deur opengedaan door een donkerharige jongen van een jaar of acht. Hij was mager en had blauwe ogen, en zijn gezicht stond verrassend ernstig voor zo'n jong kind. 'Zijn jullie de politiemannen?' vroeg hij. Hij had in zijn ene hand een of ander futuristisch plastic wapen, een laserpistool misschien. Aan zijn andere hand hing een vaal geworden teddybeer met een grote kale plek op zijn buik.

'Ja,' zei Brunetti. 'Zou je ons kunnen vertellen wie jij bent?'

'Teodoro,' zei hij, waarna hij een stap naar achteren deed en zei: 'Mijn *mamma* is in de grote kamer.' Ze vroegen toestemming en gingen naar binnen; de jongen deed de deur achter hen dicht. Aan het eind van een gang die het huis in tweeën leek te delen lag een kamer die uitkeek op een volstrekt wanordelijke tuin. In deze buitenwijk verwachtte Brunetti tuinen te zien van een militaire strengheid, met rechte rijen groeiende dingen, of dat nu bloemen waren of groenten, en, ongeacht het seizoen, alles keurig gesnoeid en schoongehouden. Deze tuin getuigde echter van verwaarlozing, met woekerende klimplanten die bezit hadden genomen van wat ooit misschien nette rijen struiken en planten waren geweest. Brunetti zag de houten stokken die tomaten- en bonenplanten hadden ondersteund, opgeslokt en opzijgeduwd door de langzame invasie van klimplanten en doornstruiken, alsof iemand de tuin aan het eind van de zomer aan zijn lot had overgelaten en in het voorjaar zijn interesse geheel en al had verloren.

In de kamer waar de jongen hen naartoe bracht was echter niets van die wanorde terug te vinden. Het grootste deel van de marmeren vloer ging schuil onder een machinaal vervaardigde Heriz en tegen een van de wanden stond een donkerblauwe bank. Op de salontafel ervoor lag een keurig stapeltje tijdschriften. Ertegenover stonden twee fauteuils met een bloemenprint waarin hetzelfde donkerblauw als dat van de bank overheerste. Aan de muren zag Brunetti in donkere lijsten gevatte posters van het soort dat in meubelzaken wordt verkocht.

Toen de jongen de kamer in liep zei hij: 'Hier zijn de politiemannen, mamma.' Bij hun binnenkomst stond de vrouw op en deed een stap naar hen toe, met haar handen langs haar lichaam. Ze was niet zo groot, maar door de stijfheid van haar houding leek ze langer. Ze was zo te zien achter in de dertig, met donker haar tot op haar schouders. Een rechthoekige bril benadrukte de hoekigheid van haar gezicht. Haar rok viel tot net onder de knie; haar grijze trui zou van zijde kunnen zijn.

'Dank je wel, Teodoro,' zei ze. Ze knikte hen toe en zei: 'Ik ben Anna Doni.' Haar gezicht werd zachter, maar ze glimlachte niet.

Brunetti noemde hun namen en bedankte haar dat ze met haar konden komen praten.

De jongen keek van de een naar de ander terwijl de volwassenen met elkaar spraken. Ze wendde zich tot hem en zei: 'Ik denk dat je nu wel je huiswerk kunt gaan doen.'

Brunetti zag dat de jongen aanstalten maakte om te protesteren en toen besloot dat maar niet te doen. Hij knikte en verliet de kamer zonder iets te zeggen, en hij nam zowel zijn wapen als zijn vriendje mee.

'Alstublieft, heren,' zei de vrouw met een gebaar naar de bank. Ze ging zelf in een van de fauteuils zitten en kwam vervolgens half overeind om haar rok recht te trekken. Toen ze zaten zei ze: 'Ik zou graag van u willen weten waarom u gekomen bent.'

'Het houdt verband met uw man, signora,' zei Brunetti. Hij bleef even zwijgen, maar zij vroeg niets. 'Kunt u me vertellen wanneer u hem voor het laatst gezien hebt of van hem gehoord hebt?'

In plaats van antwoord te geven vroeg ze: 'U weet dat we uit elkaar zijn?'

Brunetti knikte alsof hij dat inderdaad wist, maar vroeg er verder niet naar. Uiteindelijk zei ze: 'Ik heb hem iets langer dan een week geleden gezien, toen hij Teodoro thuisbracht.' Bij wijze van uitleg voegde ze eraan toe: 'Hij heeft een omgangsregeling. Om het weekend mag hij Teo ophalen om hem bij hem thuis te laten slapen.' Brunetti ontspande toen hij haar eindelijk de roepnaam van de jongen hoorde gebruiken.

'Bent u vriendschappelijk uit elkaar gegaan, signora?' mengde Vianello zich in het gesprek, Brunetti duidelijk makend dat hij besloten had de rol van aardige politieman op zich te nemen, mocht dat nodig zijn.

'Het is een scheiding van tafel en bed,' zei ze kortaf. 'Ik weet niet hoe zoiets ooit vriendschappelijk kan gaan.'

'Hoe lang bent u getrouwd geweest, signora?' vroeg Vianello, ogenschijnlijk vol begrip voor wat ze zojuist had gezegd. Daarna voegde hij eraan toe, alsof hij wilde aangeven dat ze het recht had niet te antwoorden: 'Neemt u me niet kwalijk dat ik dat vraag.'

Dat deed voor haar de deur dicht. Ze pakte de armleuningen van de stoel beet. 'Ik denk dat het zo wel genoeg is, heren,' zei ze met plotselinge autoriteit. 'Het wordt tijd dat u me vertelt waar dit allemaal over gaat, en dan zal ik besluiten welke vragen ik wil beantwoorden.'

Brunetti had gehoopt nog even te kunnen wachten om het haar te vertellen, maar daar was nu geen kans meer op. 'Als u de kranten heeft gelezen, signora,' begon hij, 'dan weet u dat er in Venetië het lichaam van een man in het water is gevonden.' Hij wachtte lang genoeg om haar te laten beseffen wat er nu zou komen. Haar handen klemden zich om de armleuningen, en ze knikte. Haar mond ging open, alsof de lucht om haar heen opeens in water was veranderd en ze geen adem meer kon halen.

'Het lijkt erop dat die man is vermoord. We hebben reden om aan te nemen dat die man uw echtgenoot is.'

Ze viel flauw. In al zijn jaren bij de politie had Brunetti nog nooit iemand zien flauwvallen. Hij had wel twee verdachten, een man en een vrouw en bij verschillende gelegenheden, zien doen alsof ze flauwvielen, en beide keren had hij meteen geweten dat ze alleen maar tijd probeerden te winnen. Maar zij viel flauw. Haar ogen rolden naar boven en haar hoofd viel tegen de rugleuning van de stoel. Daarna, als een trui die gedachteloos op een meubelstuk was gelegd, gleed ze op de grond.

Brunetti reageerde eerder dan Vianello. Hij duwde haar stoel opzij en knielde bij haar neer. Hij pakte een kussen van de bank en legde dat onder haar hoofd, en vervolgens – alleen maar omdat hij dat in films had gezien – pakte hij haar hand en voelde haar pols. Haar hart klopte langzaam en regelmatig; haar ademhaling leek normaal, alsof ze gewoon in slaap was gevallen.

Brunetti keek omhoog naar Vianello, die bij hem was komen staan. 'Moeten we een ambulance bellen?' vroeg de inspecteur.

Signora Doni deed haar ogen open en bracht even later een hand omhoog om haar bril recht te zetten, die door de val half van haar neus was gegleden. Brunetti zag haar om zich heen kijken, als om vast te stellen waar ze was. Er ging een volle minuut voorbij voor ze zei: 'Als u me even helpt, kan ik wel zitten, denk ik.'

Vianello knielde aan de andere kant naast haar neer en ze hielpen haar samen overeind, haar vasthoudend alsof ze elk moment weer in elkaar kon zakken. Ze bedankte hen en wachtte tot ze haar loslieten, waarna ze zich, met één hand steun zoekend, zelf in de stoel liet zakken.

'Wilt u misschien iets drinken?' vroeg Brunetti, en het klonk alsof hij dat had overgenomen uit het script voor een romantische komedie.

'Nee,' zei ze. 'Het gaat wel. Ik moet alleen even rustig zitten.'

Beide mannen wendden zich van haar af toen ze dat gezegd had en gingen bij het raam staan om de desolate tuin in te kijken. De tijd verstreek terwijl ze wachtten op een woord of een geluid van de vrouw achter hen.

Ten slotte zei ze: 'Het gaat nu wel weer.'

Ze keerden terug naar de bank. 'Zegt u het alstublieft niet tegen Teo,' zei ze.

Brunetti knikte en Vianello schudde zijn hoofd, en ze bedoelden allebei hetzelfde.

'Ik weet niet hoe... van zijn vader,' zei ze, en haar stem werd onvast. Ze haalde een paar keer diep adem, en Brunetti onderdrukte de neiging om haar nogmaals te vragen of ze iets wilde drinken. 'Vertel me wat er gebeurd is,' zei ze.

Brunetti zag geen manier om het mooier te maken en daarmee makkelijker te aanvaarden. 'Uw man is neergestoken en in een kanaal achtergelaten. Zijn lichaam is maandagochtend vroeg gevonden en toen is hij overgebracht naar het Ospedale Civile. Er was geen legitimatie, daarom heeft het zo lang geduurd voor we u vonden.'

Ze knikte een aantal keren, en dacht toen na over alles wat ze had gehoord. 'Er stond geen beschrijving van hem in de kranten,' zei ze. 'Of van zijn ziekte.'

'We hebben ze alleen de informatie gegeven die we hadden, signora.'

'Dat heb ik gelezen,' zei ze boos. 'Maar er stond niets in over Madelung. Ik mag toch aannemen dat uw patholoog-anatoom zoiets herkend zal hebben.' Ze had ervoor gekozen hem niet te horen óf niet te geloven, besefte Brunetti terwijl haar stem het gevecht tegen het sarcasme verloor. Vervolgens zei ze, meer tegen zichzelf dan tegen hen: 'Als ik dat gezien had, zou ik gebeld hebben.' Brunetti geloofde haar.

'Het spijt me, signora. Het spijt me dat u het op deze manier te weten moet komen.'

'Er is geen manier om het te weten te komen,' zei ze koel, maar toen ze zijn reactie zag, liet ze erop volgen: 'toch?'

'Hoe lang had hij die ziekte al?' vroeg Brunetti, louter uit nieuwsgierigheid.

'Dat is moeilijk te zeggen,' antwoordde ze. 'In eerste instantie dacht hij dat hij gewoon dikker werd. Niets hielp: hoe weinig hij ook at, hij kwam alleen maar aan. Dat ging bijna een jaar zo door. Dus toen vroeg hij het aan een vriend. Ze hadden samen op de universiteit gezeten, maar Luigi is daarna arts geworden. Mensenarts, bedoel ik. Hij zei wat hij dacht dat het was, maar wij geloofden hem eerst niet. Dat konden we gewoon niet: Andrea dronk nooit meer dan misschien twee glazen wijn bij het eten, vaak helemaal niets, dus het leek niet mogelijk.' Ze verschoof haar benen en bewoog wat op haar stoel.

'Maar ongeveer een halfjaar geleden heeft hij een biopsie en een scan gehad. En toen bleek het dat toch te zijn.' Met iedere emotie uit haar stem gebannen, zei ze: 'Er is geen behandeling en geen genezing.' En daarna, met een namaakglimlach: 'Maar het is niet levensbedreigend. Je verandert in een ton, maar je gaat er niet dood aan.'

De namaakglimlach weer vergeten, zei ze: 'Maar u bent hier niet naartoe gekomen om het daarover te hebben, hè?'

Brunetti probeerde in te schatten hoeveel hij van haar kon vragen en besloot het risico te nemen vrijuit te spreken. 'Nee, dat is waar, signora.' Hij zweeg even en vroeg toen: 'Is er iemand die uw man iets zou hebben willen aandoen?'

'Behalve ik, bedoelt u?' vroeg ze zonder een greintje humor. Brunetti werd even van zijn stuk gebracht door haar opmerking, en toen hij naar Vianello keek, zag hij dat hetzelfde voor hem gold.

'Vanwege de scheiding?' vroeg Brunetti.

Ze keek uit het raam, naar de chaos in de tuin. 'Vanwege datgene waardoor de scheiding is veroorzaakt,' antwoordde ze ten slotte.

'En dat was?' zei Brunetti.

'Het oudste cliché van de wereld, commissario. Een vrouw op zijn werk, die meer dan tien jaar jonger is dan hij.' En met echte wrok voegde ze eraan toe: 'Of dan ik, waar het misschien meer om gaat.' Ze keek Brunetti rechtstreeks aan, alsof ze wilde suggereren dat hij ook met een vrouw leefde en alleen maar zijn tijd afwachtte om precies hetzelfde te kunnen doen.

'Heeft hij u voor haar verlaten?' vroeg Brunetti.

'Nee. Hij had een verhouding met haar, en toen hij dat aan mij vertelde – ik denk dat het juiste woord hier "opbiechtte" is – zei hij dat hij het niet had willen doen, dat zij hem verleid had.' Als bij een thermometer waarop de ochtendzon begint te schijnen, steeg tijdens het spreken de bitterheid in haar stem.

Brunetti wachtte. Dit was niet het moment waarop een man een vrouw die aan het woord was kon onderbreken.

'Hij zei dat hij dacht dat ze het gepland had.' Opeens ging haar hand omhoog en maakte ze een wuivend gebaar, alsof ze haar man wilde wegjagen, of de vrouw, of de herinnering aan wat hij had gezegd. Vervolgens, met een stem net over het randje van bitterheid, zei ze: 'Het zou niet voor het eerst zijn dat een man dat beweert, hè?'

Vianello sprong bij en vroeg, op de toon van de aardige politie-man: 'U zei dat hij het aan u vertelde, signora. Waarom was dat?'

Ze keek de inspecteur even aan, zich herinnerend dat hij er ook nog was. 'Hij zei dat die vrouw van plan was het tegen mij te vertellen, dus toen wilde hij het zelf doen voordat zij het kon doen.' Ze wreef een paar keer over haar voorhoofd. 'Het tegen mij zeggen, bedoel ik.'

Ze wierp de inspecteur een neutrale blik toe en wendde zich toen tot Brunetti. 'Dus hij heeft mij niet voor haar verlaten, commissario. Ik heb gezegd dat hij kon vertrekken.'

'En toen is hij weggegaan?' vroeg Brunetti.

'Ja. Hij is diezelfde dag weggegaan. Nou ja, de volgende dag.' Ze bleef een tijdje zwijgend zitten en dacht zo te zien over die gebeurtenissen na. 'We moesten nog bespreken wat we tegen Teo zouden zeggen.' Daarna, op zachtere toon: 'Ik denk niet dat er iets is wat je tegen ze kúnt zeggen – tegen kinderen – niet echt.'

Brunetti kwam in de verleiding om te vragen wat ze tegen hun zoon gezegd hadden, maar dat kon hij niet rechtvaardigen en dus vroeg hij in plaats daarvan: 'Wanneer is dit gebeurd?'

'Drie maanden geleden. We hebben allebei met een advocaat gesproken en papieren getekend.'

'En waar zou dat toe leiden, signora?'

'Bedoelt u of ik van hem zou gaan scheiden?'

'Ja.'

'Natuurlijk.' Langzamer en veel bedachtzamer voegde ze daaraan toe: 'Niet vanwege die affaire; dat moet u wel begrijpen. Maar omdat hij niet de moed had ervoor uit te komen, omdat hij het slachtoffer moest spelen.' Op heftige toon vervolgde ze, met één arm voor haar borst en met haar hand op haar schouder als om haar woede te bedwingen: 'Ik haat slachtoffers. Ik haat mensen die niet de moed hebben hun eigen verderfelijke gedrag onder ogen te zien en dan iemand anders of iets anders de schuld geven.' Ze deed haar uiterste best om verder haar mond te houden, maar verloor het gevecht en ging verder: 'Ik haat die lafheid. Mensen hebben affaires. Ze hebben aan de lopende band affaires. Maar god nog aan toe, geef in ieder geval toe dat je het gedaan hebt. Ga niet die vrouw of die man de schuld geven. Zeg gewoon dat je het gedaan hebt, en als je er spijt van hebt, zeg dan dat je er spijt van hebt, maar ga niet iemand anders de schuld geven van je eigen zwakte of stommiteit.'

Ze deed er het zwijgen toe, uitgeput, misschien niet zozeer door wat ze gezegd had als wel door de omstandigheden waarin ze het gezegd had. Twee volslagen vreemden per slot van rekening, en bovendien politiemensen die haar waren komen vertellen dat haar man dood was.

'Ervan uitgaande dat u niet degene bent die hiervoor verantwoordelijk is, signora,' zei Brunetti met een miniem glimlachje, in de hoop dat zijn ironie haar weg zou leiden van het pad dat het gesprek leek te zijn ingeslagen, 'kunt u iemand anders bedenken die uw man misschien kwaad zou hebben willen doen?'

Ze woog zijn vraag, en haar gezicht werd zachter. 'Voor ik daar antwoord op geef, wil ik graag één ding tegen u zeggen,' zei ze.

Brunetti knikte.

'In de krant stond dat die man in Venetië – Andrea – maandagmorgen is gevonden,' zei ze, maar het was een vraag.

Brunetti gaf antwoord. 'Ja.'

'Ik was die nacht hier met mijn zus. Die was op bezoek met haar twee kinderen, en we hebben samen gegeten, en daarna zijn ze hier alle drie blijven slapen.'

Brunetti stond zichzelf een blik in Vianello's richting toe en zag dat de aardige politieman knikte. Signora Doni's stem riep hem weer tot de orde toen ze zei: 'Wat uw andere vraag betreft: ik zou niemand weten. Andrea was een...' Ze zweeg even, misschien in het besef dat ze nu zijn grafschrift moest uitspreken.

'Hij was een goed mens.' Ze haalde drie keer diep adem en ging toen verder. 'Ik weet wel dat hij zich zorgen maakte op zijn werk of door zijn werk. Dat merkte ik pas in de laatste maanden dat we samen waren; dat was toen hij...' Ze maakte haar zin niet af, en Brunetti liet het aan haar over om zich te herinneren wat ze wilde. Maar toen sprak ze weer. 'Het is misschien het schuldgevoel geweest over wat hij aan het doen was. Wat ze aan het doen waren. Maar het kan ook meer dan dat zijn geweest.' Weer een lange stilte. 'We praatten niet zo veel met elkaar in de maanden voor hij het me vertelde.'

'Waar werkt hij, signora?' vroeg Brunetti, en hij schrok toen hij zich realiseerde dat hij de tegenwoordige tijd had gebruikt. Proberen het te corrigeren zou het alleen maar erger maken.

'Zijn praktijk is hier niet ver vandaan. Maar twee dagen per week doet hij ander werk.' Onbewust – misschien omdat ze het Brunetti had horen doen – was ook zij teruggevallen op de tegenwoordige tijd.

Brunetti nam aan dat het werk van een dierenarts redelijk vast lag; hij vroeg zich af wat voor ander werk dottor Nava kon hebben gedaan, naast zijn eigen praktijk. 'Werkte hij bij dat andere werk ook als dierenarts?'

Ze knikte. 'Dat kreeg hij ongeveer een halfjaar geleden aangeboden. Door de financiële crisis was er minder werk in zijn kliniek. Dat is wel vreemd eigenlijk, want normaal gesproken hebben mensen alles voor hun huisdier over en betalen ze alles wat nodig is.' Ze wrong haar handen in een clichégebaar van hulpeloosheid, en Brunetti vroeg zich opeens af of ze werkte of dat ze thuisbleef om voor hun zoon te zorgen. En als dat zo was, hoe zou het haar dan nu vergaan?

'Dus toen ze hem die baan aanboden, heeft hij hem genomen,' zei ze. 'We hadden de hypotheek van het huis en de kosten van de kliniek, en dan waren er nog de doktersrekeningen.' Toen ze hun verbazing zag, zei ze: 'Andrea moest alles zelf betalen. De wachttijd voor een scan in het ziekenhuis was meer dan zes maanden. En hij betaalde voor elk bezoek aan een specialist. Dat is de reden waarom hij die baan nam.'

'Wat was dat voor baan, signora?'

'In het slachthuis. Ze moeten daar een dierenarts hebben als de beesten worden binnengebracht. Om erop toe te zien dat ze gezond genoeg zijn om te gebruiken.'

'Als vlees, bedoelt u?' vroeg Vianello.

Ze knikte weer.

'Twee dagen per week?' vroeg Brunetti.

'Ja. Maandag en woensdag. Dan komen de boeren ze brengen. Hij regelde het zo op de kliniek dat hij daar 's ochtends niet hoefde te zijn, hoewel zijn medewerkers wel patiënten aannamen als dat nodig was.' Het drong opeens tot haar door wat ze gezegd had. 'Klinkt dat niet raar: "patiënten", als je het over dieren hebt?' Ze glimlachte en schudde haar hoofd. 'Echt gek.'

'Welk slachthuis, signora?' vroeg Brunetti.

'Preganziol,' zei ze, en alsof dat nog iets uitmaakte, voegde ze eraan toe: 'Het is maar een kwartiertje rijden met de auto.'

Terugdenkend aan wat ze had gezegd over wat mensen voor hun huisdier overhebben vroeg Brunetti: 'Is er van de mensen die met hun huisdier bij uw man kwamen wel eens iemand boos op hem geweest?'

'Bedoelt u of ze hem bedreigd hebben?' vroeg ze.

'Ja.'

'Over dat soort ernstige dingen heeft hij het nooit gehad, maar er zijn wel een paar mensen geweest die hem ervan beschuldigd hebben dat hij niet genoeg gedaan had om hun dier te redden.' Ze zei dit op vlakke toon, maar de koelheid op haar gezicht maakte duidelijk wat ze van dat soort gedrag vond.

'Zou het kunnen dat uw man over zoiets misschien niets tegen u heeft gezegd?' vroeg Vianello.

'U bedoelt om te zorgen dat ik me niet ongerust zou maken?'

vroeg ze. Het was een simpele vraag, zonder een spoor van sarcasme.

'Ja.'

'Nee, niet voordat het misging. Hij vertelde alles. We waren heel...' begon ze, en ze moest zoeken naar het juiste woord. 'Hecht,' zei ze ten slotte. 'Maar hij heeft nooit iets gezegd. Hij heeft het altijd erg naar zijn zin gehad daar.'

'Hadden die zorgen waar u het eerder over had dan te maken met dat andere werk, signora?' vroeg Brunetti.

Haar blik leek wazig te worden, en ze richtte haar aandacht op de verwaarloosde tuin, waar geen tekenen van terugkerend leven te zien waren. 'Vanaf die tijd begon hij zich anders te gedragen. Maar dat kwam door... andere dingen, zou ik zeggen.'

'Heeft hij daar die vrouw ontmoet?' vroeg Brunetti, die om de een of andere reden had aangenomen dat het iemand was die op zijn praktijk werkte.

'Ja. Ik weet niet wat ze daar doet; ik was niet geïnteresseerd in het werk dat ze deed.'

'Kent u haar naam, signora?'

'Hij heeft de beleefdheid gehad om die nooit te noemen,' zei ze met slecht onderdrukte woede. 'Hij zei alleen dat ze jonger was.' Haar stem veranderde in ijzer bij het een-na-laatste woord.

'Juist, ja,' zei hij, waarna hij vroeg: 'Hoe kwam hij op u over, de laatste keer dat u hem zag?'

Hij zag haar in gedachten teruggaan naar die ontmoeting en keek toe terwijl de emoties over haar gezicht speelden. Ze haalde diep adem, keek met een schuingehouden hoofd van hen beiden weg en zei: 'Dat was ongeveer tien dagen geleden.' Ze haalde nog een paar keer diep adem en haar arm ging weer omhoog over haar borst om haar hand aan haar schouder te verankeren. Uiteindelijk zei ze: 'Hij had Teo het weekend gehad, en toen hij hem terugbracht, zei hij dat hij met me wilde praten. Hij zei dat hij ergens mee zat.'

'Waarmee?' vroeg Brunetti.

Ze liet haar hand zakken en legde hem bij die in haar schoot. 'Ik nam aan dat het over die vrouw ging, dus ik zei tegen hem dat hij niets te zeggen kon hebben wat ik wilde horen.'

Ze zweeg, en beide mannen zagen haar in gedachten teruggaan naar het moment dat ze die woorden zei. Ze hielden echter allebei hun mond, en uiteindelijk ging ze verder: 'Hij zei dat er dingen gaande waren die hem niet bevielen, en daar wilde hij me over vertellen.' Ze keek Vianello aan, en daarna Brunetti. 'Dat was het ergste wat hij gedaan heeft, het lafste.'

Er klonk een geluid ergens in het huis, en ze stond half op uit haar stoel. Maar het geluid herhaalde zich niet, en ze ging weer zitten. 'Ik wist wat hij me wilde vertellen. Over haar. Dat het misschien niet goed ging en dat hij spijt had. En het kon me niet schelen. Toen. Ik wilde er niet naar luisteren, dus ik zei tegen hem dat hij de dingen die hij te vertellen had maar tegen mijn advocaat moest zeggen.'

Ze haalde een paar keer adem en vervolgde: 'Toen zei hij dat het niet echt over haar ging. Hij noemde haar naam niet. Had het gewoon over "haar". Alsof het de normaalste zaak van de wereld was om het met mij over "haar" te hebben. In míjn huis.' Ze had terwijl ze sprak van de een naar de ander gekeken, maar nu vestigde ze haar aandacht op de handen die ze gevouwen in haar schoot hield. 'Ik zei tegen hem dat hij kon vertrekken.'

'En deed hij dat ook, signora?' vroeg Brunetti na een lange stilte.

'Ja. Ik ben opgestaan en de kamer uit gelopen, en toen hoorde ik hem naar buiten gaan, en ik hoorde zijn auto wegrijden. En dat was de laatste keer dat ik hem gezien heb.'

Brunetti, die naar haar handen keek, schrok van de eerste druppel. Die spatte op de rug van haar hand uiteen en verdween in de stof van haar rok, en daarna nog een druppel, en nog een, en toen stond ze op en liep snel de kamer uit.

Na een tijdje zei Vianello: 'Jammer dat ze niet naar hem geluisterd heeft.'

'Voor haar of voor ons?' vroeg Brunetti.

Verrast door die vraag antwoordde Vianello: 'Voor haar.'

16

Ze konden niets anders doen dan wachten tot ze terugkwam. Op gedempte toon bespraken ze wat ze gezegd had en de mogelijkheden die dat voor hen schiep.

'We moeten die vrouw zien te vinden en kijken wat er aan de hand was,' zei Brunetti.

Vianello's blik was niet moeilijk te duiden.

'Nee, dat niet,' zei Brunetti, en hij schudde kort zijn hoofd. 'Ze heeft gelijk: het is een cliché, een van de oudste die er zijn. Ik wil weten of er nog iets anders was dat hem dwarszat behalve de verhouding die hij met haar had.'

'Denk je niet dat dat genoeg is om een getrouwde man zorgen te baren?' vroeg Vianello.

'Natuurlijk wel,' gaf Brunetti toe. 'Maar de meeste getrouwde mannen die een verhouding hebben, eindigen niet in een kanaal met drie steekwonden in hun rug.'

'Dat is zeker waar,' beaamde Vianello. Vervolgens zei hij, met een achterwaarts knikje naar de deur waardoor signora Doni was verdwenen: 'Als ik met haar te maken had, denk ik dat een verhouding me heel nerveus zou maken.'

'Wat zou Nadia doen?' vroeg Brunetti, die niet goed wist hoeveel kritiek op signora Doni er in Vianello's vraag school.

'Mijn pistool pakken en me neerschieten, waarschijnlijk,' antwoordde Vianello met een grijnslachje dat niet geheel en al gespeend was van trots. 'En Paola?'

'We wonen op de vierde verdieping,' antwoordde Brunetti. 'En we hebben een terras.'

'Doortrapt, die vrouw van jou,' zei Vianello. 'Zou ze een onge-signeerd briefje achterlaten in de computer?'

'Ik betwijfel het,' zei Brunetti. 'Dat is te doorzichtig.' Hij dacht er even over na. 'Ze zou waarschijnlijk tegen mensen zeggen dat ik al maanden depressief was en dat ik het er kortgeleden nog over gehad had om er een eind aan te maken.'

'Dan zou ze eigenlijk iemand moeten hebben die hetzelfde had gehoord als zij. Wie zou ze daarvoor vragen?'

'Haar ouders.' Brunetti zei dit voor hij erover nagedacht had, maar hij verbeterde zichzelf snel: 'Nee, alleen haar vader. Haar moeder zou niet liegen.' Er viel hem iets in en hij zei het, zicht-baar en hoorbaar met genoegen. 'Ik geloof niet dat zíj over mij zou liegen. Ik geloof dat ze me graag mag.'

'Haar vader niet dan?'

'Jawel, maar op een andere manier.' Brunetti wist dat het on-mogelijk was om dit uit te leggen, maar zijn plotselinge besef dat de contessa hem zo waardeerde deed hem erg goed.

Ze hoorden signora Doni's voetstappen in de gang en stonden op toen ze de kamer weer binnenkwam. 'Ik moest even bij Teo kijken,' zei ze. 'Hij weet dat er iets belangrijks aan de hand is en maakt zich zorgen.'

'Heeft u hem verteld dat we van de politie zijn?' vroeg Bru-netti, hoewel de jongen dat al had gezegd.

Ze keek hem rechtstreeks aan. 'Ja. Ik dacht dat u in uniform zou komen, en ik wilde dat hij daarop voorbereid zou zijn,' zei ze te snel, alsof ze die vraag verwacht had. Misschien aangemoe-digd door hun zwijgen gaf ze ten slotte toe: 'En ik was bang toen u naar Andrea vroeg. Hij belde meestal een of twee keer per week. Maar ik had niets meer van hem gehoord sinds hij ver-trokken was.' Ze legde haar handen op haar dijen en keek ernaar. 'Ik denk dat ik eigenlijk al wist wat u me ging vertellen.'

Zonder daarop in te gaan zei Brunetti: 'U zei dat hij zich an-ders begon te gedragen toen hij met die andere baan begonnen was.' Hij wist dat hij hier heel voorzichtig moest zijn, dat hij een manier moest zien te vinden om zich door de wirwar van haar emoties heen te werken. 'U zei dat hij en u hecht waren, signora.' Hij zweeg even om dat te laten doordringen. 'Weet u nog hoe lang nadat hij daar was gaan werken hij tekenen begon te vertonen dat hij zich zorgen maakte?'

Hij zag aan de starheid van haar mond dat ze bijna aan het eind gekomen was van wat ze wilde accepteren en beantwoorden. Ze wilde iets zeggen, kuchte even, en ging toen verder: 'Hij werkte er nog niet zo lang, een maand misschien. Maar toen was die ziekte al erger geworden. Hij was minder gaan eten in een poging af te vallen, en daar werd hij nogal chagrijnig van.' Ze fronste haar wenkbrauwen bij de herinnering hieraan. 'Ik kon hem niet overhalen om iets anders te eten dan groente en pasta, en brood en wat fruit. Hij zei dat dat zou werken. Maar het hielp niets: hij werd alleen maar dikker.'

'Heeft hij het ooit over een probleem gehad?' vroeg Brunetti. 'Iets anders dan die ziekte?'

Ze begon zichtbaar onrustig te worden, dus Brunetti dwong zichzelf tot een meer ontspannen houding, in de hoop dat dat aanstekelijk zou werken.

'Hij vond die nieuwe baan niet leuk. Hij zei dat het zwaar was om allebei te doen, vooral nu de ziekte erger was geworden, maar hij kon daar niet weg want we hadden het extra geld hard nodig.'

'Dat is een behoorlijke belasting voor iemand die niet gezond is,' zei Vianello meevoelend.

Ze keek hem aan en glimlachte. 'Zo was Andrea,' zei ze. 'Hij maakte zich zorgen om de mensen die voor hem werkten in de kliniek. Hij voelde zich verantwoordelijk en wilde die openhouden.'

Brunetti liet dit rusten. Jaren geleden, toen hij nog minder goed wist hoe emoties werkten, zou hij misschien gewezen hebben op het verschil tussen haar gedrag ten opzichte van haar man en de dingen die ze nu zei, maar in de loop der jaren was de neiging om op zoek te gaan naar consistentie gesleten. Hij ging er niet meer van uit dat die er zou zijn en werd niet langer geprikkeld door het ontbreken ervan. Ze werd heen en weer geslingerd tussen haar emoties, en Brunetti vermoedde dat de heftigste ervan wel eens wroeging kon zijn, en niet woede.

'Kunt u ons vertellen waar zijn kliniek is, signora?' vroeg Brunetti. Vianello haalde een notitieboekje uit zijn zak.

'Via Motta 145,' zei ze. 'Dat is hier maar vijf minuten vandaan.' Ze leek wat in verlegenheid gebracht, vond Brunetti. 'Ze belden gisteren om te zeggen dat Andrea niet was komen opdagen. Toen zei ik dat ik... dat ik niet wist waar hij was.' Op de manier van iemand die niet gewend is om te liegen keek ze naar haar handen, en Brunetti vermoedde dat ze bovendien gezegd had dat het haar niets kon schelen ook.

Ze dwong zichzelf hem aan te kijken en vervolgde: 'Hij woonde in een klein appartementje op de eerste verdieping van dat gebouw. Zal ik ze bellen om te zeggen dat u komt?'

'Nee, dank u wel, signora. Ik denk dat ik er liever onaangekondigd naartoe ga.'

'Om te kijken of iemand ervandoor probeert te gaan als hij hoort dat u van de politie bent?' vroeg ze, slechts half voor de grap.

Brunetti glimlachte. 'Zoiets, ja. Hoewel – als uw man daar al twee dagen niet geweest is, en wij komen aankloppen zonder dier, zullen ze waarschijnlijk wel kunnen raden wie we zijn.'

Ze had een paar seconden nodig om te concluderen dat hij overdreef. Ze glimlachte niet.

'Is er verder nog iets?' vroeg ze.

'Nee, signora,' zei Brunetti, en hij voegde er op formele toon aan toe: 'Ik wil u graag bedanken dat u zo gul met uw tijd bent geweest.' Sprekend als een vader zei hij: 'Ik hoop dat u een manier kunt vinden om het aan jullie zoon te vertellen,' en hij gebruikte daarbij onbewust de meervoudsvorm.

'Dat is hij inderdaad, hè?'

'Wat?'

'Van ons.'

Vezzani zat in de bar op hen te wachten en keek naar een kookprogramma op de televisie, de *Gazzettino* opengeslagen voor hem op tafel, met een koffiekopje ernaast.

'Koffie?' vroeg hij.

Ze knikten, en Vezzani wuifde naar de barman en bestelde twee koffie en een glas water.

Ze kwamen bij hem aan tafel zitten. Hij vouwde de krant op en gooide die op de lege vierde stoel. 'Wat heeft ze verteld?'

'Dat hij een verhouding had met een vrouw op zijn werk,' antwoordde Brunetti.

Vezzani's mond viel quasi verbaasd open en hij hief beide handen omhoog. 'Nou, wie heeft er ooit zoiets gehoord? Waar moet het heen met de wereld?' De ober kwam met de koffie en het glas water voor Vezzani.

Ze dronken en daarna vroeg Vezzani op serieuzere toon: 'En verder?'

'Hij werkte ook in het slachthuis,' begon Vianello.

'Het slachthuis in Preganziol?' vroeg Vezzani.

'Ja,' antwoordde Brunetti. 'Zijn er nog meer dan?'

'Ik geloof dat er ook nog een in Treviso zit, maar dat is een andere provincie. Preganziol is het dichtstbijzijnde.'

Vezzani vroeg: 'Waarom hebben ze in het slachthuis een dierenarts nodig? Die zal er niet zijn om het leven van die beesten te redden, hè?'

'Om te controleren of ze gezond zijn, en ik stel me voor dat hij er ook op toeziet dat ze op een humane manier worden geslacht,' zei Brunetti. 'Daar is vast een of andere eu-richtlijn voor.'

'Degene die mij een activiteit kan noemen waar geen EU-richtlijn voor bestaat, krijgt een prijs,' zei Vezzani, en hij hief zijn glas zogenaamd voor een toost en nam een slok water. Vervolgens, terwijl het glas nog steeds voor hem in de lucht zweefde: 'Heeft hij problemen gehad met cliënten van zijn praktijk?'

'Niet dat zijn vrouw wist,' zei Brunetti. 'Al zei ze wel dat sommige mensen niet blij waren met de manier waarop hun dier was behandeld. Maar dat zijn geen problemen.'

'Ik heb mensen vreselijke dingen horen zeggen,' mengde Vianello zich in het gesprek. 'Je hebt erbij die niet terugdeinzen voor geweld als je aan hun huisdier komt. Volgens mij zijn ze van lotje getikt, maar wij hebben geen huisdier, dus misschien begrijp ik het niet.'

'Het lijkt inderdaad nogal overdreven,' beaamde Vezzani, 'maar het lukt mij überhaupt niet meer om te begrijpen wat mensen doen. Als ze je al vermoorden als je hun auto beschadigt,' zei hij, verwijzend naar een recent geval, 'waartoe zijn ze dan wel niet in staat als je aan hun teckel komt?'

'Weet jij waar zijn kliniek is?' vroeg Brunetti. Hij legde wat munten op tafel en stond op. 'Via Motta 145. Het schijnt dat hij er ook woonde.'

Vezzani kwam overeind. 'Ja, dat ken ik wel. Laten we maar eens met ze gaan praten.'

De kliniek moest vroeger een vrijstaand woonhuis van twee verdiepingen zijn geweest, groot genoeg voor twee gezinnen. Er stonden soortgelijke huizen aan weerszijden ervan, stuk voor stuk omgeven door een groot grasveld. Toen ze vaart minderden, hoorden ze aan de achterkant van het gebouw een hond blaffen, daarna gaf een andere antwoord. Een menselijke stem greep in; er werd een deur dichtgeslagen en vervolgens was het stil.

Vezzani had moeite om de auto kwijt te kunnen. Hij reed een meter of honderd door, maar er stonden overal auto's en er was nergens een plekje te vinden. Zo ging het dus, dacht Brunetti, als je op *terrafirma* woonde. Hij draaide zich om naar Vianello, die achterin zat, en de twee mannen wisselden een blik, maar zeiden niets.

Met een grom van ergernis maakte Vezzani opeens een U-bocht en reed terug naar de kliniek. Hij parkeerde vlak voor de deur aan de verkeerde kant van de straat. Hij haalde een plastic kaartje van achter de zonneklep vandaan, legde het op het dashboard, stapte uit en smeet het portier achter zich dicht. Brunetti en Vianello stapten ook uit, maar smeten niet met het portier.

De drie mannen liepen over een kort pad naar de voordeur, waarnaast een metalen bord de naam CLINICA AMICO MIO droeg, met daaronder de openingstijden. Dottor Andrea Nava stond vermeld als de directeur.

Vezzani deed de deur open zonder aan te bellen en ging naar binnen; Brunetti en Vianello volgden hem. Het was onmogelijk, bedacht Brunetti, om de geur van dieren te elimineren. Hij had die eerder geroken in de huizen van vrienden met huisdieren, in de woningen van mensen die hij gearresteerd had, in verlaten gebouwen, en één keer in een antiekwinkel waar hij naartoe was gegaan om een getuige te ondervragen. Het was een scherpe ammoniaklucht, waarvan hij het gevoel had dat die diep in zijn kleren drong en daar nog uren zou blijven hangen. En daar had Nava een tijdlang boven gewoond.

De entree was helder verlicht; er lag grijs linoleum op de vloer en aan één kant stond een bureau, waarachter een jongeman in een witte laboratoriumjas zat. '*Buon dì*,' zei hij met een glimlach. 'Kan ik u misschien helpen?'

Vezzani stapte opzij om Brunetti in staat te stellen het bureau te naderen. De jongen kon nog geen achttien zijn en straalde een en al gezondheid en welbevinden uit. Brunetti zag twee rijen perfecte tanden en bruine ogen zo groot dat hij onwillekeurig aan een beschrijving van Hera de rundogige dacht, ook al keek hij naar een jongen. Als rozen een huid hadden, leek die op de zijne.

'We zijn op zoek naar degene die hier de leiding heeft,' zei Brunetti, eveneens met een glimlach, want wie zou dat kunnen laten?

'Gaat het om uw huisdier?' vroeg de jongeman, die niet klonk alsof hij een bevestigend antwoord verwachtte. Hij boog opzij om achter hen te kijken.

'Nee,' zei Brunetti, die zijn glimlach liet verdwijnen. 'Het gaat om dottor Nava.'

Bij die woorden ging de glimlach van de jongen dezelfde weg als die van Brunetti en bekeek hij hen alle drie nauwkeuriger, alsof hij de herkomst zocht van een of ander nieuw luchtje dat ze mogelijk mee naar binnen hadden genomen. 'Heeft u hem gezien?' wist hij ten slotte uit te brengen.

'Misschien kan ik degene spreken die de leiding heeft,' zei Brunetti.

De jongen kwam overeind, opeens gehaast. 'Dat is waarschijnlijk signora Baroni,' zei hij. 'Ik zal haar even halen.' Hij draaide zich abrupt om en opende een deur vlak achter hem. Die liet hij openstaan terwijl hij een korte gang in liep en rechts een kamer binnenging. Er kwamen dierengeluiden door de open deur: geblaf en een bonzend geluid dat van alles zou kunnen zijn.

Nog geen minuut later kwam er een vrouw naar buiten. Ze liet de deur achter zich openstaan en liep op Brunetti af, die het dichtst bij haar was. Hoewel aan haar gezicht te zien was dat ze een generatie ouder was dan de receptionist, leek dat te worden weersproken door het gemak en de vloeiendheid van haar bewegingen.

'Clara Baroni,' zei ze, en ze gaf Brunetti een hand en knikte de anderen toe. 'Ik ben de assistent van dottor Nava. Luca zei dat u over hem kwam praten. Weet u waar hij is?'

Brunetti werd getroffen door het pijnlijke van de situatie, zoals ze daar gevieren in het vertrek stonden. Het leek niet de beste omgeving voor wat hij te zeggen had, maar hij zag geen alternatief. 'We hebben zojuist dottor Nava's vrouw gesproken,' begon hij. Vervolgens, voor het geval dat nog nodig was: 'Wij zijn van de politie.'

Ze moedigde hem met een knikje aan om verder te gaan.

'Dottor Nava is gedood.' Hij kon geen beter woord bedenken.

'Hoe?' vroeg ze, haar gezicht uitdrukkingsloos van de schok.

'Door een ongeluk?'

'Nee, signora. Geen ongeluk,' zei Brunetti ontwijkend. 'Hij had geen legitimatiebewijs bij zich, daarom heeft het zo lang geduurd voor we erachter kwamen wie hij was.' Terwijl hij tegen haar sprak, keerde haar blik zich naar binnen. Ze zocht met één hand steun bij het bureau van de receptionist. Geen van de mannen zei iets.

Na wat een eindeloze tijd leek ging ze weer rechtop staan en wendde zich tot Brunetti. 'Geen ongeluk?' vroeg ze.

'Daar lijkt het niet op, signora,' zei Brunetti.

Als een hond die uit het water kwam, schudde ze haar hele lichaam en vroeg met afgeknepen stem: 'Wat was het dan?'

'Hij is het slachtoffer geworden van een misdrijf.'

Ze beet op haar bovenlip. 'Was hij die man in Venetië?'

'Ja,' zei Brunetti, die zich afvroeg waarom ze, als ze enig vermoeden had gehad, geen contact met hen had opgenomen. 'Waarom vraagt u dat, signora?'

'Omdat al twee dagen lang niemand iets van hem heeft gehoord, en zelfs zijn vrouw niet wist waar hij was.'

'Heeft u ons gebeld, signora?'

'De politie?' vroeg ze met oprechte verbazing.

Brunetti was geneigd te vragen wie anders, maar antwoordde slechts met een eenvoudig 'Ja'.

Alsof ze zich nu pas bewust werd van de drie mannen die daar stonden, zei ze: 'Misschien kunnen we beter naar mijn kamer gaan.'

Ze volgden haar door de gang, waar de geur van dieren nog sterker werd, naar de kamer aan de rechterkant. De receptionist zat op een rechte stoel tegen de muur met een zwart-wit konijn op schoot. Het konijn had maar één oor, maar afgezien daarvan zag het er weldoorvoed en glanzend uit. Achter hen lag een grote grijze kat in de zon op de vensterbank te slapen. Hij deed één oog open toen ze binnenkwamen, maar sloot het toen weer.

Bij hun komst bukte de jongen zich en zette het konijn op de grond, waarna hij zonder iets te zeggen de kamer verliet. Het konijn hupte naar Vianello en snuffelde aan de zoom van zijn broekspijp, deed toen hetzelfde bij Vezzani en daarna bij Brunetti. Niet tevredengesteld hupte het naar signora Baroni en verhief zich op zijn achterpoten tegen haar been. Brunetti zag tot zijn verbazing dat de voorpoten tot ruim boven haar knie kwamen.

Ze pakte hem op en zei: 'Kom maar, Livio,' waarop het dier het zich gemakkelijk maakte in haar armen. Ze ging achter haar bureau zitten. Vianello leunde tegen de vensterbank en liet de twee stoelen voor het bureau vrij voor de commissari. Toen signora Baroni eenmaal zat en een schoot gecreëerd had, viel het konijn erop in slaap.

Alsof er geen onderbreking was geweest, zei de vrouw, terwijl ze met de vingers van één hand gedachteloos over de buik van het konijn kriebelde: 'Ik heb niet gebeld omdat Andrea hier maar één volle dag niet is geweest, en dan vandaag niet. Ik was van plan zijn vrouw nog een keer te bellen, maar toen kwam u al.' Haar aandacht dwaalde af van het konijn en ze keek de drie mannen een voor een aan, alsof ze zich ervan wilde vergewissen dat ze alle drie luisterden en haar hadden begrepen. 'En toen u zei dat hij het slachtoffer was geworden van een misdrijf moest ik uiteraard meteen aan die man in Venetië denken.'

'Hoezo "uiteraard", signora?' vroeg Brunetti op aangename toon.

Haar vingers bemoeiden zich weer met het konijn, dat veranderd leek te zijn in een dik stuk stof met pootjes. 'Omdat in dat artikel stond dat die man nog niet was geïdentificeerd, en omdat Andrea verdwenen is, en u van de politie bent, en hier bent. Dus dat is de conclusie waar ik op uitgekomen ben.' Ze verschoof het konijn, dat weigerde uit zijn coma te ontwaken, naar haar andere knie en vroeg: 'Vergis ik me dan?'

Brunetti zei: 'We hebben nog geen definitieve identificatie,' maar voegde er gauw aan toe: 'Er is weinig twijfel, maar hij moet nog formeel worden geïdentificeerd.' Hij maakte zichzelf wijs dat hij had vergeten dat aan Nava's vrouw te vragen, maar dat was niet waar.

'Wie moet dat doen?' vroeg ze.

'Iemand die hem goed gekend heeft.'

'Moet het een familielid zijn?'

'Nee, niet per se.'

'Zijn vrouw is de voor de hand liggende persoon, hè?'

'Ja.'

Signora Baroni tilde het konijn op, bracht het met een beetje schudden min of meer bij bewustzijn en zette het zachtjes op de grond. Het hupte niet verder dan de muur naast haar, strekte zich uit op de vloer en sliep meteen weer. Ze ging rechtop zitten, keek Brunetti aan en zei: 'Zou ik het kunnen doen? Ik heb zes jaar met hem gewerkt.'

'Ja, natuurlijk,' zei hij. 'Hoezo?'

'Het zou te veel zijn voor Anna.'

Hoewel hij zich erover verbaasde, was Brunetti opgelucht dat Nava's vrouw dit in ieder geval bespaard zou blijven.

Signora Baroni leek heel wat van Nava's leven te weten, zowel van zijn privéleven als van zijn werk. Ja, ze wist dat hij gescheiden leefde van zijn vrouw, en ja, ze dacht dat hij niet gelukkig was met zijn baan in het slachthuis. Hier zuchtte ze en voegde eraan toe dat Nava duidelijk had gemaakt dat, hoe vervelend hij dat werk ook mocht vinden, hij zich verplicht voelde het te blijven doen, onder andere, zo vertelde ze, 'om mijn salaris hier te kunnen betalen'. Ze sloot haar ogen even en wreef met haar vingers over haar voorhoofd.

'Dat zei hij als een grap, natuurlijk,' zei ze, opkijkend naar Vianello. 'Maar het was geen grap.'

Brunetti vroeg: 'Heeft hij nog iets anders gezegd over zijn werk daar, signora?'

Ze bukte zich en pakte het slapende konijn weer op, dat zijn ogen niet opendeed. Ze begon het ene oor van het dier te aaien. Uiteindelijk zei ze: 'Hij heeft het nooit gezegd, maar ik denk dat het niet alleen het werk was wat hem dwarszat.'

'Heeft u enig idee wat het geweest kan zijn?' vroeg Brunetti.

Ze haalde haar schouders op en maakte met die beweging het konijn wakker. Het sprong weer op de grond, maar liep dit keer naar een radiator en ging ernaast liggen.

'Ik neem aan dat het een vrouw was,' zei ze ten slotte. 'Dat is het meestal, hè?'

Geen van de mannen gaf antwoord.

'Hij heeft er nooit iets over gezegd, als u dat wilt weten. En ik heb er nooit naar gevraagd omdat ik het niet wilde weten. Dat waren mijn zaken niet.'

Daarna vertelde ze wat haar zaken wel waren: afspraken maken, monsters naar de laboratoria sturen en voor elk dier de uitslagen in het dossier noteren, rekeningen versturen en de boeken bijhouden, af en toe helpen met onderzoeken en behandelingen. Luca en nog een andere assistent, die er die dag niet was, verwelkomden de patiënten, gaven de dieren te eten en hielpen dottor Nava met de procedures. Nee, hij was nooit bedreigd door de eigenaar van een dier, al was het wel eens voorgekomen dat iemand overstuur was omdat zijn huisdier was gestorven. Integendeel, de meeste mensen zagen hoe begaan hij was met hun dier en mochten hem daarom graag.

Ja, hij woonde boven, daar had hij de laatste drie maanden of zo gezeten. Toen Brunetti zei dat ze sleutels hadden en een kijkje in zijn woning wilden nemen, zei ze dat ze geen reden zag waarom dat niet zou kunnen.

Ze ging hen voor naar een deur aan het eind van de gang en legde uit: 'Omdat het oorspronkelijk allemaal één huis was, is hier de ingang van het appartement.'

Brunetti bedankte haar en maakte de deur open met een sleutel van de bos die in Nava's zak had gezeten en die hij uit de bewijzenkamer had meegenomen. Boven aan de trap gaf een andere deur, die niet op slot zat, toegang tot een grote open ruimte die helemaal van de voorkant naar de achterkant van het gebouw liep. Zeggen dat die spaarzaam gemeubileerd was, zou erg zwak zijn uitgedrukt: tegenover een kleine televisie op de vloer, met een keurige stapel dvd's ervoor, stond een twee-zitsbank. Voor het raam dat uitkeek op de straat achter het huis en dat tevens uitzicht bood op de huizen aan de overkant was een houten tafel neergezet. Op een smalle houten tafel links van het raam stond een tweepits elektrisch kooktoestel, waarvan het email was afgesleten door veelvuldig boenen. Er hingen schone pannen aan haken boven een klein aanrecht. Boven op een kleine koelkast stond een aardewerken schaal vol appels.

Aan de ene kant onder het schuine dak stond een eenpersoonsbed, waarvan de deken en het laken met militaire precisie waren ingestopt. Ertegenover, onder de andere schuine kant, stond een bed dat strak opgemaakt was met een Mickey Mouse-deken en waarop een hele berg knuffelbeesten lag.

Tegen de achtermuur stond een kleerkast van spaanplaat. Brunetti keek erin en zag een paar pakken en een jas waarvan het gewicht de draagstang langzaam maar zeker in een U veranderde. Eronder stonden enkele paren kleine sportschoenen en rechts daarvan drie paar grotere schoenen, waaronder, zag Brunetti, een stel versleten bruine instappers met kwastjes. Op de bovenste plank boven de kledingstang lagen in plastic verpakte witte overhemden opgestapeld. Op de plank eronder lag het ondergoed en de netjes opgevouwen kleren van een kleine jongen.

De badkamer was even spartaans als de rest van het appartement, maar verraste Brunetti doordat hij zo schoon was. Sterker nog, in het hele appartement waren geen lege kopjes, oude kleren, voedselverpakkingen, vuile borden of andere onvolkomenheden te zien die Brunetti met de woningen van verlaten of eenzame zielen associeerde.

Er lagen wat tijdschriften en boeken op het tafeltje naast het bed van de man. Brunetti wandelde erheen en pakte ze op. Er was een boek bij over vegetarisme, met los tussen de bladzijden gestoken een gefotokopieerde tabel met de combinaties van granen en groenten die het best eiwit en aminozuren creëren. Er was ook een geprint artikel over loodvergiftiging, en iets wat een veterinair studieboek over runderziekten leek te zijn. Brunetti bladerde het door, keek naar twee foto's en legde het boek weer neer.

De andere mannen liepen rond, maar geen van beiden bukte zich om iets interessants op te rapen of bleef staan om op een voorwerp of een ongerijmdheid te wijzen. De badkamer bevatte niets anders dan zeep, scheermesjes en handdoeken. In een ladekast aan het voeteneind van het bed lag schoon en opgevouwen mannenondergoed, en in de onderste la lagen schone handdoeken en lakens.

Er was in het geheel geen sprake van de rommel die veroorzaakt werd door de aanwezigheid van een kind. Alleen de kleren zeiden iets over de mensen die het appartement gebruikten, en het enige wat ze zeiden was dat het hier ging om een man van een zekere omvang en een kleine jongen.

'Denken jullie dat dit gewoon zijn manier van leven was, of is hier iemand geweest?' vroeg Brunetti ten slotte.

Vezzani haalde zijn schouders op en aarzelde met zijn antwoord. Vianello keek nog eens goed om zich heen en zei: 'Ik vind het vervelend om te zeggen, maar ik denk dat hij zo leefde.'

'Arme kerel,' zei Vezzani. Kort daarna, zonder dat een van hen nog iets wist te bedenken om te zeggen, vertrokken ze.

17

De mannen besloten dat het verstandiger was om de volgende ochtend naar het slachthuis te gaan, wanneer het volop in bedrijf was. Terwijl Vezzani hen over de brug naar het Piazzale Roma reed, keek Brunetti naar het uitgestrekte industriecomplex van Marghera rechts van hem. Hij was met zijn gedachten niet bij de dagelijkse portie dood die door de schoorstenen die hij daar zag naar buiten werd gepompt, maar bij het slachthuis en het idee van de vroege ochtend als de beste tijd voor een plotselinge dood. Had de KGB niet ook altijd slachtoffers meegenomen in het holst van de nacht, wanneer hun zintuigen nog verdoofd waren door de slaap?

Zijn bespiegelingen werden onderbroken toen Vianello's mobieltje overging. Even later zei de inspecteur vanaf de achterbank van de auto: 'Dit is Foa. Hij zegt dat hij ons niet kan ophalen. Hij ligt met zijn boot voor het huis van Patta te wachten tot die met zijn vrouw naar beneden komt. Hij moet ze naar Burano brengen.'

'Politiezaken, natuurlijk,' merkte Vezzani op, en hij maakte daarmee duidelijk dat Patta's reputatie zelfs op de Questura van Mestre bekend was.

'Als de politie een restaurant moet onderzoeken wel, ja,' antwoordde Vianello. Brunetti zei hem tegen de schipper te zeggen dat hij nog steeds wachtte op een bericht over de getijden in de nacht dat Nava was vermoord. Vianello gaf de boodschap door en klapte zijn mobieltje dicht.

'Hebben jullie wel enig idee wat voor bofkonten jullie zijn?' vroeg Vezzani.

Brunetti draaide zich naar hem om en zei: 'Omdat we voor Patta werken?'

Vezzani lachte. 'Nee, omdat jullie in Venetië werken. De misdaad daar mag nauwelijks naam hebben.' Voordat een van beiden kon protesteren zei hij: 'Ik bedoel niet nu met die Nava, maar in het algemeen. De ergste criminelen zijn de politici, maar aangezien we daar toch niets aan kunnen doen, tellen die niet mee. Dus wat hou je dan over? Een paar inbraken, wat toeristen bij wie de portemonnee gerold is? De man die zijn vrouw vermoord heeft en jullie opbelt om een bekentenis af te leggen? Jullie mogen de hele dag richtlijnen van die idioten in Rome lezen, of wachten tot de volgende minister van Binnenlandse Zaken gearresteerd wordt zodat jullie een nieuwe baas en nieuwe richtlijnen krijgen, of jullie gaan naar buiten om een kop koffie te drinken en in het zonnetje de krant te lezen.' Hij probeerde het te laten klinken als een grapje, maar Brunetti vermoedde dat hij elk woord meende.

Brunetti wierp een blik in de achteruitkijkspiegel, maar kon alleen Vianello's linkerschouder zien. Op neutrale toon zei hij: 'Sommige mensen bidden voor regen. Misschien moeten wij voor een moord bidden.'

Vezzani keek even naar hem van opzij, maar er viel niets van Brunetti's gezicht af te lezen, zoals er ook aan zijn stem niets te horen was geweest.

Bij het Piazzale Roma aangekomen stapten Brunetti en Vianello uit en gaven Vezzani een hand, waarna Brunetti zei dat ze zich de volgende ochtend door een van hun eigen chauffeurs naar het slachthuis zouden laten brengen. Vezzani protesteerde niet, zei gedag en reed weg.

Brunetti keek naar Vianello, die zijn schouders ophaalde.

'Als hij er zo over denkt, kunnen we daar niets aan veranderen,' zei Brunetti.

Vianello liep met hem mee naar de *embarcadero* van de Nummer Een. De inspecteur kon sneller thuiskomen met de Nummer Twee, dus vatte Brunetti dit op als een teken dat hij het gesprek wilde voortzetten.

Mensen kwamen gehaast hun kant op lopen; de meeste hielden links aan, maar sommige zwenkten uit tot vlak bij het water om hen sneller te kunnen passeren en een paar seconden eerder bij de bussen te zijn die hen naar hun huis op het vasteland zouden brengen.

Ze liepen langs de taxi's die op het water dobberden. Uiteindelijk zei Vianello: 'Ach, ik begrijp hem wel. Per slot van rekening staan de *calli* hier niet vol met hoeren en hoeven we niet uit te rukken naar de Chinese fabrieken om iedereen te arresteren. Of naar hun bordelen.'

'En we hebben geen dronken automobilisten,' merkte Brunetti op.

'Die zijn voor de *Polizia Stradale*, Guido,' zei Vianello quasi berispend.

Geenszins uit het veld geslagen voegde Brunetti eraan toe: 'Of brandstichting. Geen mensen die fabrieken in brand steken.'

'Dat komt doordat we geen fabrieken meer hebben. Alleen nog toerisme,' zei Vianello mismoedig, en hij begon sneller te lopen bij het geluid van de naderende vaporetto. De inspecteur liet zijn pasje zien aan de geüniformeerde jonge vrouw bij de aanlegplaats.

Het hek werd achter hen weer dichtgeschoven en ze gingen naar binnen om te zitten. Ze bleven allebei zwijgen totdat ze onder de Scalzi-brug door voeren en Vianello zei: 'Denk je dat hij jaloers is?'

Aan de linkerkant gleed de kerk van San Geremia op hen af, en even later konden ze verderop aan de rechterkant de zuilengevel van het Natuurhistorisch Museum zien.

'Hij zou wel gek zijn als hij dat niet was, vind je niet?' zei Brunetti.

Pas toen hij bij de deur van zijn appartement aankwam besefte Brunetti hoe door en door moe hij was. Hij voelde zich net een biljartbal die de hele dag alle kanten op was gerold. Hij was te veel te weten gekomen en had te veel gereisd, en wilde nu alleen nog maar rustig zitten en genieten van zijn avondeten en horen hoe zijn vrouw en kinderen onderwerpen bespraken die niets met misdaad of met dood te maken hadden. Hij wilde een vredig avondje zonder gedoe.

Hoezeer dat misschien ook Brunetti's wens was, het was niet die van zijn vrouw, zag hij aan de manier waarop ze hem begroette toen hij haar werkkamer binnenstapte.

'Ah, daar ben je,' zei ze met een brede glimlach die misschien iets te veel door tanden werd opgeluisterd. 'Ik wil je een juridische vraag stellen.'

Brunetti ging op de bank zitten, en daarna pas zei hij: 'Na acht uur 's avonds werk ik alleen nog als particulier juridisch adviseur en wil ik graag betaald worden voor mijn tijd en voor de eventuele informatie die ik verstrek.'

'In prosecco?'

Hij schopte zijn schoenen uit en strekte zich uit op de bank. Hij stompte tegen een kussen tot het de juiste vorm had en ontspande zich. 'Tenzij het een serieuze of een niet-retorische vraag is, want in dat geval wil ik in champagne worden betaald.'

Ze deed haar bril af, legde hem op de open bladzijden van het boek dat ze had zitten lezen en liep de kamer uit. Brunetti sloot zijn ogen en liet zijn gedachten over de dag gaan, op zoek naar iets rustgevends waar hij over kon nadenken totdat Paola terugkwam. Hij zag de teddybeer in Teo's hand weer voor zich, de buikvacht weggewreven of weggekauwd uit kinderlijke genegenheid. Brunetti maakte zijn hoofd helemaal leeg en dacht alleen nog aan die beer. Zijn gedachten dwaalden af naar de beren waaraan zijn kinderen vroeger verknocht waren geweest en daarna naar de beer die hij zelf ooit had gehad, maar waar die vandaan gekomen was en waar die gebleven was waren mysteries die al lang geleden uit zijn geheugen waren verdwenen.

Het getinkel van glas tegen glas bracht hem van zijn kindertijd terug naar het volwassen bestaan. Het feit dat zijn ogen zich openden voor een fles Moët in de hand van zijn vrouw verzachtte de overgang aanzienlijk.

Ze schonk het tweede glas vol en liep naar de bank. Hij trok zijn voeten op om ruimte voor haar te maken en pakte het glas dat ze hem aanreikte. Hij hief het naar haar op, genoot van het geluid van de glazen die elkaar aanstootten en nam toen de eerste slok. 'Goed,' zei hij terwijl hij het glas naast zich neerzette, 'laat maar horen.'

Ze probeerde hem een verbaasde blik toe te werpen, maar toen zijn gezicht onbewogen bleef, liet ze die poging varen en dronk wat van haar wijn. Ze maakte het zich gemakkelijk tegen de rugleuning en liet haar hand op zijn kuit vallen. 'Ik wil weten of het een misdrijf is om te weten dat er iets illegaals gaat gebeuren en het niet aan te geven.'

Hij nam nog een slokje, besloot niet te proberen haar af te leiden met complimentjes over de champagne en dacht na over haar vraag. Volgens een soortgelijk procedé als dat waarmee hij Teo's teddybeer had opgeroepen, zij het dat hij zijn net nu veel verder in het verleden uitwierp, nam hij de elementen van het strafrecht door die hij op de universiteit had bestudeerd.

'Ja en nee,' zei hij ten slotte.

'Wanneer is het ja?' vroeg ze.

'Bijvoorbeeld: als je in dienst van de overheid bent, moet je het bevoegde gezag waarschuwen.'

'En ethisch gezien?' vroeg ze.

'Ethisch, daar doe ik niet aan,' zei Brunetti, en hij richtte zijn aandacht weer op de champagne.

'Is het goed om te voorkomen dat er een misdaad wordt gepleegd?' vroeg ze.

'Wil je dat ik ja zeg?'

'Ik wil dat je ja zegt.'

'Ja.' Vervolgens voegde Brunetti eraan toe: 'Ethisch gezien. Ja.'

Paola dacht hier in stilte over na, stond op en schonk hun glazen nog een keer vol. Nog steeds zonder iets te zeggen kwam ze terug, gaf hem zijn glas en ging weer zitten. Uit een gewoonte van tientallen jaren ging haar linkerhand weer terug naar zijn been.

Ze leunde achterover en sloeg haar benen over elkaar. Daarna nam ze nog een slokje champagne. Kijkend naar het schilderij aan de muur tegenover hen, een portret van een Engelse natuurvorser met een kraaghoen in zijn handen dat ze jaren geleden nota bene in Sevilla hadden gevonden, zei ze: 'Ga je me niet vragen waar dit eigenlijk over gaat?'

Hij keek naar zijn vrouw, niet naar de natuurvorser en niet naar het kraaghoen, en zei: 'Nee.'

'Waarom niet?'

'In de eerste plaats omdat ik een lange dag heb gehad en doodmoe ben, en geen ruimte meer heb in mijn hersenen of in mijn gevoel voor iets wat tot narigheid kan leiden. En als ik hoor hoe je ernaar vraagt, vermoed ik dat dat wel eens het geval zou kunnen zijn.'

'En in de tweede plaats?' vroeg ze.

'Omdat als het inderdaad tot narigheid leidt, ik het toch vroeg of laat te horen krijg, dus het is niet nodig dat je me er nu al over vertelt.' Hij boog zich wat naar haar toe en legde zijn hand op die van haar. 'Ik kan dit nu echt niet aan, Paola.'

Ze draaide haar hand naar boven, gaf een kneepje in de zijne en zei: 'Zal ik dan maar aan het eten beginnen?'

18

Brunetti werd in de loop van de nacht een paar keer wakker en dacht na over wat Paola hem had gevraagd. Hij probeerde te bedenken wat het zou kunnen betekenen, wat ze van plan was, want hij wist dat ze iets van plan was. Hij herkende de tekenen door jarenlange ervaring: als ze eenmaal begonnen was aan een van haar missies, zoals hij ze noemde, kreeg ze iets verbetens, was ze uit op specifieke informatie in plaats van concepten of ideeën, en leek ze haar gevoel voor ironie en humor kwijt te raken. Ze had in de loop der tijd een aantal van dat soort aanvallen van ijver gehad, en die hadden vaak tot narigheid geleid. Brunetti voelde dat er een nieuwe op komst was.

Telkens wanneer hij wakker werd, hoefde hij de aanwezigheid van die inerte massa naast hem maar gewaar te worden om zich weer te verbazen over haar vermogen om als een blok in slaap te vallen, ongeacht wat er om haar heen gebeurde. Hij dacht aan de nachten dat hij wakker had gelegen en zich zorgen had gemaakt over zijn gezin of over zijn baan of over zijn toekomst of de toekomst van de planeet, of simpelweg wakker was gehouden door de moeite die hij had om zijn avondeten te verteren. Terwijl naast hem in bed, roerloos, nauwelijks ademend, een monument van rust en vrede lag.

Hij werd iets voor zessen opnieuw wakker en besloot dat het geen zin meer had om nog te proberen te slapen. Hij ging naar de keuken en zette koffie voor zichzelf, verwarmde melk om erbij te schenken en ging weer terug naar bed.

Omdat hij de *Agamemnon* uit had en een verzetje nodig had voordat hij verderging met de vertrouwde familiesage, deed Brunetti wat hij wel vaker deed in dat soort omstandigheden: hij pakte de *Overpeinzingen* van Marcus Aurelius en sloeg het boek op een willekeurige pagina open, zoals vrome christenen dat met de Bijbel doen. Het leek wel wat op het bespelen van een gokautomaat, moest hij toegeven: soms stuitte je op hoogdravend gebeuzel dat nergens toe leidde en zeker geen rijkdom opleverde. Maar soms kwamen de woorden op hem af als een stroom munten uit de geldbak van de gokkast die klaterend over zijn voeten vielen.

Hij opende de bundel ergens in Boek Twee en vond dit: 'Het onvermogen om te duiden wat er in andermans ziel gebeurt wordt niet gauw gezien als een oorzaak van ongeluk, maar zij die niet in staat zijn de bewegingen van hun eigen ziel te doorgronden, zijn hoe dan ook ongelukkig.' Hij keek op van het boek en door de halfopen gordijnen naar buiten; hij was zich bewust van het licht, niet van naderende dageraad, maar van de feestverlichting die overal in de stad nog aan was.

Hij dacht na over de woorden van de wijze keizer, maar moest toen aan Patta denken, over wie veel dingen konden worden gezegd, waarvan het onmiskenbare feit dat hij gelukkig was er één was. Toch, als er ooit een mens bestaan had die geen besef had van de bewegingen van zijn eigen ziel, dan was het vice-questore Giuseppe Patta.

Geenszins ontmoedigd door het uitblijven van een winnende combinatie bladerde Brunetti door naar Boek Elf. 'Geen enkele dief kan uw wil stelen.' Dit keer sloeg hij het boek dicht en legde het opzij. Opnieuw richtte hij zijn aandacht op het licht in het raam en de bewering die hij zojuist had gelezen: geen van beide bracht geestelijke verlichting. Er werden in een schrikbarend tempo ministers gearresteerd; het hoofd van het kabinet pochte, midden in een steeds dieper wordende financiële crisis, dat hij zich om zijn financiën geen zorgen hoefde te maken en dat hij negentien huizen bezat; het parlement was één grote openbare schande. En waar waren de woedende menigten op de piazza's? Wie stond er op in het parlement om de schaamteloze plundering van het land aan de kaak te stellen? Maar als er een jong maagdelijk meisje werd vermoord, stond het land op zijn kop; als er een keel werd doorgesneden, was de pers daar dagenlang mee bezig. Wat had het publiek nog voor wil, die niet kapotgemaakt was door de televisie en de penetrante platheid van de huidige regering? 'O ja, een dief kan wel degelijk je wil stelen. En dat heeft hij gedaan ook,' hoorde hij zichzelf hardop zeggen.

Verstrikt in de mengeling van woede en wanhoop die de enige eerlijke emotie was die de burgers nog restte, duwde hij de dekens van zich af en stapte uit bed. Hij bleef een hele tijd onder de douche staan en gunde zichzelf de luxe om zich daar te scheren zonder stil te staan bij het verbruik van al dat water en de energie die nodig was om het te verwarmen of bij het feit dat hij een wegwerpmesje gebruikte. Hij was het zat om voor de aarde te zorgen: die moest voor de verandering maar eens voor zichzelf zorgen.

Hij ging terug naar de slaapkamer en trok een pak aan en deed een stropdas om, maar bedacht toen waar hij die ochtend met Vianello naartoe zou gaan en hing het pak weer terug in de kast en trok een bruine corduroy broek en een dik wollen jack aan. Hij grasduinde wat onder in de kast tot hij een paar bootschoenen met dikke rubberzolen had gevonden. Hij had geen idee wat de juiste kleding voor een slachthuis zou zijn, maar hij wist wel dat het geen pak was.

Het was halfacht toen hij van huis ging en buiten de vroege frisheid voelde die de belofte van schone lucht en toenemende warmte in zich droeg. Dit waren echt de beste dagen van het jaar, met de bergen die soms zichtbaar waren vanuit het raam in de keuken, en de nachten koel genoeg om een tweede deken uit de kast te pakken.

Hij liep een stuk, hield halt om een krant te kopen – *La Repubblica* en niet een van de twee lokale kranten – en stapte Ballarin binnen voor een kop koffie en een koffiebroodje. Het was druk in de *pasticceria*, maar nog niet stampvol, dus de meeste mensen konden nog een plekje vinden om aan de bar te staan. Brunetti nam zijn koffie mee naar een klein rond tafeltje, legde de krant links van zijn kopje en bekeek de koppen. Een vrouw van ongeveer zijn leeftijd met afrikaantjeskleurig haar zette haar kopje niet ver van het zijne neer, keek naar dezelfde koppen terwijl ze ondertussen een slokje koffie nam, keek hem aan en zei in het Veneziano: 'Daar wordt een mens toch doodziek van, hè?'

Brunetti bracht zijn koffiebroodje omhoog en liet het kantelen bij wijze van schouderophalen. 'Wat kunnen we doen?' kwam van zijn lippen voordat hij zich de woorden van Marcus Aurelius herinnerde. De dief, zo leek het, had zijn wil gestolen in de korte tijd sinds hij van huis vertrokken was. En dus, alsof hij zijn eerste opmerking als retorische versiering had bedoeld, keek hij haar rechtstreeks aan en zei: 'Anders dan stemmen, signora?'

Ze keek hem aan alsof ze werd aangeklampt door een van de patiënten van het Palazzo Boldù, een of andere gek die nu het grote wereldraadsel voor haar zou ontsluieren. Overvallen door afkeer over zijn eigen morele lafheid voegde Brunetti eraan toe: 'En ze muntjes toewerpen als we ze tegenkomen op straat.'

Ze liet dit tot zich doordringen en zette, tevreden dat deze man zo snel tot bezinning was gekomen, haar kopje op het schoteltje en bracht het naar de bar. Ze glimlachte naar hem, wenste hem goedendag, betaalde en vertrok.

Op de Questura aangekomen ging hij meteen naar de agentenkamer, maar er was nog niemand van de dagdienst gearriveerd. Op zijn eigen kamer keek hij of er nieuwe dossiers lagen, maar zijn bureau zag er nog net zo uit als hij het de vorige dag had achtergelaten. Hij gebruikte zijn computer om de andere kranten te bekijken, maar die hadden geen nadere informatie over de vermoorde man of over de voortgang van de zaak, en hadden evenmin de moeite genomen om de foto af te drukken die hun was toegestuurd. De belangstelling voor de dode man was verdrongen door het nieuws over het lijk in ontbinding dat twee dagen eerder in een ondiep graf bij Verona was gevonden, en dat van een vrouw bleek te zijn die al drie weken vermist werd. Ze was jong, en de foto maakte duidelijk dat ze aantrekkelijk was geweest, dus had haar dood de andere uitgewist.

Zijn gedachten werden onderbroken doordat Vianello binnenkwam. 'Foa's assistent staat te wachten,' zei hij, en vervolgens, bij wijze van uitleg: 'Hij heeft vanmiddag pas dienst. Er staat een auto klaar op het Piazzale Roma.' Brunetti zag dat de inspecteur ook rekening had gehouden met de plek waar ze naartoe gingen, want hij droeg een veelvuldig gewassen spijkerbroek, een bruinleren jack en een paar schoenen die eruitzagen alsof ze geschikt waren voor een wandeling door ruig terrein.

Brunetti speurde zijn bureaublad af en vroeg zich af of er nog iets was wat hij mee moest nemen, maar hij kon niets bedenken. Lafhartig uitstel: die zoekende blik was niets anders dan lafhartig uitstel. 'Goed. Laten we gaan,' zei hij, en ze begaven zich op weg naar de boot.

Ze hadden een uur nodig om in Preganziol te komen, met die schijnbaar stilstaande agglomeratie van auto's en bussen op het Piazzale Roma en de files op de Ponte della Libertà en aan de rand van Mestre. Het verkeer begon pas een beetje op gang te komen toen ze onder de autostrada door waren gereden en de ss13 naar het noorden namen.

Ze kwamen langs de ingangen van Villa Fürstenberg en Villa Marchesi en reden daarna parallel aan de spoorlijn. Ze minderden vaart om door Mogliano Veneto heen te rijden en kwamen toen langs nog een andere villa; de naam schoot zo snel voorbij dat Brunetti hem niet kon lezen. Hun chauffeur keek niet naar links en niet naar rechts: al was die villa een circustent of een kernreactor geweest, hij zou zijn ogen niet van de weg hebben gehaald. Ze staken een klein riviertje over, passeerden nog een villa en toen draaide de chauffeur rechts een smalle tweebaansweg op, waarna hij ten slotte tot stilstand kwam voor iets wat eruitzag als een industrieterrein.

De wereld voor hen was er een van beton, gaashekken, anonieme gebouwen en rijdende vrachtwagens. De gebouwen waren voor het merendeel kaal: ongeschilderde blokkendozen met platte daken en heel weinig ramen, allemaal omgeven door een schort van vuil beton, dat in de meeste gevallen weer omgeven was door een hek. De enige kleur kwam van de letters op sommige vrachtwagens en een open kiosk waar arbeiders koffie en bier stonden te drinken.

De chauffeur draaide zich om naar Brunetti. 'Hier is het, meneer,' zei hij, en hij wees naar een poort in het metalen hek rond een van de gebouwen. 'Hier links.' Toen pas, toen hij recht in zijn gezicht keek, zag Brunetti de veeg van een breed, glanzend litteken dat alleen door een brandwond kon zijn veroorzaakt. Het begon boven zijn linkeroog en verbreedde zich naar boven toe tot het, drie vingers breed, onder de rand van zijn pet verdween.

Brunetti deed het portier open. Zodra hij buiten stond hoorde hij het lawaai: een knorrend geluid in de verte dat afkomstig zou kunnen zijn van feesttoeters of van de uitbundigheid van hartstochtelijke geliefden, of zelfs van een slecht bespeelde hobo. Brunetti wist echter wat het was, en als hij het niet geweten had, zou de ijzerachtige geur hem wel verteld hebben wat er achter die poorten gaande was.

Vezzani had Brunetti gebeld toen hij in de auto zat: de directeur was er niet, dus hij had diens assistent laten weten dat er twee politiemannen uit Venetië onderweg waren. Zij zou hen te woord staan. Toen Brunetti die boodschap aan Vianello overbracht, had de inspecteur gezegd: 'Zij,' en zijn schouders opgehaald.

De chauffeur toeterde een paar keer, maar Brunetti betwijfelde of het gehoord werd. Na een paar seconden echter klonk er, als in een film, een nieuw geluid, rauwer en mechanischer dan het andere, en de twee vleugels van de poort zwenkten naar binnen toe open.

De beslissing of hij weer in de auto zou stappen of lopend door de poort zou gaan, stelde Brunetti uit tot het hekwerk zou zijn opgehouden met bewegen. De metalige geur werd sterker. De poortvleugels en het lawaai van het mechaniek dat ze voortbewoog stopten op hetzelfde moment, waardoor alleen nog het oorspronkelijke geluid te horen was, zij het luider nu. Eén hoog gekrijs, dat van een varken afkomstig moest zijn, klonk boven alle andere geluiden uit en eindigde even plotseling als het begonnen was, alsof het geluid tegen een muur op gebotst was. Toch nam het niveau van het lawaai daardoor geenszins af: het leek misschien wel op het lawaai van een speelplaats vol uitgelaten kinderen, al had het geluid niets speels. En mocht er niemand naar buiten.

Brunetti wilde zich net omdraaien naar de auto toen Vianello vanaf de achterbank uitstapte en zich bij hem voegde. Brunetti realiseerde zich vaag dat er iets vreemds aan de hand was, maar pas toen hij naar beneden keek en zag dat er grind op de grond lag drong tot hem door dat Vianello's voetstappen werden overstemd door de geluiden die van voorbij de open poort op hen afkwamen.

'Ik heb tegen de chauffeur gezegd dat hij maar ergens een kop koffie moet gaan drinken en dat we hem wel bellen als we klaar zijn,' zei de inspecteur. Toen hij Brunetti's gezicht zag, voegde hij daar op neutrale toon aan toe: 'Die geur.'

Terwijl ze naar de poort liepen kon Brunetti wel het grind onder zijn voeten voelen wegglijden, maar niet het geluid horen dat erbij hoorde. Op het moment dat ze de poort door gingen, werd er in het gebouw rechts van hen, een grote rechthoek opgetrokken uit betonblokken en afgedekt met aluminium panelen, een deur geopend. Een kleine vrouw bleef even in de deuropening staan en liep toen naar hen toe, haar voetstappen eveneens geëlimineerd door de geluiden die achter haar vandaan kwamen.

Haar donkere haar was kortgeknipt en suggereerde een jongensachtigheid die onmiddellijk tenietgedaan werd door haar volle boezem en nauwsluitende rok. Haar benen, zag Brunetti, waren mooi, en haar glimlach was ontspannen en hartelijk. Toen ze bij hen was gaf ze hun een hand, eerst Vianello, die dichterbij stond, en toen Brunetti, en daarna hield ze haar hoofd wat naar achteren om de twee mannen, allebei zo veel langer dan zij, beter te kunnen bekijken.

Ze gebaarde naar het gebouw en draaide zich om, zonder woorden te verspillen in het lawaai.

Ze liepen achter haar aan het trapje op en het gebouw in, waar het lawaai minder werd, nog minder zelfs toen de vrouw achter hen langs reikte en de deur dichtdeed. Ze stonden nu in een kleine hal van ongeveer twee bij drie meter, met een betonnen vloer, volkomen utilitaristisch. De muren waren van witte gipsplaat, zonder versiering. Het enige voorwerp in het vertrek was een videocamera die aan het plafond hing en op de deur gericht was, waar zij stonden. 'Ja,' zei ze, toen ze de opluchting op hun gezicht zag, 'het is hier een stuk rustiger. Als dat niet zo was, zouden we allemaal gek worden.' Ze liep tegen de dertig, maar was het nog niet, en had de ongedwongen elegantie van een vrouw die zich thuis voelt in haar lichaam.

'Ik ben Giulia Borelli,' zei ze. 'Ik ben de assistent van dottor Papetti. Zoals ik uw collega al verteld heb, is dottor Papetti vanochtend in Treviso. Hij heeft mij gevraagd u zo goed mogelijk te helpen.' Ze glimlachte even, het soort glimlachje dat iemand schenkt aan bezoekers of toekomstige klanten. Hoeveel vrouwen zouden er in een slachthuis werken? vroeg Brunetti zich af.

Daarna, zonder haar nieuwsgierigheid te verbergen, vroeg ze: 'Bent u echt van de politie van Venetië?' Haar stem was merkwaardig diep voor zo'n kleine vrouw, muzikaal en met de intonatie van Veneto.

Brunetti beaamde het. Nu hij dichter bij haar stond, zag hij de sproeten op haar neus en wangen; ze droegen bij aan de algehele indruk van gezondheid. Ze ging met de vingers van haar rechterhand door haar haar. 'Als u meekomt naar mijn kantoor kunnen we praten,' zei ze.

De ijzerachtige geur was hier ook minder. Zou dat door de airconditioning komen? vroeg Brunetti zich af, en zo ja, wat gebeurde er dan in de winter, wanneer dit deel van het gebouw verwarmd werd? Hij en Vianello volgden haar door een deur en toen door een gang die naar het achterste deel van het gebouw voerde. Hij merkte dat zijn zintuigen zowel overvoerd als uitgehongerd waren sinds hij de auto had verlaten. Zijn gehoor en reuk waren zwaar overprikkeld en verkeerden in een toestand waarin ze misschien geen nieuwe geuren of geluiden meer zouden kunnen oppikken, terwijl zijn gezichtsvermogen was versterkt door de leegte van de hal en de gang.

Signorina Borelli opende een deur en deed een stap naar achteren om hen voor te laten gaan. Ook dit vertrek was vrijwel kaal. Afgezien van een bureau met daarop een computer en wat paperassen, en een stoel erachter en drie ervoor, stond er helemaal niets. Verontrustender was dat er ook geen ramen waren. Er brandden alleen een paar tl-lampen die een hard en textuurloos licht afgaven dat ieder gevoel van diepte uit de kamer wegnam.

Ze ging achter haar bureau zitten en liet hen tegenover haar plaatsnemen. 'Uw collega zei dat u over dottor Nava wilde praten,' zei ze op rustige toon. Ze boog wat naar voren, met haar lichaam naar hen toe.

'Ja, dat klopt,' antwoordde Brunetti. 'Kunt u me vertellen wanneer hij hier is komen werken?'

'Ongeveer een halfjaar geleden.'

'En zijn werkzaamheden?' vroeg Brunetti, die het vermeed om de tegenwoordige of de verleden tijd te gebruiken en hoopte dat hem dat op een natuurlijke manier afging. Vianello haalde zijn notitieboekje tevoorschijn en begon te schrijven.

'Hij inspecteert de dieren die binnengebracht worden.'

'Met welk doel?' vroeg Brunetti.

'Om te kijken of ze gezond zijn,' antwoordde ze.

'En als ze dat niet zijn?'

Signorina Borelli leek verbaasd over die vraag, alsof het antwoord voor de hand lag. 'Dan worden ze niet geslacht. En neemt de boer ze weer mee terug.'

'Nog andere werkzaamheden?'

'Hij controleert een deel van het vlees.' Ze leunde achterover en wees met één hand achter zich naar links. 'Dat wordt gekoeld. Hij kan natuurlijk niet alles controleren, maar hij kijkt wel naar monsters en besluit dan of het veilig is voor menselijke consumptie.'

'En als het dat niet is?'

'Dan wordt het vernietigd.'

'Hoe?'

'Het wordt verbrand.'

'Juist, ja,' zei Brunetti. 'Nog andere werkzaamheden?'

'Nee, alleen die twee dingen.'

'Hoeveel dagen per week is hij hier?' vroeg Brunetti, alsof hij die informatie niet al van de vrouw van de dode had gekregen.

'Twee. Maandag- en woensdagochtend.'

'En de andere dagen? Wat doet hij dan?'

Als die vraag haar al bevreemdde, aarzelde ze in ieder geval niet hem te beantwoorden. 'Hij heeft een eigen praktijk. Dat geldt voor de meeste controlerend dierenartsen.' Ze glimlachte en haalde haar schouders op. 'Het zou niet meevallen om te leven van wat ze hier verdienen.'

'Maar u weet niet waar?'

'Nee,' zei ze spijtig. 'Maar dat moeten we wel ergens hebben. Het staat waarschijnlijk in zijn sollicitatiebrief. Ik kan het zo voor u nakijken.'

Brunetti hief een hand op, zowel om haar voor het aanbod te bedanken als om het af te slaan. Op vriendelijke toon vroeg hij: 'Kunt u me een beetje een idee geven van hoe het hier toegaat? Ik bedoel, hoe komt het dat hij maar op twee dagen dieren inspecteert?' Hij spreidde zijn handen in een niet-begrijpend gebaar.

'Het is eigenlijk heel eenvoudig,' zei ze, een formulering gebruikend die mensen meestal kiezen wanneer ze iets willen vertellen wat niet eenvoudig is. 'De meeste boeren brengen hun dieren hier de dag voor de slacht naartoe, of dezelfde dag. Dat bespaart ze de kosten om de dieren te voeden en water te geven terwijl ze wachten. Dottor Nava inspecteert ze op maandag en woensdag, en daarna worden ze verwerkt.' Ze wachtte even om te zien of Brunetti het volgde, en Brunetti knikte. Hij liet tegelijkertijd zijn gedachten gaan over het woord 'verwerkt'.

'En als hij ze niet bekijkt?' mengde Vianello zich in het gesprek, eveneens gebruikmakend van de misleidende tegenwoordige tijd.

Ze trok haar wenkbrauwen op, ofwel vanwege de ontdekking dat de inspecteur kon praten, ofwel vanwege de vraag. 'Dat is nooit eerder gebeurd. Gelukkig heeft zijn voorganger zich bereid verklaard om de inspecties te komen doen en daarmee door te gaan tot dottor Nava terugkomt.'

Onverstoorbaar vroeg Brunetti: 'En de naam van zijn voorganger?'

Ze kon haar verrassing niet verbergen. 'Waarom wilt u dat weten?'

'Voor het geval het nodig is om met hem te praten,' antwoordde Brunetti.

'Meucci. Gabriele Meucci.'

'Dank u.'

Signorina Borelli ging rechtop zitten, alsof ze dacht dat het gesprek afgelopen was, maar Brunetti vroeg: 'Kunt u me de namen geven van de andere mensen met wie dottor Nava hier te maken heeft?'

'Behalve ikzelf en de directeur, dottor Papetti, is dat de slachtmeester, Leonardo Bianchi. Die weet misschien nog andere mensen, maar wij zijn degenen met wie hij het meest te maken heeft.'

Ze glimlachte, maar het wattage was nu lager. 'Ik denk dat het tijd wordt dat u vertelt waarom u al deze vragen stelt, commissario. Misschien kijk ik te veel televisie, maar dit soort gesprekken vindt meestal plaats wanneer er iemand dood is en de politie informatie over die persoon probeert te vergaren.'

Ze keek van de een naar de ander. Vianello hield zijn hoofd gebogen boven zijn opschrijfboekje en liet het aan zijn chef over om antwoord te geven.

'We hebben reden om aan te nemen dat dottor Nava het slachtoffer is geworden van geweld,' zei Brunetti, die geen weerstand kon bieden aan de behoefte van de bureaucraat om informatie in kleine porties te verstrekken.

Precies op dat moment, als om de aandacht te vestigen op die formulering, drong er een schril geluid door de akoestische isolatie die geacht werd deze kamer te beschermen tegen de omringende realiteit. Anders dan de vorige kreet was deze niet langgerekt; het waren drie korte stoten, zoals de snerpende tonen die op de vaporetti het signaal waren om het schip te verlaten. Er klonken nog drie kreten, gedempt dit keer, en toen werd het dier dat ze uitstootte gedwongen het schip te verlaten en hielden de geluiden op.

'Is hij dood?' vroeg signorina Borelli, zichtbaar geschokt.

Brunetti verkeerde een ogenblik in onzekerheid over het voorwerp van haar nieuwsgierigheid en het duurde even voor hij antwoord gaf. 'We denken van wel, ja.'

'Hoe bedoelt u: u denkt van wel?' wilde ze weten, terwijl ze van de een naar de ander keek. 'U bent toch van de politie, of niet soms? Als u het niet weet, wie dan wel?'

'We hebben nog geen definitieve identificatie,' zei Brunetti.

'Bedoelt u dat u mij gaat vragen om daarvoor te zorgen?' vroeg ze op verhitte toon, verontwaardigd door deze laatste opmerking van Brunetti.

'Nee,' zei Brunetti kalm. 'We hebben daar al iemand voor gevonden.'

Ze boog zich opeens naar voren, met uitgestoken hoofd, als een slang die op het punt staat toe te slaan, en zei: 'U bent een ijskoude, hè? U zegt tegen me dat hij het slachtoffer is geworden van geweld, maar het feit dat jullie hier zijn betekent dat hij dood is, en het feit dat u al deze vragen stelt betekent dat iemand hem vermoord heeft.' Ze veegde tijdens het spreken haar ogen af en leek moeite te hebben om sommige woorden af te maken.

Vianello keek op van zijn notitieboekje en bestudeerde signorina Borelli's gezicht.

Ze zette haar ellebogen op het bureau en legde haar gezicht in haar handen. 'Vinden we een goeie man en dan gebeurt er dit met hem,' zei ze. Brunetti had geen idee hoe hij 'goeie' moest interpreteren, en hij kon uit haar stem verder niets opmaken. Beschouwde ze Nava als een competente of als een fatsoenlijke man?

Even later, zichzelf nog steeds niet helemaal meester, zei ze: 'Als u nog meer vragen hebt, zult u die aan dottor Papetti moeten stellen.' Ze legde beide handen met een klap plat op het bureau en dat geluid leek haar te kalmeren. 'Wat wilt u nog meer?'

'Zou het mogelijk zijn uw bedrijf te bekijken?'

'Dat wilt u niet,' zei ze zonder erover na te denken.

'Pardon?' zei Brunetti.

'U wilt niet zien wat wij hier doen.' Ze klonk volkomen kalm en redelijk. 'Niemand wil dat. Geloof me.'

Doeltreffender dan met deze opmerking had ze Brunetti niet kunnen sterken in zijn voornemen om te kijken wat daar gaande was.

'Wij wel,' zei hij, en hij stond op.

19

Met hoeveel zorg ze hun kleding ook hadden uitgekozen, Vianello en Brunetti hadden net zo goed in smoking naar het slachthuis kunnen komen. Het eerste wat signorina Borelli deed, toen Brunetti voet bij stuk hield en eiste dat ze te zien kregen waar dottor Nava had gewerkt, was de slachtmeester Leonardo Bianchi bellen om te vragen of hij hen in de kleedkamer wilde treffen. Daarna nam ze hen mee via een gang met een betonnen vloer en een dubbele trap omhoog naar een spartaans vertrek dat Brunetti deed denken aan ruimten die hij wel eens had gezien in Amerikaanse films over high schools: langs de muren stonden metalen kluisjes en een tafel in het midden zat vol kerven en brandplekken van sigaretten en vlekken van dikke, opgedroogde vloeistof. Op banken lagen verkreukelde exemplaren van *La Gazetta dello Sport* en hier en daar slingerden achtergelaten sokken en lege kartonnen bekertjes.

Ze nam hen zwijgend mee naar een kluisje, haalde een sleutelbos uit haar zak en gebruikte een klein sleuteltje om het hangslot van de kluisdeur te openen. Ze haalde er een opgevouwen witte papieren overall uit, van het soort dat de mensen van de technische recherche dragen, schudde hem open en gaf hem aan Brunetti. Daarna gaf ze er een aan Vianello. 'U moet uw schoenen uittrekken om deze aan te doen,' zei ze.

Brunetti en Vianello volgden de instructies op. Tegen de tijd dat ze hun schoenen weer aanhadden, had zij twee paar doorzichtige plastic schoenhoezen gepakt. Ze gaf ze zonder iets te zeggen aan Brunetti. Hij en Vianello trokken ze aan. Daarna kwamen er doorzichtige plastic mutsen die eruitzagen als het soort muts dat Paola onder de douche droeg. Ze trokken die over hun haar.

Signorina Borelli bekeek hen zwijgend van top tot teen. De deur tegenover die welke zij zojuist gebruikt hadden ging open en er kwam een lange bebaarde man binnen. Hij droeg een lang jasschort dat ooit wit geweest was maar nu grijs was; er liepen brede rode vegen over de voorkant en de zijkanten. Brunetti keek naar zijn voeten en was blij dat ze de plastic hoezen hadden gekregen.

De man, van wie Brunetti begreep dat hij de slachtmeester moest zijn, knikte naar signorina Borelli en keek onverschillig naar de twee mannen. Ze maakte geen aanstalten hen voor te stellen. De man zei: 'Kom maar mee, heren.' Brunetti en Vianello volgden Bianchi naar de deur. Toen hij die opendeed waren de kreten en het gehuil opnieuw te horen, en er klonk ook een zwaar gebonk en gekletter.

Hij ging hen voor door een smalle gang naar een deur ongeveer vijf meter verderop. Brunetti was zich intens bewust van het ritselende geluid dat zijn beschermende pak maakte en het glibberige gevoel onder zijn voeten omdat zijn schoenen rondgleden in hun plastic hoezen. Hij keek naar beneden om te zien hoe het vloeroppervlak eruitzag, om beter te kunnen inschatten wat voor grip zijn voeten zouden hebben. Een fractie van een seconde hield hij zijn pas in toen hij een bloedige zoolafdruk zag, die hun kant op gericht was. Hij bewoog zijn rechtervoet snel opzij en kwam zwaar neer, om te voorkomen dat hij op de afdruk zou stappen, en realiseerde zich te laat dat het niets zou uitmaken, niet echt; in ieder geval niet buiten de sfeer van bijgeloof.

Brunetti wierp een snelle blik achter zich en zag Vianello's gespannen gezicht; hij richtte zijn aandacht gauw weer op Bianchi's rug. Brunetti rilde: het toenemende lawaai had zijn andere zintuiglijke gewaarwordingen weggedrukt, en het drong nu pas tot hem door hoe koud het hier was. Vianello maakte een neuriënd geluid dat nauwelijks te horen was. Lawaai en kou werden heviger naarmate ze dichter bij de deur kwamen. Bianchi bleef vlak ervoor staan en legde zijn hand op de metalen stang die er dwars voorlangs liep. Omlaagdrukken, en de deur zou opengaan.

Hij keek naar Brunetti en toen naar Vianello achter hem, zonder iets te zeggen, zijn vraag in zijn ogen. Brunetti twijfelde even of dit allemaal wel zo verstandig was, maar Nava's vrouw had gezegd dat de dierenarts zich zorgen maakte vanwege iets wat hier gebeurde.

Brunetti hief zijn kin op in een gebaar dat kon worden opgevat als gebiedend of oppeppend. Bianchi keerde hem de rug toe en duwde de stang naar beneden, waardoor de deur openzwaaide. Ze werden overspoeld door geluid, kou en licht. Gekrijs en geloei en gejank en gebonk vermengden zich tot een moderne kakofonie die een aanslag was op meer dan alleen het gehoor. De meeste geluiden zijn neutraal. Voetstappen klinken eigenlijk allemaal hetzelfde: de dreiging komt van de omgeving waarin ze worden gehoord. Ook stromend water is niet meer dan dat. Een badkuip die overloopt, een bergbeekje: de context is alles. Rafel een symfonie uit elkaar en de lucht is vervuld van vreemde, onsamenhangende geluiden die elkaar niet langer volgen. Een kreet van pijn echter is altijd dat, of hij nu van een beest met twee of met vier poten komt, en een mensenstem in woede verheven brengt altijd dezelfde reactie teweeg, in welke taal die woede ook wordt geuit en op wie hij ook is gericht.

De prikkels die de andere zintuigen kregen, stonden geen leuke woord- of gedachtespelletjes toe. Brunetti's maag trok samen van een stank die aankwam als een dreun, en zijn ogen probeerden weg te vluchten van het rood in al zijn variaties en al zijn vegen en strepen. Zijn verstand greep in en dwong hem te denken en in gedachten een ontsnapping te vinden uit wat hem omringde. Hij dacht dat het William James was, ja, William James, de broer van de man van wie zijn vrouw zo hield – een halve herinnering aan iets wat hij meer dan honderd jaar geleden had geschreven: dat het menselijk oog altijd werd getrokken naar 'dingen die bewegen, dingen die iets anders, bloeden'.

Brunetti probeerde die woorden voor zich uit te houden, als een schild van waarachter hij kon kijken naar wat er gebeurde. Hij zag dat ze op een loopbrug van metalen roosters liepen, aan weerszijden beschermd door een reling en minstens drie meter boven de werkvloer onder hen. Ziend en niet ziend, gewaarwordend zonder iets gewaar te worden, vermoedde hij, bij de aanblik van zo veel lege ruimte onder hen, dat het werk ten einde liep. Zes of zeven mannen in witte rubberjassen en gele laarzen en met een gele helm op stonden beneden hen in de hokken en deden dingen met messen en puntig gereedschap bij varkens en schapen; vandaar het lawaai. Er vielen dieren aan de voeten van die mannen neer, maar sommige slaagden erin te vluchten en botsten tegen de wanden voordat ze uitgleden en ook vielen. Andere, gewond en bloedend en niet in staat overeind te komen, bleven met hun poten trappen en schraapten met hun hoeven over de grond en langs de hekken, terwijl de mannen hun geworstel ontweken om een volgende klap toe te brengen.

Sommige schapen, zag Brunetti, werden door hun dikke vacht tegen de messen beschermd en moesten herhaaldelijk op hun kop worden geslagen met iets wat eruitzag als een metalen staaf met een haak aan het eind. Af en toe werd die haak voor andere doeleinden gebruikt, maar Brunetti keek steeds een andere kant op voor hij erachter kon komen waarvoor precies, al liet het gejammer dat telkens volgde op de verzaking van zijn ogen geen twijfel bestaan over wat er gaande was.

De schapen maakten lage, dierlijke geluiden – geknor en gemekker – terwijl hem opviel dat de varkens niet zo heel anders klonken dan hij of Vianello zou hebben geklonken als zij daar beneden hadden gestaan in plaats van hierboven. De kalveren blaatten.

De stank boorde zich in zijn neus: het was niet alleen de scherpe ijzerachtige geur van bloed, maar ook de indringende stank van ingewanden en uitwerpselen. Net toen Brunetti zich dat realiseerde, hoorde hij het water, en hij was onwillekeurig dankbaar voor dat geluid. Hij keek waar het vandaan kwam en zag een van de witgejaste mannen beneden hem een leeg hok schoonspuiten met een soort brandslang. De arbeider stond wijdbeens, om zich beter schrap te kunnen zetten tegen de kracht van het water, en liet de straal heen en weer zwaaien om alles weg te spoelen door een rooster in de betonnen vloer.

De wanden van de hokken waren van draadgaas, dus het water stroomde ook het aangrenzende hok in en spoelde daar het bloed weg dat uit de neus en de bek van een varken liep dat tegen het hek lag en met zijn poten over de vloer schraapte in een vruchteloze poging te ontkomen aan de man die zich boven hem verhief. De man gebruikte zijn metalen staaf, en toen Brunetti opnieuw keek, leek het varken opeens op te stijgen. Het kwam omhoog, hun kant op, misschien om dit oord achter zich te laten en weg te vliegen – wie wist waarheen? Brunetti wendde zich af toen het stuiptrekkende varkenslijf naast hem verscheen, met een haak door zijn hals opgehangen aan een metalen ketting. Brunetti's ogen zochten en vonden Vianello, maar voordat een van beiden iets kon zeggen, spoot er een sliert rode spatten op de borst van de inspecteur. Verdoofd keek Vianello omlaag, en hij bracht zijn hand omhoog om het rood weg te vegen, maar maakte het gebaar niet af. De hand viel naast zijn lichaam neer en hij keek Brunetti wezenloos aan.

Er klonk een ratelend geluid en ze richtten hun aandacht weer op het stuiptrekkende varken, dat nu van hen weggevoerd werd naar twee plastic flappen in een brede doorgang aan het eind van de hal. Toen Brunetti zag hoe het varkenslichaam de flappen openduwde en verdween, nam hij afscheid van het vreemde idee van interventie of redding voor het onfortuinlijke beest.

Brunetti schraapte zijn keel en tikte Bianchi op de schouder. 'Waar gaan ze hiervandaan naartoe?' vroeg hij boven het geratel en het gekrijs uit.

De slachter wees dieper het gebouw in en begon die kant op te lopen. Brunetti volgde hem en zorgde dat hij zijn blik op de rug van de man gericht hield, en een eindje achter hen volgde een verdwaasde Vianello. Aan het eind van de loopbrug kwamen ze bij een zware metalen deur met een horizontale metalen stang. Bianchi leek zijn pas nauwelijks in te houden, zo snel duwde hij hem open en liep verder. De anderen volgden, waarna Vianello de deur achter hen dichtduwde.

In eerste instantie vroeg Brunetti zich af of ze naar buiten waren ontsnapt en op de een of andere manier regelrecht in een bos terecht waren gekomen, al kon hij zich niet herinneren dat hij iets van boombegroeiing achter het gebouw had gezien. Het was donker, er kwam alleen wat licht van bovenaf, als in een bos 's ochtends vroeg. Hij zag vlak voor hen een veld met dichte vormen, die uit de aarde omhoog leken te komen. Struiken misschien, of jonge populieren vol in het blad? Ze waren zeker niet hoog genoeg om volgroeide bomen te zijn, maar ze waren wel dicht, wat zijn door overprikkeling verdoofde geest terugbracht bij het idee van struiken. De drie mannen gingen uiteen en liepen elk op eigen houtje rond.

Als ze buiten stonden was de dag echter wel veranderd en was het verschrikkelijk koud geworden. Langzaam maar zeker pasten Brunetti's ogen zich aan het verminderde licht aan en begonnen de struiken of bomen aan scherpte te winnen. Zijn eerste gedachte was die aan herfstbladeren totdat hij zag dat het rood spierweefsel was en het geel strepen vet. Vianello en hij waren zo afhankelijk geworden van Bianchi's leiding dat ze hem zonder erbij na te denken waren gevolgd naar dit woud van hangende halve runderen en varkens en schapen, de koploze beesten slechts herkenbaar aan hun formaat, en wie kon het verschil zien tussen een groot schaap en een klein kalf? Rood en geel en al die strepen wit vet.

Vianello brak het eerst. Hij drong zich langs Brunetti, zich niet langer bekommerend om Bianchi en zijn opinie, of welke opinie ook, en wankelde dronken naar de deur. Hij duwde er vruchteloos tegenaan, gaf er toen twee keer een klap tegen en gaf hem een schop. De slachter kwam tevoorschijn uit het struikgewas van lichamen, trok aan een of andere hendel die Vianello in de schemering niet kon zien, en de deur ging open. Kijkend in het sterkere licht van de andere ruimte zag Brunetti Vianello van hen weglopen, één hand op schouderhoogte naast zich houdend, alsof hij elk moment de draadgaaswand van de loopbrug wilde kunnen vastpakken als hij niet meer verder kon.

Brunetti dwong zichzelf langzaam te lopen en hield zijn ogen op Vianello's rug gericht terwijl hij ook de deur door ging, maar hij wachtte niet tot Bianchi zich bij hem voegde. Hij liep naar het andere eind van de loopbrug en maakte hetzelfde neuriënde geluid dat hij Vianello had horen maken, waarvan hij nu begreep dat het een deel van het lawaai overstemde dat opsteeg van datgene wat beneden nog steeds gaande was. Er verscheen iets naast hem, op schouderhoogte, dat gelijke tred leek te houden. Brunetti liep heel even uit de pas, maar had zichzelf gauw weer onder controle en bleef doorlopen, de blik voor zich uit gericht en geen moment toegevend aan de verleiding om te kijken wat er naast hem zweefde.

Hij trof Vianello ineengezakt op een van de banken in de kleedkamer aan, zijn ene arm bevrijd uit het beschermende pak, de andere vergeten, of gevangen, er nog in. Hij keek naar Brunetti als een van die helden uit de *Ilias*, gebroken in zijn nederlaag, de wapenrusting half losgeslagen van zijn lichaam, terwijl de vijand op het punt staat hem te doden en van zijn bezittingen te beroven. Brunetti ging naast hem zitten, boog zich toen naar voren om met zijn onderarmen op zijn dijen te leunen en bleef zo zitten, starend naar zijn schoenen. Iemand die hen vanuit de deuropening zou bekijken, zou twee vreemd geklede sporters van middelbare leeftijd zien, die, uitgeput door de wedstrijd die ze net gespeeld hadden, zaten te wachten tot de trainer binnenkwam om te vertellen hoe ze het gedaan hadden.

Maar trainer Bianchi was nergens te bekennen. Brunetti deed de plastic schoenhoezen uit en schopte ze opzij, hees zich toen overeind en slaagde er na wat onhandige pogingen in zijn pak open te ritsen. Hij stroopte de mouwen af, duwde de overall naar beneden tot voorbij zijn knieën en ging weer zitten om hem over zijn schoenen te trekken. Bij gebrek aan iets anders om te doen raapte hij de overall op en deed een slordige poging hem op te vouwen, maar uiteindelijk gooide hij hem maar gewoon op een hoop naast zich op de bank.

Toen hij naar Vianello keek zag Brunetti dat hij zich niet had bewogen. 'Kom, Lorenzo. De chauffeur is buiten.'

Met de bewegingen van een slaapwandelaar of van iemand onder water bevrijdde Vianello zijn andere arm en duwde zich toen met twee handen overeind. Hij trok het pak omlaag, zonder er erg in te hebben dat hij het niet tot beneden toe had opengeritst. Het bleef rond zijn middel en heupen steken, en hoe hard hij er ook aan sjorde, hij kreeg het niet uit.

'De rits, Lorenzo,' zei Brunetti, en hij wees ernaar, maar wilde niet zover gaan hem te helpen. Vianello zag wat hij moest doen en deed het. Toen ging ook hij zitten, om eerst zijn schoenen uit te trekken, daarna het pak over zijn voeten te trekken en daarna zijn schoenen weer aan te doen. Hij raakte even in verwarring toen hij niet meteen doorhad dat hij eerst de plastic hoezen moest verwijderen voor hij zijn schoenen weer aan kon trekken, maar toen hij dat eenmaal zag was hij gauw klaar. Net als Brunetti legde hij zijn overall opgepropt op de bank naast de plek waar hij had gezeten.

'*Bene*,' zei Vianello. '*Andemmo.*'

Van Bianchi en signorina Borelli was geen spoor te bekennen, en de twee mannen volgden dezelfde weg die ze gekomen waren terug naar de ingang. Toen ze buitenkwamen scheen de zon op hun lichaam, hun hoofd, hun handen en zelfs op hun voeten met een gulheid en goedgunstigheid die Brunetti deed denken aan de sculpturen die hij had gezien van Achnaton, die de stralende zegen van Aten, de zonnegod, ontving. Daar stonden ze, zelf zo stil als Egyptische beelden, en ze lieten zich door de zon verwarmen en reinigen van de miasmatische lucht van het gebouw.

Algauw verscheen er een auto vlak voor hen, die ze geen van beiden naderbij hadden horen komen omdat hun oren nog steeds waren afgestemd op de dingen die ze binnen hadden gehoord.

De chauffeur liet het raampje zakken en riep: 'Zijn jullie klaar om te gaan?'

20

Dit keer gingen ze met z'n tweeën achterin zitten. Hoewel het allerminst een warme dag was, draaiden Brunetti en Vianello allebei het raampje naar beneden, en ze legden hun hoofd tegen de rugleuning om de frisse lucht over zich heen te laten spoelen. De chauffeur, die merkte dat er iets gaande was dat hij niet begreep, hield zijn mond, maar was zo verstandig om met de autotelefoon de Questura te bellen en te vragen of men een boot wilde sturen om de twee mannen op te pikken zodra ze bij het Piazzale Roma aankwamen.

Op weg naar de stad reden ze door een rustig landelijk gebied dat zich opmaakte om los te barsten in de rijkdom van de zomer. Aan de bomen waren de eerste knoppen uitgelopen om zich spoedig te ontvouwen tot de magie van bladeren. Brunetti was dankbaar voor het groen en de bijbehorende belofte. Vogels die Brunetti herkende maar niet kon benoemen, zaten tussen de groene uitlopers met elkaar te kwetteren over hun recente reis naar het noorden.

Ze zagen de villa's niet, dit keer, alleen de auto's die hun tegemoetkwamen of hen passeerden en zich voor hen weer in de rij voegden. Ook spraken ze niet, noch tegen elkaar, noch tegen de chauffeur. Ze lieten de tijd verstrijken, in de wetenschap dat die de helderheid van sommige herinneringen zou wegnemen. Brunetti keek weer naar het landschap. Wat was het toch mooi, dacht hij, wat waren dingen die groeiden toch mooi: bomen, wijnstokken die net ontwaakten uit de winter, zelfs het water in de sloot opzij van de weg zou straks de planten helpen om zich weer terug te vechten naar het leven.

Hij wendde zijn gezicht weer naar het tegemoetkomende verkeer en deed zijn ogen dicht. Slechts een ogenblik later, zo leek het, kwam de auto tot stilstand en zei de chauffeur: 'We zijn er, commissario.' Brunetti opende zijn ogen en zag de kaartverkoop van de ACTV en daarachter water en de *embarcadero* van de Nummer Twee.

Terwijl Brunetti de chauffeur bedankte, stapte Vianello aan de andere kant al uit en deed zachtjes het portier dicht. Hij was blij dat hij Vianello even later iets tegen de chauffeur zag zeggen. De inspecteur glimlachte, gaf een klapje op het dak van de auto en draaide zich om naar het water.

Ze liepen de lage traptreden af en gingen naar links, waar een eindje verderop Foa's assistent met een taxichauffeur stond te praten en ondertussen de plek in de gaten hield waar ze naar alle waarschijnlijkheid zouden verschijnen. Brunetti was stomverbaasd toen hij zag dat de jongeman er nog precies zo uitzag als een paar uur eerder. De schipper bracht een hand omhoog naar zijn pet, een gebaar dat net zo goed een wuiven uit vriendschappelijke herkenning kon zijn als een saluut. Brunetti merkte dat hij hoopte dat het het eerste was.

De schipper wilde hem de *Gazzettino* van die ochtend geven, die hij opgevouwen achter het stuurwiel had bewaard, maar Brunetti had afstand en kleur en schoonheid en leven nodig, niet de dicht opeenstaande regels van het gedrukte woord, dus hij maakte geen aanstalten om hem aan te nemen, waarop de schipper zich bukte om de motor aan te zetten.

'Ga maar niet achter het station langs. Laten we het kanaal nemen.' Op die manier zou de tocht langer duren en zouden ze niet de bocht hoeven maken naast de brug naar het vasteland, waar ze de schoorstenen van Marghera zouden zien; bovendien hoefden ze dan niet tussen het ziekenhuis en de begraafplaats door te varen. Brunetti en Vianello zeiden geen van beiden iets, maar kozen er allebei voor om op het dek in de zon te blijven staan. Die scheen op hen neer en verwarmde hun hoofd en liet hen zweten onder hun jas. Brunetti voelde zijn vochtige overhemd aan zijn rug plakken, voelde zelfs een druppel kriebelen vlak boven zijn slaap. Hij had zijn zonnebril vergeten en dus hield hij als een achttiende-eeuwse zeekapitein zijn hand boven zijn ogen en keek in de verte. En hij zag niet een tropisch atol omgeven door maagdelijke stranden en ook niet de woeste wateren van Kaap de Goede Hoop, maar de Calatrava-brug, die in zijn huidige staat net een luier aan leek te hebben, met toeristen in korte mouw die over de rand hingen om een foto van de politieboot te nemen. Hij glimlachte naar hen en zwaaide.

Geen van de drie mannen zei iets toen ze onder de brug door voeren, en ook niet toen ze onder de volgende door voeren of onder de paar daaropvolgende, en evenmin toen ze de Basilica passeerden, en de San Giorgio aan de rechterkant. Hoe zou het zijn, probeerde Brunetti zich voor te stellen, om dit allemaal voor het eerst te zien? Met maagdelijke ogen? Hij bedacht dat deze aanslag van schoonheid het tegenovergestelde was van wat er in Preganziol was gebeurd, hoewel beide ervaringen overweldigend waren, en ze de toeschouwer allebei op hun eigen manier overrompelden.

De schipper stuurde de boot naar de kade voor de Questura, sprong eruit met het touw in zijn hand en gooide het over de meerpaal. Toen Brunetti uitstapte wilde de schipper iets tegen hem zeggen, maar de motor had opeens een oprisping en hij sprong gauw terug op het dek. Tegen de tijd dat hij de motor had afgezet, waren Brunetti en Vianello al in het gebouw.

Brunetti wist niet wat hij tegen Vianello moest zeggen. Hij kon zich niet herinneren ooit eerder in die situatie te hebben verkeerd, alsof datgene wat ze zojuist samen hadden meegemaakt zo heftig was dat het ieder commentaar, misschien zelfs alle toekomstige conversatie, zinloos maakte. Die ongemakkelijkheid werd doorbroken door de man bij de deur, die zei: 'Commissario, de vice-questore wil u spreken.'

Het idee om Patta te woord te moeten staan kwam bijna als een opluchting: de voorspelbare onaangenaamheid van die ervaring zou Brunetti vast en zeker het zetje geven dat hij nodig had om weer terug te keren naar het gewone leven. Hij keek even naar Vianello en zei: 'Ik ga wel met hem praten, en daarna kom ik je ophalen en gaan we naar de bar.' Eerst de terugkeer naar het gewone leven en dan genieten van gewone menselijkheid.

Omdat signorina Elettra niet aan haar bureau zat, moest Brunetti bij Patta aankloppen zonder voorafgaande waarschuwing over het niveau, of de oorzaak, van zijn chefs ergernis. Hij twijfelde er niet aan dat dat de stemming was waarin de vice-questore verkeerde: alleen op momenten van ernstig misnoegen over zijn ondergeschikte kon de vice-questore zich laten bewegen tot een bevel aan de portier om Brunetti naar hem door te sturen zodra hij binnenkwam. Als een gymnast die op het punt staat omhoog te springen en de ringen te grijpen haalde Brunetti een paar keer diep adem en deed zijn best om zich op zijn optreden voor te bereiden.

Hij klopte ferm op de deur en probeerde het zo mannelijk mogelijk te laten klinken: drie korte geluidsstoten die zijn komst aankondigden. Het antwoord erop was een schreeuw, die Brunetti interpreteerde als een verzoek om binnen te komen. Patta, zo bleek, was gekleed voor de rol van landjonker. Zodra hij hem zag wist Brunetti dat zijn superieur eindelijk te ver was gegaan in zijn hang naar kostuummatige perfectie, want hij had zich vandaag uitgedost in een heus jachtcolbert. Het was gemaakt van licht bruinachtig tweed, lang van snit en strak op het lichaam, met het vereiste stuk bruin suède op de rechterschouder en de enkele borstzak links. Daaronder zaten envelopzakken die gemakkelijk konden worden losgeknoopt om de drager in staat te stellen nog wat hagelpatronen te pakken. Het witte overhemd dat Patta droeg had een discreet ruitje, en de groenzijden das was bezaaid met kleine gele schaapjes die Brunetti deden denken aan die van het mozaïek achter het hoogaltaar in de basiliek van Sant'Apollinare in Classe in Ravenna.

Ongeveer op de wijze van de apostel Thomas, die pas in staat was in de wederopstanding van Christus te geloven toen hij zijn hand in de wond aan zijn Meesters zij had kunnen leggen, voelde Brunetti een sterke aandrang om zijn wang op het bruinsuède stuk op Patta's schouder neer te vlijen, want dat stuk was een bewijs, hoe buitensporig ook, voor al het bestaande. Op dit ogenblik, nog steeds aangeslagen door de ervaringen van die ochtend, had Brunetti bewijs nodig dat het gewone, ja, zelfs het hele leven, nog steeds bestond, en was er een beter bewijs denkbaar dan deze absurde vertoning? Hier was Patta, in gesprek aan de telefoon, hier was consistentie, hier was Bewijs. De vice-questore keek op en toen hij zag wie het was, zei hij nog iets en legde de telefoon neer.

Brunetti weerstond de verleiding om te bukken en onder het bureau te kijken of de vice-questore ervoor gekozen had om wat Brunetti uit Engelse romans kende als *sturdy brogues* te dragen. Bovendien onderdrukte hij, met enige moeite, de neiging om zijn chef te bedanken voor het feit dat hij hem weer tot leven had gebracht. In plaats daarvan zei hij: 'Di Olivia zei dat u me wilde spreken, meneer.'

Patta pakte *Il Gazzettino* van zijn bureau, de krant die Brunetti verkozen had niet te lezen op de boot. 'Heb je dit gezien?' vroeg Patta.

'Nee, meneer,' zei Brunetti. 'Ik moet van mijn vrouw deze week *L'Osservatore Romano* lezen.' Hij wilde eraan toevoegen dat dat de enige krant was die een dagelijks overzicht bood van de afspraken van de Heilige Vader, ongeveer zoals *The Times* een agenda bijhield van het doen en laten van de koninklijke familie, maar hij wist niet zeker – hij had die krant al tientallen jaren niet meer gelezen – of dat wel zo was, en bovendien stond zijn dankbaarheid hem niet toe Patta nog meer te stangen. Hij beperkte zich daarom tot het schouderophalen van de ware zwakkeling en stak zijn hand uit naar de krant.

Patta verbaasde hem door die voorzichtig te overhandigen en te zeggen: 'Ga zitten en lees maar even. Het staat op pagina vijf. En vertel me dan waar dat motief vandaan komt.'

Brunetti ging zitten en sloeg de krant open, waarna hij de kop gauw gevonden had: 'Onbekende man in kanaal geïdentificeerd als plaatselijke dierenarts.' Het artikel vermeldde Nava's naam en leeftijd, en er stond in dat hij in Mestre woonde, waar hij een eigen dierenartsenpraktijk had. Er stond verder in dat hij gescheiden van zijn vrouw leefde en één zoon had. De politie die zijn dood onderzocht, hield rekening met de mogelijkheid van een persoonlijke vendetta.

'*Vendetta privata?*' vroeg Brunetti, opkijkend van de krant.

'Dat is precies wat ik aan jou wilde vragen, commissario,' zei Patta, met een sarcasme dat dicht in de buurt kwam van leedvermaak. 'Waar komt dat idee vandaan?'

'Van zijn vrouw, van haar familie, of wie die journalist ook maar gesproken heeft, of misschien vond hij het gewoon goed klinken. God mag het weten.' Brunetti overwoog even of het verstandig was om te opperen dat het net zo goed iemand van de Questura zou kunnen zijn, maar wijsheid en de wetenschap dat het leven nog lang duurde, legden hem het zwijgen op.

'Je ontkent dat jij het gezegd hebt?' vroeg Patta zonder stemverheffing.

'Vice-questore,' zei Brunetti, met zijn kalmste, meest redelijke stem, 'het maakt niet uit waar ze dat idee vandaan hebben.' Wetend hoe Patta's brein werkte, vervolgde hij: 'Als je erover nadenkt is "persoonlijke vendetta" eigenlijk veel beter dan het idee dat het willekeurige geweldpleging was.' Hij zorgde ervoor dat hij zijn blik op de krant gericht hield en Patta niet aankeek terwijl hij dit zei, alsof hij zomaar wat hardop zat te denken. Het maakte Patta waarschijnlijk niet uit dat er een man was neergestoken en in het kanaal was gegooid, zolang die man maar tot de plaatselijke bevolking behoorde. Als hij een toerist was geweest, zou het misdrijf Patta zorgen hebben gebaard, en als het slachtoffer een toerist uit een rijk Europees land was geweest, zou de vice-questore ongetwijfeld nog veel verontruster hebben gereageerd.

'Misschien,' zei Patta onwillig, wat Brunetti meteen vertaalde in een onuitgesproken 'Je hebt waarschijnlijk gelijk'. Hij vouwde de krant op en legde hem voor Patta neer, waarna hij een gezicht van plichtsgetrouwe geestdrift opzette.

'Wat heb je gedaan?' vroeg Patta ten slotte.

'Ik heb met zijn vrouw gesproken. Zijn weduwe.'

'En?' vroeg Patta, maar hij zei het op zo'n manier dat Brunetti besloot dat dit niet de dag was om met Patta te blijven sparren.

'Ze vertelde me dat ze niet meer bij elkaar woonden; ik twijfel er niet aan dat zij wilde scheiden. Hij had iets met een vrouwelijke collega. Niet op zijn praktijk, maar in het *macello* waar hij werkte, net buiten Preganziol.' Hij zweeg even om Patta de gelegenheid te geven vragen te stellen, maar zijn chef knikte alleen maar. 'Zijn vrouw zei dat hij zich zorgen maakte.'

'Over iets anders dan dat gedoe met die andere vrouw?' vroeg Patta.

'Die indruk kreeg ik wel, ja, door wat ze zei, of door hoe ze het zei. Ik wilde eens kijken hoe het daar was.' Brunetti kon het niet opbrengen meer te zeggen dan dat.

'En?'

'Het is geen fijne plek: ze maken dieren dood en snijden ze in stukken,' zei Brunetti botweg. 'Ik heb met de vrouw gesproken die zijn minnares moet zijn geweest.'

Voor hij verder kon gaan viel Patta hem in de rede: 'Je hebt toch niet tegen haar gezegd dat je van hun affaire op de hoogte bent, hè?'

'Nee, meneer.'

'Wat heb je wel tegen haar gezegd?'

'Dat hij dood was.'

'Hoe reageerde ze?'

Brunetti had daar al een tijdje over nagedacht. 'Ze was boos dat het zo lang geduurd heeft voordat we het haar vertelden, maar ze heeft niets bijzonders over hem gezegd.'

'Daar is waarschijnlijk ook geen reden voor, denk ik,' zei Patta, die vervolgens een opmerkelijke gevoeligheid voor Brunetti's reactie aan de dag legde en zich haastte eraan toe te voegen: 'Van haar uit gezien, bedoel ik.' Hij verviel weer in zijn normale manier van doen en vroeg: 'Wat heeft een vrouw daar trouwens te zoeken?'

'Dat weet ik niet, meneer,' antwoordde Brunetti, zonder op deze echo van zijn eigen gedachten in te gaan.

'Je hebt zo te horen niet veel informatie gekregen,' zei Patta, en hij klonk alsof het hem deugd deed dat te kunnen zeggen.

Brunetti had echter juist te veel informatie gekregen, maar dat was niet iets wat hij met Patta, of wie dan ook, wilde bespreken. Hij volstond ermee Patta ernstig aan te kijken en zei toen: 'Daar heeft u waarschijnlijk gelijk in, vice-questore. Ik ben niet veel te weten gekomen over wat hij daar deed, of hoe die vrouw precies in het geheel past. Als ze al in het geheel past.' Hij was opeens te moe en had – hoezeer het hem ook tegenstond dat toe te geven – te veel honger om met Patta in discussie te gaan. Hij liet zijn blik afdwalen naar het raam, dat uitzag op hetzelfde *campo* als zijn eigen raam.

Hij kwam opeens in de verleiding om te vragen of Patta het uitzicht vanuit zijn raam wel eens als een metafoor voor het verschil tussen hemzelf en Brunetti had opgevat. Ze keken allebei naar hetzelfde, maar omdat Brunetti's uitzicht vanaf een hogere plek werd genoten, was het beter. Nee, misschien beter om daar niet naar te vragen.

'Nou, aan de slag dan maar,' zei Patta op de toon die hij gebruikte wanneer hij geacht werd mensen in beweging te zetten en hen te stimuleren tot dynamische actie.

Brunetti wist uit ervaring dat dit de toon was die het meest naar eerbied haakte, en dus antwoordde hij: 'Sì, dottore,' en kwam overeind.

Beneden zat Vianello aan zijn bureau. Hij las niet en was evenmin in gesprek met zijn collega's, of aan de telefoon. Hij zat roerloos en zwijgend, ogenschijnlijk in diep gepeins verzonken over het bureaublad gebogen. Toen Brunetti binnenkwam, keken de andere mannen hem ongemakkelijk aan, bijna alsof ze bang waren dat hij Vianello zou meenemen vanwege iets wat hij gedaan had.

Brunetti bleef bij het bureau van Masiero staan en vroeg op normale toon of hij nog iets wijzer was geworden over de auto-inbraken in de gemeentelijke parkeergarage op het Piazzale Roma. De agent vertelde hem dat er de vorige nacht drie videocamera's in de garage waren vernield en dat er in zes auto's was ingebroken.

Hoewel hij niet bij de zaak betrokken was en er ook geen belangstelling voor had, bleef Brunetti er vragen over stellen aan de agent, en op luidere toon dan normaal. Terwijl Masiero zijn theorie uit de doeken deed dat die inbraken het werk moesten zijn van iemand die daar werkte of van iemand die er zijn auto parkeerde, hield Brunetti vanuit zijn ooghoek Vianello in de gaten, die nog steeds stil en roerloos aan zijn bureau zat.

Brunetti wilde net voorstellen om de camera's te maskeren of te camoufleren toen hij beweging bij Vianello gewaarwerd, en even later stond de inspecteur naast hem. 'Ja, een kop koffie zou wel smaken.'

Zonder verder nog iets tegen Masiero te zeggen verliet Brunetti de agentenkamer en ging voor Vianello uit de trap af naar de voordeur, waarna ze over de *riva* naar de bar bij de brug liepen. Ze hadden geen van beiden veel te zeggen, hoewel Vianello mat opmerkte dat het waarschijnlijk eenvoudiger was om gewoon te kijken wie er tijdens de nachten van de inbraken in de garage aan het werk waren geweest. En als dat niets opleverde, ging hij verder, was het niet zo moeilijk om via de computer na te gaan wie er tijdens die betreffende nachten hun toegangspas hadden gebruikt om hun auto te parkeren of op te halen.

Ze stapten de bar binnen en bleven, verenigd in hun honger, staan kijken wat voor *tramezzini* er te krijgen waren. Bambola vroeg wat ze wilden bestellen. Brunetti vroeg om een tomaat met ei en een tomaat met mozzarella. Vianello zei dat hij hetzelfde nam. Ze bestelden allebei een witte wijn en namen hun glas mee naar het tafeltje achterin.

Ze zaten nog maar net of Bambola was er al met de sandwiches. Vianello negeerde die en dronk de helft van zijn wijn op; Brunetti deed hetzelfde, knikte toen naar Bambola terwijl hij zijn glas omhooghield en naar dat van Vianello wees.

Hij zette zijn glas neer en pakte zonder te kijken een van de *tramezzini*. Honger vroeg om haast, niet om bedachtzaamheid. Minder mayonaise dan Sergio gebruikte, stelde Brunetti vast bij zijn eerste hap, en dat was maar goed ook. Hij dronk zijn glas leeg en overhandigde het aan de terugkerende Bambola.

'En?' zei Brunetti uiteindelijk, toen de barman wegliep met de lege glazen.

'Wat zei Patta?' vroeg Vianello.

'Hij zei dat ik ermee verder moest gaan, zonder precies duidelijk te maken wat hij bedoelde. Ik neem aan dat hij op die signorina Borelli doelde.'

'Het leek me geen plek waar een vrouw zou willen zijn,' zei Vianello, uiting gevend aan dezelfde gedachte die Brunetti en Patta hadden gehad, al slaagde hij erin die minder bedenkelijk te laten klinken. Vervolgens verraste de inspecteur hem door te zeggen: 'Mijn opa was boer.'

'Ik dacht dat die in Venetië woonde,' wierp Brunetti tegen, want het een sloot het ander ten enenmale uit.

'Pas vanaf zijn twintigste of zo. Hij is hier vlak voor de Eerste Wereldoorlog komen wonen. De vader van mijn moeder. Zijn familie ging dood van de honger op een boerderij in Friuli, dus toen hebben ze de middelste zoon naar de stad gestuurd om te werken. Maar hij is opgegroeid op een boerderij. Ik weet nog wel dat hij verhalen vertelde, toen ik klein was, over hoe het was om onder een *padrone* te werken. De man van wie die boerderij was reed er elke dag op zijn paard naartoe om de eieren te tellen, of in ieder geval de kippen te tellen, en als hij vond dat het aantal dat hij gekregen had niet klopte, eiste hij meer eieren.' Vianello keek door het raam naar buiten, naar de mensen die de brug op en af liepen. 'Moet je je voorstellen: die kerel was eigenaar van bijna alle boerderijen in de omgeving, en die bracht zijn tijd door met eieren tellen.' Hij schudde zijn hoofd bij de gedachte en zei toen: 'Het enige wat ze soms konden doen, vertelde hij, was een beetje van de melk drinken als die een nacht moest blijven staan om de room te laten bovendrijven.'

In herinneringen verzonken zette Vianello zijn glas op tafel. De sandwiches waren uit zijn gedachten verdwenen. 'Hij heeft me verteld dat hij een oom had die dood is gegaan van de honger. Die vonden ze op een ochtend in zijn schuur, midden in de winter.'

Brunetti, die soortgelijke verhalen had gehoord toen hij nog een jongen was, vroeg niets.

Vianello keek hem aan en glimlachte. 'Maar het helpt verder niks, hè, praten over die dingen?' Hij pakte een van de sandwiches, nam voorzichtig een hap, als om zichzelf eraan te herinneren wat eten ook alweer was, vond het blijkbaar lekker, en at de rest van de *tramezzino* in twee snelle happen op. En daarna de andere.

'Ik ben wel nieuwsgierig naar die signorina Borelli,' zei Brunetti.

'Signorina Elettra vindt wel wat er te vinden is,' verwoordde Vianello een van de Zeven Zuilen van Wijsheid van de Questura.

Brunetti dronk zijn wijn op en zette het glas neer. 'Patta zou niet willen dat het een roofmoord was,' zei hij, een andere verwoordend. 'Laten we teruggaan.'

21

De genoéglijkheid van rustig praten en ondertussen eten en drinken had hen opgebeurd, en toen ze de bar verlieten, leek de hardnekkige geur eindelijk uit hun kleren verdwenen. Lopend over de *riva* zei Brunetti dat hij signorina Elettra zou vragen om eens in het leven van signorina Borelli te duiken. Vianello bood aan om te kijken wat er over Papetti, de directeur van het slacht-huis, te vinden was, zowel in officiële bronnen als via 'vrienden op het vasteland', wat dat ook mocht betekenen. Op de Questura aangekomen ging de inspecteur naar de agentenkamer en liep Brunetti door naar de kamer van Patta.

Signorina Elettra zat achter haar computer met haar handen verstrengeld boven haar hoofd. 'Ik hoop dat ik u niet stoor,' zei Brunetti toen hij binnenkwam.

'Helemaal niet, dottore,' zei ze, en ze liet haar armen zakken, maar bleef ondertussen met haar vingers wriemelen. 'Ik zit de hele dag al achter het scherm en heb er gewoon een beetje ge-noeg van.'

Als zijn zoon had gezegd dat hij genoeg had van eten, of Paola had gezegd dat ze genoeg had van lezen, had Brunetti niet ver-baasder kunnen zijn. Hij wilde vragen of ze genoeg had van... maar kon het woord niet vinden dat adequaat beschreef wat ze de hele dag deed. Snuffelen? Spitten? De wet overtreden?

'Zou u liever iets anders doen?' vroeg hij.

'Is dat een beleefdheidsvraag of een echte vraag, signore?'

'Ik geloof dat het een echte is,' zei Brunetti.

Ze haalde haar hand door haar haar en dacht over zijn vraag na. 'Als ik een ander vak moest kiezen, zou ik denk ik wel archeoloog willen zijn.'

'Archeoloog?' kon hij alleen maar herhalen. O, de geheime droom van zo veel mensen die hij kende.

Ze zette haar meest openlijke glimlach en stem op. 'Natuurlijk alleen als ik sensationele ontdekkingen kon doen en heel erg beroemd zou worden.'

Afgezien van Carter en Schliemann, dacht Brunetti, waren niet veel archeologen beroemd geworden.

Hij weigerde geloof te hechten aan dit deel van haar verlangen en vroeg, met hoorbare scepsis: 'Alleen voor de roem?'

Ze dacht even zwijgend na en gaf toen glimlachend toe: 'Nee, niet echt. Ik zou natuurlijk wel de mooie dingen willen vinden – dat is de enige reden waarom archeologen beroemd worden – maar wat ik echt zou willen weten is hoe mensen vroeger hun dagelijks leven leidden en hoeveel ze op ons leken. Of van ons verschilden, eigenlijk. Hoewel ik niet zeker weet of we daarvoor wel bij de archeologie moeten zijn.'

Brunetti, die dacht dat dat niet het geval was en dat de literatuur veel meer te vertellen had over hoe mensen waren en leefden, knikte. 'Waar kijkt u naar in de musea?' vroeg hij. 'De mooie stukken of de riemgespen?'

'Dat is juist zo wonderbaarlijk,' antwoordde ze. 'Die gewone dingen zijn ook vaak zo mooi dat ik nooit weet waar ik naar moet kijken. Gespen, haarspelden, zelfs de aardewerken borden waar ze van aten.' Ze dacht hierover na en ging toen verder: 'Of misschien vinden we ze alleen maar mooi omdat ze met de hand gemaakt zijn, en zijn we zo gewend aan massaproductie dat we alleen al zeggen dat ze mooi zijn omdat ze allemaal verschillend zijn, en omdat we meer waarde zijn gaan hechten aan handgemaakte voorwerpen.'

Ze lachte even en zei toen: 'Ik denk dat de meeste mensen uit die tijd hun mooie aardewerken drinkbeker maar al te graag zouden ruilen voor een glazen jampot met deksel, of hun handgemaakte ivoren kam voor een stuk of wat machinaal gemaakte naalden.'

Om aan te geven dat hij het daarmee eens was, deed hij er nog een schepje bovenop: 'Ze zouden je waarschijnlijk alles geven wat je maar wilde in ruil voor een wasmachine.'

Ze lachte nogmaals. 'Ík zou ú alles geven wat u maar wilde in ruil voor een wasmachine.' Opeens serieus vervolgde ze: 'Ik denk dat de meeste mensen – in ieder geval de vrouwen – zo hun stemrecht zouden opgeven in ruil voor een wasmachine. God weet dat ik dat zou doen.'

Brunetti dacht eerst dat ze een grapje maakte, dat ze overdreef, zoals ze wel vaker deed, maar toen realiseerde hij zich dat ze het meende.

'Zou u dat doen?' vroeg hij ongelovig.

'Voor een stem in dit land? Absoluut.'

'En in een ander land?' vroeg hij.

Dit keer ging ze met de vingers van beide handen door haar haar en liet haar hoofd zakken. Ze zat daar alsof ze de namen van de landen van de wereld op haar bureaublad voorbij zag komen. Ten slotte keek ze op en zei, alle speelsheid uit haar stem verdwenen: 'Dan ook, vrees ik.'

Repliek of commentaar had hij niet, dus zei hij: 'Ik zou graag willen dat u een paar dingen uitzoekt, signorina.'

Ze hield er onmiddellijk mee op een beeld van de dood van de democratie te zijn en veranderde weer in de gewone, efficiënte signorina Elettra. Hij gaf haar Giulia Borelli's naam en vertelde wat haar relatie was tot de vermoorde man en welke functie ze bekleedde bij het slachthuis. Hoewel hij geenszins twijfelde aan Vianello's competentie, wist Brunetti maar al te goed dat signorina Elettra de meester was en Vianello slechts de leerling, dus noemde hij ook de namen van Papetti en Bianchi en legde uit wie zij waren.

'Gaat de pers ons hierover lastigvallen, denkt u?' vroeg hij.

'O, die hebben nu die oom,' zei ze. 'Dus niemand mailt. En niemand belt.' Ze doelde op een moordzaak die op dat moment het hele land in zijn greep hield: een moord binnen een zeer hechte familie, met ouders en familieleden die verschillende verhalen vertelden over het slachtoffer en de verdachte. Elke dag kwamen er mensen bij en vielen er mensen af van de lijst met mogelijke daders, en kranten en televisie werden overvoerd met mensen die geïnterviewd wilden worden. Het leek ook alsof er elke dag een nieuwe foto verscheen van een bedroefd kijkend lid van die familie dat een foto omhooghield van het mooie, jeugdige slachtoffer, en de dag erna veranderde die persoon dan van treurende in verdachte door de onthullingen van weer een ander familielid.

De koffie in de bars smaakte zelfs naar dat verhaal; je kon geen boottochtje maken zonder dat erover gesproken werd. In het begin, een maand geleden, toen de jonge vrouw nog maar net verdwenen was, had de politieman in Brunetti wel op de bootsteigers willen uitschreeuwen: 'Het is iemand in de familie,' maar hij had een ijzig, professioneel stilzwijgen bewaard. En nu, wanneer het onderwerp ter sprake kwam, zoals overal gebeurde, weigerde hij verbazing te veinzen over de nieuwe ontdekkingen en deed hij zijn best om over iets anders te beginnen.

Dus ging hij er zelfs tegenover signorina Elettra niet op in en zei in plaats daarvan: 'Mocht er toch iemand van de pers bellen, wilt u die dan doorverwijzen naar de vice-questore?'

'Natuurlijk, commissario.'

Hij was kortaf geweest; natuurlijk was hij kortaf geweest, maar hij had zich niet tot de zoveelste discussie over deze misdaad willen laten verleiden. Hij vond het verontrustend dat veel mensen een moord zo gemakkelijk als een wrede grap waren gaan zien, waar maar één reactie op mogelijk was: die van groteske humor. Misschien was die reactie gewoon een vorm van magisch denken, een manifestatie van de hoop dat lachen zou voorkomen dat het nog een keer zou gebeuren, of zou gebeuren met de persoon die lachte.

Of misschien was het een poging om te verhullen of te ontkennen wat deze moord in feite duidelijk maakte: dat de hechte Italiaanse familie net zozeer tot het verleden behoorde als die handgemaakte riemgespen en aardewerken borden. Net als die voorwerpen was ze vervaardigd in een eenvoudiger tijd, gemaakt van robuuste materialen voor mensen die eenvoudiger dingen van het leven verwachtten. Maar nu waren de contacten en de geneugten massaproducten, gemaakt van minder waardevolle materialen, en dus was de familie dezelfde weg gegaan als het kerkkoor en de opkomst bij de mis. Er werd nog wel lippendienst bewezen, maar het enige wat restte was een in de herinneringen gekoesterde schim.

'Ik ben op mijn kamer,' zei Brunetti, die daar niet wilde blijven staan om voort te borduren op een van de onderwerpen die ze hadden aangesneden. In zijn kamer schoof hij zijn stoel naar de kant van het bureau waar hij de computer had neergezet, die hij onwillekeurig bleef beschouwen als het eigendom van signorina Elettra.

Hij moest er niet aan denken om nog meer te weten te komen over het proces waarvan hij die ochtend getuige was geweest, maar hij was wel nieuwsgierig naar de veehouderij zoals die momenteel bestond. Zijn nieuwsgierigheid voerde hem naar de burelen van Brussel en Rome en het ondoorgrondelijke proza van de diverse Anonieme Beslissers van het landbouwbeleid.

Toen hij daar genoeg van kreeg, besloot Brunetti zijn vaardigheid te testen door op zoek te gaan naar Papetti, directeur van het slachthuis in Preganziol, een zoektocht die veel gemakkelijker was dan Brunetti had gedacht. Alessandro Papetti, zo bleek, was geen ruige plattelander met een hang naar het boerenbedrijf en alles wat met koeien te maken had, maar de zoon van een advocaat uit Treviso die was afgestudeerd in de *economia aziendale* aan de universiteit van Bologna. Zijn eerste betrekking, begrijpelijk genoeg, was op zijn vaders kantoor geweest, waar hij tien jaar lang als belastingconsulent had gewerkt voor zijn vaders zakelijke cliënten. Vier jaar geleden was hij aangesteld als directeur van het *macello*.

Kort na die aanstelling had Papetti een interview gegeven aan *La Tribuna*, de plaatselijke krant van Treviso, waarbij hij had geposeerd voor een foto met zijn vrouw en drie kleine kinderen. Hij vertelde dat boeren de drijvende kracht van een natie waren, de mannen op wier ruggen de hele natie rustte.

Brunetti kon geen informatie over Bianchi vinden, en de bestanden van de Treviso-editie van de *Gazzettino* leverden alleen maar een kort bericht op over de benoeming van signorina Borelli in haar functie bij het *macello* drie jaar geleden. Signorina Borelli, zo werd verteld, was afgestudeerd in marketing en toerisme en had, voorafgaand aan haar nieuwe baan, gewerkt op de boekhoudafdeling van Tekknomed, een klein farmaceutisch bedrijf in Treviso.

Treviso en Treviso, dacht Brunetti. Maar *what's in a city*?

Hij surfde verder naar het telefoonboek van Treviso. In een paar seconden had hij het gevonden: Tekknomed. Hij toetste het nummer in en kreeg, na drie keer overgaan, een jonge vrouw met een heldere stem aan de lijn.

'Goedemiddag, signorina,' zei Brunetti. 'U spreekt met het kantoor van avvocato Papetti. We proberen u al een halfuur een e-mail te sturen, maar die komt steeds weer terug als onbezorgbaar. Dus ik dacht, ik bel even om te kijken of u misschien problemen met uw server hebt.' Hij legde wat bezorgdheid in zijn stem en vervolgde: 'Het zou natuurlijk ook die van ons kunnen zijn, maar het gebeurt alleen als we iets naar jullie sturen, dus ik dacht, ik bel even om het tegen u te zeggen.'

'Dat is heel vriendelijk van u, signore. Als u even wacht, dan kijk ik even. Naar wie wilde u het sturen?'

Voorbereid op die vraag zei Brunetti: 'Naar de mensen van de boekhouding.'

'Eén momentje, graag. Ik zal het even vragen.'

Er klonk een klik en daarna wat nietszeggende muziek terwijl Brunetti aan de lijn bleef, wat hij met alle genoegen deed.

Ze was algauw weer terug en zei: 'Ze vroegen of u het naar het e-mailadres heeft gestuurd dat jullie altijd gebruiken: conta@Tekknomed.it?'

'Absoluut,' zei Brunetti, met iets van verwarring in zijn stem. 'Ik zal het nog een keer proberen en kijken wat er gebeurt. Als de mail terugkomt, bel ik weer, goed?'

'Prima. Dat is heel vriendelijk van u, signore. De meeste mensen zouden niet de moeite nemen om ons te bellen en het te zeggen.'

'Het is het minste wat we voor onze cliënten kunnen doen,' zei Brunetti.

Ze bedankte hem en was verdwenen.

'Bingo,' zei Brunetti terwijl hij de telefoon neerlegde. Maar toen liet zijn gebruikelijke voorzichtigheid zich weer gelden en veranderde hij dat in: 'Bingo?'

22

'Het kan toeval zijn,' zei Vianello toen Brunetti hem vertelde dat Tekknomed – waar signorina Borelli had gewerkt – een cliënt was van het advocatenkantoor van Papetti's vader.

'Ze heeft marketing en toerisme gestudeerd, Lorenzo. En nu is ze zijn assistent in een slachthuis. Kun jij me vertellen hoe dat zo gekomen is?'

'Waar wou je haar dan van beschuldigen, Guido? Dat ze van baan veranderd is en een verhouding heeft gehad?'

'Jij zegt het,' antwoordde Brunetti, die besefte hoe zwak en kribbig zijn betoog was. 'Ze verandert van baan na gewerkt te hebben voor een bedrijf waar haar nieuwe baas mee te maken had.'

Vianello keek hem een tijdje aan voordat hij antwoord gaf. 'Dit is een tijd waarin mensen zichzelf opnieuw moeten uitvinden, Guido, dat zeg je zelf altijd tegen mij. Jonge mensen die gestudeerd hebben, maakt niet uit wat, mogen blij zijn als ze werk hebben, wat voor werk dan ook. Ze heeft waarschijnlijk een goed aanbod gekregen en is toen met hem meegegaan naar zijn nieuwe werk.' Toen Brunetti geen antwoord gaf, vroeg Vianello: 'Hoeveel van de kinderen van jouw vrienden hebben werk? De meesten die ik ken zitten de hele dag thuis achter de computer en moeten hun ouders geld vragen om uit te gaan in het weekend.'

Brunetti stak zijn hand op om hem te onderbreken. 'Dat weet ik allemaal wel. Dat weet iedereen. Maar dat is niet wat ik bedoel.

We hebben hier te maken met een vrouw die vermoedelijk een goede baan had...'

'Dat weten we niet.'

'Nou ja, daar kunnen we achter komen. En als het een goede baan was, dan heeft ze die dus opgezegd om iets nieuws te gaan doen.'

'Beter salaris. Betere werktijden. Dichter bij huis. Had een hekel aan haar oude baas. Meer vakantiedagen. Eigen kamer. Auto van de zaak.' Vianello hield zijn mond om Brunetti de kans te geven te reageren, en toen hij dat niet deed, vroeg de inspecteur: 'Wil je dat ik nog meer redenen geef waarom ze misschien een andere baan genomen heeft?'

'Het voelt vreemd,' zei Brunetti, en hij klonk, zelfs in zijn eigen oren, als een recalcitrant kind dat van geen opgeven wist.

Vianello gooide zijn handen in de lucht. 'Oké, oké, dan klinkt het misschien vreemd dat ze zomaar van baan veranderd is, maar meer dan dat kun je er niet van maken. We hebben niet genoeg informatie om te bepalen wat er gebeurd is. We hebben helemáál geen informatie. En die zullen we niet hebben ook, als we niet eerst meer over haar te weten komen.'

Die kleine concessie was het enige wat Brunetti nodig had. Hij stond op en zei: 'Ik ga vragen of ze er even in wil duiken.'

'Dat zal ze vast heerlijk vinden,' zei Vianello op volkomen natuurlijke toon, waarna hij ook opstond om terug te gaan naar zijn eigen kamer.

Twintig minuten later werd Vianello gestoord tijdens het lezen van de *Gazzettino* doordat Brunetti hem vroeg naar boven te komen. Zodra zijn assistent binnenkwam, zei Brunetti: 'Dat vond ze inderdaad.' Hij zei maar niet tegen Vianello dat signorina Elettra het ook verdacht had gevonden dat signorina Borelli van baan veranderd was – nou ja, niet echt verdacht, maar interessant – en vertelde hem slechts dat ze gezegd had dat het misschien even zou duren voor ze haar arbeidsgegevens had gelokaliseerd en zich er toegang toe had verschaft. De achteloze manier waarop ze die woorden gebruikte, herinnerde Brunetti eraan dat het al een tijd geleden was dat hij of Vianello voor het laatst naar signorina Elettra's werkwijze had geïnformeerd: ze wachtten gewoon de resultaten af en vonden het verder prima. Hun tegenzin om er rechtstreeks naar te vragen had misschien te maken met de discutabele rechtmatigheid van wat ze deed wanneer ze haar onderzoek verrichtte. Brunetti schudde die gedachten van zich af: nog even en hij zou zich afvragen hoeveel engelen er konden dansen op een speldenknop.

Vianello zei, op de toon die hij gebruikte wanneer hij veel meer wilde suggereren dan hij zei: 'We hebben nog steeds geen enkele reden gevonden waarom iemand hem zou willen vermoorden.' Hoe lang zou het duren, vroeg Brunetti zich af, voor de inspecteur het over de moord zou hebben in termen van een uit de hand gelopen beroving?

'Hij is naar Venetië gekomen,' zei Brunetti, terugkerend naar een van de weinige dingen die ze met zekerheid wisten. In Rizzardi's definitieve rapport, dat ze allebei hadden gelezen, stond alleen dat de dode, afgezien van de Madelung, in goede gezondheid had verkeerd voor een man van zijn leeftijd. Hij had enkele uren voor zijn dood een avondmaaltijd gegeten en een kleine hoeveelheid alcohol gedronken. De spijsvertering was gaande op het moment dat hij stierf, had de patholoog geschreven, en de tijd die het lichaam in het water had doorgebracht, had ieder spoor van eventuele seksuele activiteit uitgewist. Vanwege de temperatuur van dat water kon de patholoog slechts schatten dat het tijdstip van overlijden ergens tussen twaalf uur 's nachts en vier uur 's ochtends moest hebben gelegen.

Hoewel Nava's naam en foto die dag in de kranten hadden gestaan, met het verzoek of iedereen die informatie over hem had de politie wilde bellen, had er niemand gebeld.

Vianello haalde diep adem. 'Zijn voorganger heette Meucci, hè?' vroeg hij.

Het duurde even voor Brunetti kon aanhaken bij Vianello's gedachtegang en doorhad dat hij het over Nava's voorganger in het slachthuis had. 'Ja. Gabriele, geloof ik.' Hij draaide zich om naar zijn computer en was zich ervan bewust hoezeer die beweging leek op die van signorina Elettra wanneer zij zich omdraaide naar de hare. Hij onderdrukte de neiging om te zeggen dat het een koud kunstje zou zijn om Meucci te vinden en hoopte ondertussen dat er ergens een lijst met dierenartsen bestond, een of andere vakvereniging waar ze allemaal lid van waren.

Hij vond de naam uiteindelijk in de gouden gids, onder 'Dierenartsen'. De *ambulatorio* van dottor Gabriele Meucci was gevestigd op een adres in Castello. Het nummer kreeg pas betekenis toen Vianello het vond in *Calli, Campi, e Castelli*, in de verste uithoek van Castello, aan de Riva di San Giuseppe.

'De mensen daar zullen ook wel dieren hebben,' luidde Vianello's commentaar op de locatie. Het lag zo ver van het stadscentrum als een mens maar kon komen zonder over te steken naar S. Elena, wat voor hen allebei net zoiets was als Patagonië. 'Nogal ver van Preganziol, zou ik zeggen,' voegde Vianello eraan toe.

Toen hij de computer uitzette, merkte Brunetti dat zijn linkerhand trilde. Hij had geen idee wat de oorzaak was, maar door zijn vingers een paar keer tot een vuist te ballen slaagde hij erin het te laten verdwijnen. Hij legde zijn hand plat op het bureau en duwde erop, daarna tilde hij hem een paar centimeter omhoog: hij trilde nog steeds.

'Ik denk dat we naar huis moeten gaan, Lorenzo,' zei hij, met zijn blik op zijn hand en niet op Vianello.

'Ja,' beaamde Vianello, die zijn handen op zijn knieën liet neerkomen en zichzelf overeind duwde. 'Ik denk dat het te veel geweest is daar, vandaag.'

Brunetti wilde nog iets terugzeggen, een opmerking maken – grappig of ironisch – over waar ze geweest waren, maar de woorden weigerden te komen. Schokkende ervaringen zoals zij die hadden gehad, zo had hij altijd gehoord, lieten blijvende sporen na of veranderden iemand diep vanbinnen. Geen sprake van. Hij had afgrijzen en walging gevoeld, maar hij wist dat hij niet veranderd was, niet echt. Brunetti had geen idee of dat goed was of niet.

'Zullen we elkaar morgenochtend voor zijn praktijk treffen?' stelde hij aan Vianello voor.

'Negen uur?'

'Ja. Ervan uitgaande dat hij aan het werk is.'

'En als dat niet zo is?'

'Dan nemen we een kop koffie met een koffiebroodje, gaan een tijdje naar de boten zitten kijken en dan komen we wat later op het werk.'

'Alleen omdat je zo aandringt, commissario,' zei Vianello.

Toen hij de Questura verliet, voelde Brunetti het verzamelde gewicht van de dag op zich neerkomen en wenste hij heel even dat hij in een stad woonde waar een mens een taxi kon bellen zonder meteen zestig euro kwijt te zijn, hoe kort het tochtje ook was. Voor het eerst zolang hij zich kon herinneren was zijn huis te ver om te lopen, dus begaf hij zich langzaam naar de halte San Zaccaria om op de Nummer Een te wachten.

Hij hield zijn linkerhand tot een vuist gebald in zijn zak en onderdrukte de neiging hem eruit te halen en ernaar te kijken. Hij had een maandabonnement voor de boot, dus hij hoefde niet zijn portefeuille te pakken en zijn reispas tevoorschijn te halen.

De boot kwam en hij stapte erop, liep de cabine in en ging zitten. Zodra de vaporetto van de *embarcadero* wegvoer, werd Brunetti's nieuwsgierigheid hem te veel en haalde hij zijn hand uit zijn zak. Hij legde hem met gespreide vingers op zijn dij, maar in plaats van ernaar te kijken, richtte hij zijn blik op de engel die boven de koepel van de San Giorgio vloog, nog zichtbaar in het snel afnemende licht.

Hij voelde niets trillen tegen zijn dij, maar voordat hij keek bracht hij zijn vingers omhoog tot een centimeter boven zijn been en hield ze daar een paar seconden, terwijl hij verdiept bleef in de engel die daar eeuwen geleden was neergezet. Ten slotte keek hij naar zijn vingers, die niet bewogen. Hij ontspande ze en legde ze weer op zijn dij.

'Zo veel dingen,' zei hij zachtjes, zonder goed te weten wat hij daarmee bedoelde. De jonge vrouw naast hem schrok op en keek naar hem, en ging toen weer verder met haar kruiswoordraadsel. Ze zag er niet Italiaans uit, vond hij, al had hij haar maar heel even gezien. Frans misschien. Niet Amerikaans. En niet Italiaans. Ze zat op een boot die over het Canal Grande voer, met haar blik op een kruiswoordraadsel waarvan de letters te klein waren om de taal te kunnen ontcijferen. Brunetti keek weer naar de engel, om te zien of die hier iets op te zeggen had, maar dat had hij niet, dus richtte Brunetti zijn aandacht op de gevels van de gebouwen aan de rechterkant.

Toen hij nog een jongen was hadden ze in dit kanaal gezwommen, en ook in veel andere grote kanalen. Hij herinnerde zich dat ze vanaf de Fondamenta Nuove het water in waren gedoken, en hij herinnerde zich dat een klasgenoot van hem een keer van de Giudecca naar de Zattere was gezwommen omdat hij geen zin had om te wachten op een avondboot. Toen Brunetti's vader nog een jongen was geweest, had hij *seppie* gevangen bij de *riva* in Sacca Fisola, maar dat was in de tijd geweest voordat Marghera, aan de overkant van de *laguna*, volledig was getransformeerd door de petrochemische industrie. En voordat de *seppie* er ook door waren getransformeerd.

Hij stapte uit bij San Silvestro, nam de onderdoorgang en sloeg links af, erop gebrand om zo snel mogelijk thuis te zijn. Hij wilde alleen nog maar een glas wijn en iets te eten. Amandelen misschien: iets zouts. En een niet-mousserende witte wijn: pinot grigio. Ja.

Hij had de deur van zijn woning nog niet achter zich dichtgedaan of hij hoorde Paola uit de keuken roepen: 'Als je iets wilt drinken, er staat wat te knabbelen in de huiskamer. De wijn is open. Ik kom hem zo brengen.'

Brunetti hing zijn jas op en volgde haar voorstel op alsof het een bevel was geweest. Toen hij de huiskamer in liep zag hij tot zijn verbazing dat de lichten aan waren, en zijn verbazing werd nog groter toen hij naar buiten keek en zag dat het al bijna donker was. Op de boot, bezig met zijn vingers, had hij niet gemerkt dat de schemering inviel.

Op de salontafel voor de bank stonden twee wijnglazen, een kommetje zwarte olijven, een kommetje amandelen, wat *grissini* en een bord met kleine stukjes parmigiano, zo te zien. 'Reggiano,' zei hij hardop. Zijn moeder had zelfs in tijden van de zwartste financiële ellende nooit iets anders willen gebruiken dan Parmigiano Reggiano. 'Beter niets dan iets wat niet zo goed is,' zei ze altijd, en dat vond hij zelf ook nog steeds.

Paola kwam de huiskamer in met een fles wijn. Hij keek haar aan en zei: 'Beter niets dan iets wat niet zo goed is.'

Paola, die Brunetti's sibillijnse momenten kende als geen ander, glimlachte. 'Ik neem aan dat je het over de wijn hebt?'

Hij hield de glazen bij terwijl zij inschonk en ging toen naast haar op de bank zitten. Pinot grigio: hij was getrouwd met een vrouw die gedachten kon lezen. Hij pakte wat amandelen en at ze een voor een op, genietend van het contrast tussen het zout, de bitterheid van de amandelen, en de wijn.

Zonder enige waarschuwing sleurde zijn geheugen hem opeens mee naar het met grind bedekte terrein voor het slachthuis, en hij ving weer een vleug op van de stank die ervandaan kwam. Hij sloot zijn ogen en nam nog een slok wijn. Hij concentreerde zich op de smaak van de wijn, de smaak van de amandelen en de zachte aanwezigheid van de vrouw naast hem. 'Vertel eens wat je ze geleerd hebt vandaag,' zei hij, en hij trapte zijn schoenen uit en leunde achterover.

Ze nam een lange slok, knabbelde op een *grissino* en at een van de stukjes kaas. 'Ik weet niet zeker of ik ze iets geleerd heb,' begon ze, 'maar ik had ze gevraagd om *The Spoils of Poynton* te lezen.'

'Is dat die ene over die vrouw met al die spullen?' vroeg hij, en hij veranderde met één goedgekozen vraag van een sibille in een filister.

'Ja, schat,' zei ze, en ze schonk hun allebei nog wat wijn in.

'Hoe reageerden ze?' vroeg hij, opeens nieuwsgierig. Hij had het boek gelezen, zij het in vertaling – hij las James liever in vertaling – en had het erg goed gevonden.

'Ze leken maar niet te kunnen begrijpen dat ze verknocht was aan de dingen die ze bezat omdat ze mooi waren, niet omdat ze waardevol waren. Of waardevol om andere dan financiële redenen.' Ze nam een slokje wijn. 'Mijn studenten hebben grote moeite met iedere motivatie voor menselijk handelen die niet op financieel gewin is gebaseerd.'

'Daar is geen gebrek aan,' zei Brunetti, en hij pakte een olijf. Hij at hem op en spuugde de pit uit in zijn linkerhand, die, zag hij, zo vast was als maar kon. Hij legde de pit op een schoteltje en pakte een volgende olijf.

'En ze hadden een voorkeur voor de verkeerde... Ze hadden een voorkeur voor andere personages dan ik,' verbeterde ze zichzelf.

'Er komt een heel onaangename vrouw in voor, hè?' zei hij.

'Het zijn er twee,' antwoordde ze, waarna ze liet weten dat het eten over tien minuten klaar zou zijn.

23

Het motregende toen Brunetti de volgende ochtend zijn huis verliet. Toen hij bij Rialto de vaporetto nam, zag hij dat het water hoog stond, ook al had hij op zijn *telefonino* geen bericht ontvangen dat hem waarschuwde voor *acqua alta*. Hoogwater op ongewone tijdstippen kwam de laatste twee jaar steeds vaker voor, en hoewel de meeste mensen – en alle vissers – geloofden dat dit het gevolg was van de grove interventie van het MOSE-project bij de ingang van de *laguna*, werd dit door officiële bronnen glashard ontkend.

Foa, de schipper van de Questura, werd hels wanneer het onderwerp ter sprake kwam. Samen met het alfabet had hij zich de getijden eigen gemaakt, en hij was net zo thuis in de namen van de winden die over de Adriatische Zee waaiden als priesters in die van de heiligen. Jarenlang, van het begin af aan sceptisch gestemd, had hij het metalen monster zien groeien en alle protesten weggespoeld zien worden door die heerlijke stroom Europees geld die gestuurd was om de parel van de Adriatische Zee te redden. Bevriende vissers vertelden hem over de nieuwe, heftige draaikolken die verschenen waren, zowel in de zee als in de *laguna*, en over de gevolgen van het faraonische gebagger dat de laatste jaren had plaatsgevonden. Niemand, zo beweerde Foa, had de moeite genomen om de vissers te raadplegen. In plaats daarvan hadden experts – Brunetti had Foa een keer zien spugen nadat hij dat woord had uitgesproken – de beslissingen genomen, en andere experts zouden ongetwijfeld de contracten voor de bouw krijgen.

Tien jaar lang had Brunetti ja gelezen, en nee gelezen, en recentelijk had hij gelezen over nieuwe belemmeringen in de financiering die het project met nog eens drie jaar zouden vertragen. Als Italiaan vermoedde hij dat het net zo zou gaan als altijd en dat het het zoveelste bouwproject zou blijken te zijn dat als melkkoe had gediend voor vrienden van vrienden; als Venetiaan werd hij moedeloos bij de gedachte dat zijn stadsgenoten misschien zo laag waren gezonken dat ze zelfs hiertoe in staat waren.

Nog steeds in gepeins verzonken stapte hij van de boot en begon in de richting van het verste stuk van Castello te lopen. Af en toe aarzelde hij, omdat hij hier al jaren niet meer geweest was, dus na een tijdje besloot hij er niet meer bij na te denken en zijn voeten de weg te laten wijzen. De aanblik van Vianello, die in regenjas tegen de metalen reling van de *riva* geleund stond, monterde hem op. Toen Vianello hem naderbij zag komen zei hij, met een knikje naar de deur tegenover hem: 'Volgens het bordje gaat de praktijk om negen uur open, maar er is nog niemand naar binnen gegaan.' Een geprinte kaart beschermd door een plastic hoesje vermeldde de naam van de dierenarts en de openingstijden.

Nadat ze daar een paar minuten naast elkaar hadden gestaan, zei Brunetti: 'Laten we maar eens kijken of hij er al is.'

Vianello duwde zich van de reling af en liep met hem mee naar de deur. Brunetti belde aan en probeerde even later de deur, die gemakkelijk openging. Ze stapten naar binnen en liepen twee treden op naar een klein halletje, dat op zijn beurt toegang gaf tot een open binnenplaats. Een bordje links van hen droeg de naam van de dierenarts en een pijl die naar de overkant van de binnenplaats wees.

De regen, die buiten vervelend was geweest, viel hier vriendelijk op het jonge groen van het gras op de binnenplaats. Zelfs het licht leek anders, helderder op de een of andere manier. Brunetti knoopte zijn regenjas los; Vianello deed hetzelfde.

Als de binnenplaats vroeger deel had uitgemaakt van een klooster, moest dat het kleinste klooster van de stad zijn geweest. Hoewel de tuin omgeven werd door overdekte wandelgangen, waren die niet meer dan vijf meter lang, geen afmetingen, bedacht Brunetti, die een mens in staat stelden een beetje op te schieten met zijn rozenkrans. Hij zou nog niet eens klaar zijn met het eerste tientje als hij weer terugkwam bij het beginpunt, maar hij zou wel worden omringd door schoonheid en rust, als hij tenminste verstandig genoeg was om die tot zich door te laten dringen.

De acanthusbladeren op de kapitelen waren verweerd en de eeuwen hadden de cannelures op de zuilen rond de tuin gladgestreken. Dat was vast niet gebeurd terwijl die zuilen op deze beschutte binnenplaats stonden; wie zou kunnen zeggen waar ze vandaan kwamen of wanneer ze in Venetië waren gearriveerd? Opeens keek er een geit lachend op Brunetti neer: hoe was díé zuil hier terechtgekomen?

Een eindje voor hem uit bleef Vianello staan bij een groene houten deur waarop een messing plaatje de naam van de dierenarts droeg. Hij wachtte tot Brunetti zich bij hem had gevoegd en deed de deur open. Ze stapten een kamer binnen als al die kamers waar Brunetti ooit op een dokter had zitten wachten. Tegenover hen zagen ze nog een houten deur, die dicht was. Langs twee muren stond een rij oranje plastic stoelen; aan het eind van de ene rij stond een laag tafeltje met twee stapels tijdschriften erop. Brunetti keek even of er zoals gebruikelijk nummers van *Gente* en *Chi* tussen lagen. Nee, tenzij de aankomende filmsterretjes en leden van de lagere adel allemaal vervangen waren door katten, honden en, in één geval, een buitengewoon innemend varken met een kerstmanmuts op.

Ze gingen tegenover elkaar zitten. Brunetti keek op zijn horloge. Na vier minuten kwam er een bejaarde vrouw binnen, met een stokoude hond die op verschillende plaatsen zo weinig haar had dat hij deed denken aan het soort knuffelbeest dat op de zolder van grootouders wordt gevonden. De vrouw negeerde hen en liet zich in de stoel zakken die het verst van Vianello stond. De hond zakte met een explosieve zucht aan haar voeten neer, en meteen daarna vervielen ze allebei in een trance. Vreemd genoeg konden ze alleen de vrouw horen ademen.

Er verstreek nog wat tijd, gemeten in het gesnurk van de vrouw, totdat Brunetti opstond en naar de andere deur liep. Hij klopte, wachtte tot Vianello bij hem kwam staan, klopte nog een keer en deed open.

Aan de andere kant van de kamer, achter een bureau, zag Brunetti de bovenste helft van wat misschien wel de dikste man was die hij ooit gezien had. Hij zat achterovergeleund in zijn leren stoel te slapen, zijn hoofd zo ver naar links gezakt als zijn nek en de kinnen erboven toestonden. Hij was misschien in de veertig, zijn leeftijd werd verdoezeld door de afwezigheid van rimpels in zijn gezicht.

Brunetti schraapte zijn keel, maar dat had geen effect op de slapende man. Hij ging wat dichterbij staan en rook de ranzige geur van sigarettenrook vermengd met nachtelijk, of ochtendlijk, drankgebruik. De handen van de man lagen op zijn immense borst, de rechterduim en de wijs- en middelvinger verkleurd door nicotinevlekken tot aan de eerste knokkel. De kamer rook vreemd genoeg niet naar rook, alleen naar de neerslag ervan, en diezelfde geur kwam ook van de kleren van de man en, zo vermoedde Brunetti, van zijn haren en huid.

'Dottore,' zei Brunetti op zachte toon. Hij wilde hem niet wakker laten schrikken. De man bleef zachtjes snurken.

'Dottore,' herhaalde Brunetti op luidere toon.

Hij keek of hij de ogen van de man zag bewegen: die lagen diep in zijn gezicht, alsof ze zich hadden teruggetrokken van het opdringerige vet dat ze omgaf. De neus was eigenaardig smal, maar werd overweldigd door de naastgelegen wangen, die ertegenaan duwden en, geholpen door de gezwollen lippen, zijn neusgaten bijna dichtdrukten. De mond was een perfecte cupidoboog, zij het een heel dikke, onhandelbare boog.

Een dun laagje zweet bedekte zijn gezicht en plakte zijn dunne haar zo glad tegen zijn schedel dat Brunetti moest denken aan de pommades die zijn vader in zijn haar had gebruikt toen Brunetti nog een kind was. 'Dottore,' zei hij voor de derde keer, ditmaal met een normale stem, zijn toon misschien een beetje scherp.

De ogen gingen open: klein, donker, nieuwsgierig, en toen opeens groot van angst. Voor Brunetti iets anders kon zeggen, duwde de man zich bij zijn bureau vandaan en kwam overeind. Hij sprong nog net niet op, maar Brunetti twijfelde er niet aan dat hij zo snel bewoog als zijn omvang hem toestond. Hij drukte zich tegen de muur achter hem en keek naar de deur, vervolgens naar Brunetti en Vianello, die hem de weg versperden.

'Wat wilt u?' vroeg hij. Zijn stem was merkwaardig hoog, ofwel van angst, of gewoon vanwege een vreemde incongruentie tussen lichaam en stem.

'We willen u graag spreken, dottore,' zei Brunetti op neutrale toon. Hij koos ervoor nog even te wachten met te vertellen wie ze waren en wat het doel van hun bezoek was. Hij keek even opzij naar Vianello en zag dat de inspecteur, in reactie op de angst van de man, op de een of andere manier het voorkomen van een schurk had aangenomen. Zijn hele lichaam was compacter geworden en hij stond wat naar voren gebogen, alsof hij alleen nog maar op het bevel wachtte om zich op de dierenarts te storten. Zijn handen, nog net niet tot vuisten gebald, bungelden naast zijn dijen alsof ze niets liever wilden dan wapens aangereikt krijgen. De gewone vriendelijkheid was van zijn gezicht verdwenen en vervangen door een mond die hij niet dicht leek te krijgen en ogen die speurden naar zijn tegenstanders zwakste plek.

De dierenarts hield zijn handen voor zijn borst; hij klopte tegen de lucht alsof hij wilde kijken of die sterk genoeg was om deze twee mannen bij hem vandaan te houden. De man lachte: Brunetti moest denken aan een beschrijving die hij ooit had gelezen van een bloem op een lijk, zoiets. 'Dit moet een vergissing zijn, signori. Ik heb alles gedaan wat jullie gezegd hebben. Dat moet bij jullie bekend zijn.'

Opeens brak er aan de andere kant van de deur een hels lawaai los. Het begon met een gebonk, een luid gebrul en vervolgens een hoge vrouwengil. Een stoel viel om of werd omgegooid, een andere vrouw schreeuwde iets obsceens, en daarna werd alles overstemd door een koor van hysterisch geblaf en gegrom. Er volgde een gejank, en toen hield al het dierengeluid even op en begon er een uitwisseling van schuttingtaal door twee even schelle stemmen.

Brunetti trok de deur open. De bejaarde vrouw stond gebarricadeerd achter een omgevallen stoel, haar oude hond trillend in haar armen, en ze slingerde scheldwoorden naar een andere vrouw aan de andere kant van het vertrek. Die vrouw, met een vlijmscherp gezicht en zo mager als een lat, stond achter twee nu hard blaffende honden met ongewoon grote, vierkante koppen. Ze blaften even hysterisch als de twee vrouwen gilden, met als enig verschil de lagere toonhoogte en de slierten speeksel die van hun lippen dropen. Voor het eerst in zijn carrière wilde Brunetti zijn pistool trekken en een schot in de lucht lossen, maar hij had vergeten zijn pistool bij zich te steken, en hij wist dat het lawaai van het schot ieder schepsel in het vertrek doof zou maken.

Hij liep naar de twee honden toe en pakte in het voorbijgaan een van de tijdschriften van het tafeltje. Hij rolde het op, boog zich voorover en gaf een van de grote honden een mep op zijn neus. Gezien de lichtheid van Brunetti's klap was het gehuil van de hond buitensporig, en de snelheid waarmee hij wegkroop achter de benen van zijn bazin was even verrassend als beschamend. De andere hond keek omhoog naar Brunetti en ontbloot-

te zijn tanden, maar dook na een dreigende uitval van het opge-
rolde tijdschrift naast zijn soortgenoot in elkaar.

De vrouw met het magere gezicht begon nu Brunetti uit te
schelden en riep vervolgens dat ze de politie zou bellen om hem
te laten arresteren. Daarna hield ze op met schreeuwen, ervan
overtuigd dat ze het pleit gewonnen had. Zelfs de twee honden
ontspanden zich in deze nieuwe juridische zekerheid en begonnen te grommen, hoewel ze veilig achter de benen van de vrouw
bleven liggen.

De nog steeds schurkachtige Vianello koos dit moment om
het vertrek in te lopen, zijn politiepas voor zich uit houdend in
de richting van de vrouw. 'Ik bén de politie, signora, en volgens
de wet van 3 maart 2009 bent u verplicht muilkorven bij u te
hebben als u deze honden meeneemt naar een openbare ruimte.'
Hij keek de wachtkamer rond en taxeerde die, alsmede haar aanwezigheid met de honden. 'Dít is een openbare ruimte.'

De oude vrouw met de hond in haar armen zei: 'Agent,' maar
Vianello legde haar met een blik het zwijgen op.

'En?' vroeg hij met zijn ruigste stem. 'Weet u wat de boete is?'

Brunetti wist zeker dat Vianello het zelf niet wist, dus hij betwijfelde of de vrouw het wist.

Een van de grote honden begon opeens te janken; ze gaf een
harde ruk aan de riem en hij hield meteen op. 'Dat weet ik. Maar
ik dacht dat het hier binnen...' Ze maakte een vaag gebaar naar
de muren met de hand die niet de riemen vasthield en deed er
verder het zwijgen toe. Daarna boog ze zich voorover en klopte eerst de ene hond op zijn kop en toen de andere. Hun lange
staarten sloegen tegen de muur.

Het automatisme van haar gebaar en de vanzelfsprekende,
aanhankelijke manier waarop de honden reageerden, moesten
Vianello hebben ontwapend, want hij zei: 'Goed dan, voor deze
keer, maar wees voortaan voorzichtig.'

'Dank u wel, agent,' zei ze. De honden kwamen achter haar

vandaan en liepen kwispelend op Vianello af tot ze ze terugtrok.

'En wat ze tegen ons gezegd heeft dan?' wilde de oude vrouw weten.

'Gaat u maar even zitten, dames, terwijl wij verder praten met de dokter,' zei Brunetti, en hij liep de kamer van de dierenarts weer in.

Ze waren hun voordeel kwijt, dat was Brunetti duidelijk zodra hij de dikke man zag. Hij stond bij het open raam en nam een diepe haal van de sigaret die hij in zijn hand met de nicotinevlekken hield. Hij nam de terugkerende mannen op met ogen waarin alle angst had plaatsgemaakt voor afkeer. Brunetti vermoedde dat die niet zozeer voortkwam uit schaamte om de angst die hij tentoongespreid had, als wel uit zijn ontdekking van wat ze waren.

Hij bleef trekjes van de sigaret nemen zonder iets te zeggen, tot die niet meer dan een peuk was waar hij bijna zijn vingers aan brandde. Hij verschoof hem naar het uiterste puntje van zijn vingers, nam nog een laatste lange haal en gooide hem toen uit het raam. Hij deed het raam dicht, maar bleef ervoor staan.

'Wat wilt u?' vroeg hij met dezelfde hoge stem.

'Wij zijn hier om met u te praten over uw opvolger, dottor Andrea Nava,' zei Brunetti.

'Dan kan ik u niet helpen, signori,' zei Meucci, en hij klonk ongeïnteresseerd.

'Hoezo dat, dottore?' vroeg Brunetti.

Het leek of Meucci een glimlachje moest onderdrukken toen hij antwoordde: 'Ik heb hem nooit ontmoet.'

Brunetti, op zijn beurt, probeerde zijn verrassing hierover te verbergen en vroeg: 'U hoefde hem niet wegwijs te maken: wie de mensen bij het *macello* waren, hoe dingen in hun werk gaan, waar zijn kamer was, voorraden, dienstroosters?'

'Nee. Dat hebben de directeur en zijn mensen allemaal gedaan, denk ik.' Meucci stak zijn hand in de linkerzak van zijn colbert en haalde er een verfrommeld pakje Gitanes en een plastic aansteker uit. Hij stak nog een sigaret op, nam een diepe haal en draaide zich om om het raam achter hem open te doen. Er stroomde koele lucht naar binnen, die de rook door de kamer verspreidde.

'Heeft u schriftelijke instructies voor hem achter moeten laten?' vroeg Brunetti.

'Dat was niet mijn verantwoordelijkheid,' zei Meucci. Heel even bedacht Brunetti dat de ander niet kon weten dat Nava dood was en dan zo achteloos zoiets kon zeggen. Maar toen besefte hij dat Meucci het wel móést weten – wie in Venetië wist het niet, laat staan iemand die vroeger de baan van het slachtoffer had gehad?

'Juist ja,' antwoordde Brunetti. 'Kunt u me vertellen wat uw werkzaamheden waren?'

'Waarom wilt u dat weten?' vroeg Meucci, zichtbaar geërgerd.

'Om te begrijpen wat dottor Nava deed,' antwoordde Brunetti vriendelijk.

'Hebben ze dat daar niet tegen u gezegd?'

'Waar?' vroeg Brunetti minzaam, en hij keek even naar Vianello, als om aan te geven dat hij die vraag van Meucci moest onthouden.

Meucci probeerde zijn verrassing te verbergen door zich om te draaien en zijn half opgerookte sigaret het raam uit te gooien. 'In het slachthuis,' dwong hij zichzelf te zeggen toen hij zich weer naar Brunetti omdraaide.

'Toen wij daar waren, bedoelt u?' vroeg Brunetti gemoedelijk.

'Waren jullie er niet dan?' was het enige wat de dierenarts kon bedenken als reactie.

'Dat weet u toch al, dottore,' zei Brunetti met een klein glimlachje, en hij haalde zijn notitieboekje uit zijn zak. Hij sloeg het open en schreef iets op, en keek vervolgens de dierenarts aan, die alweer een volgende aangestoken sigaret in zijn hand had.

'Wat kunt u me over dottor Nava vertellen?' vroeg Brunetti.

'Ik heb al gezegd dat ik hem nooit ontmoet heb,' zei Meucci, die zijn boosheid in bedwang hield, maar met moeite.

'Dat was mijn vraag niet, dottore,' zei Brunetti, en hij glimlachte weer even en maakte nog een aantekening.

Brunetti's aansporing leek te werken, want Meucci zei: 'Toen ik bij het *macello* weg was, heb ik er verder niets meer mee te maken gehad.'

'Ook niet met mensen die daar werken?' vroeg Brunetti met welwillende nieuwsgierigheid.

Meucci aarzelde maar heel even voordat hij zei: 'Nee.'

Brunetti maakte nog een aantekening.

Dit keer deed Meucci het raam met een klap dicht nadat hij zijn sigaret had weggegooid. Hij draaide zich weer om naar Brunetti en vroeg: 'Heeft u toestemming om hier te zijn en om die vragen aan mij te stellen?'

'Toestemming, dottore?' vroeg Brunetti met opgetrokken wenkbrauwen.

'Een gerechtelijk bevel.'

Verbazing nam bezit van Brunetti's gezicht. 'Nou, nee, dottore.' En hij vervolgde met een ontspannen glimlach: 'Het is geen moment bij me opgekomen dat ik dat nodig zou hebben. Ik beschouwde dottor Nava gewoon als een collega van u, dus ik dacht dat u me wel iets meer over hem kon vertellen. Maar nu u duidelijk hebt gemaakt dat er nooit enig contact tussen u is geweest, zal ik u verder niet van uw patiënten afhouden.' Omdat hij niet was gaan zitten, kon Brunetti zijn vertrek niet extra benadrukken door overeind te komen. In plaats daarvan schoof hij de dop op zijn pen en stopte het notitieboekje en de pen weer in zijn zak, waarna hij de dierenarts bedankte voor zijn tijd en de kamer uit liep.

In de wachtkamer stonden de grote honden op toen de twee mannen binnenkwamen; de derde hond bleef als een blok liggen slapen. Brunetti haalde zijn notitieboekje uit zijn zak en zwaaide ermee door de lucht toen ze voor de honden langs liepen, maar die kwispelden slechts met hun staart. De twee vrouwen negeerden hen.

24

'Misschien liegt hij zo slecht omdat dieren het verschil toch niet kunnen zien,' opperde Vianello toen ze weer op weg gingen naar de Questura. Om het helemaal duidelijk te maken voegde hij er-aan toe: 'Of je tegen ze liegt of niet, bedoel ik.'

Na een tijdje gelopen te hebben zei Brunetti: 'Chiara zegt al-tijd dat ze andere zintuigen hebben en dat ze kunnen aanvoelen wat er in ons omgaat. Ze gebruiken zelfs honden om te kijken of iemand kanker heeft, geloof ik.'

'Klinkt nogal vreemd.'

'Hoe langer ik leef, hoe meer ik de meeste dingen vreemd vind klinken,' merkte Brunetti op.

'Wat vond je van hem?' vroeg de inspecteur met een knikje in de richting van Meucci's praktijk.

'Het is wel zeker dat hij liegt, maar ik weet niet precies waar-over.'

'Hij doet nooit anders dan liegen,' zei Vianello.

Brunetti bleef staan. 'Ik wist niet dat je hem kende.'

Vianello keek verbaasd omdat Brunetti het zo serieus opvat-te. 'Nee,' zei hij, en hij begon weer te lopen. 'Ik bedoel dat ik dat type ken. Hij liegt tegen zichzelf over dat roken, dat weet ik ze-ker. Maakt zichzelf waarschijnlijk wijs dat hij helemaal niet veel rookt.'

'En die vlekken op zijn vingers?'

'Gitanes,' antwoordde Vianello. 'Die staan erom bekend dat ze zo sterk zijn, dus dan heb je dat al met een paar sigaretten per dag.'

'Natuurlijk,' beaamde Brunetti. 'Waar liegt hij nog meer over?'

'Hij heeft zichzelf waarschijnlijk aangepraat dat hij niet veel eet, en dat hij zo dik is omdat hij een of andere hormoonstoornis heeft, of iets aan zijn schildklier, of aan een andere klier, die dieren ook hebben en waar hij dus iets van weet.'

'Is dat allemaal mogelijk?' vroeg Brunetti, die het geen moment geloofde.

'Alles is mógelijk,' zei Vianello, met veel nadruk op dat laatste woord. 'Maar het is veel waarschijnlijker dat hij zo dik is omdat hij te veel eet.'

'En denk je dat hij over Nava loog?'

'Dat hij hem niet kende?'

'Ja.'

Aan de voet van de brug bleef Vianello staan en wendde zich naar Brunetti. 'Ik denk het wel, ja.' Brunetti zei niets, om de inspecteur aan te moedigen verder te gaan. 'Het is niet zozeer dat hij loog over Nava – al denk ik wel dat hij dat deed – maar hij loog over alles wat met het *macello* te maken had. Ik kreeg het gevoel dat hij zich er op alle mogelijke manieren van wilde distantiëren.'

Brunetti knikte. Wat Vianello zei bevestigde zijn eigen gevoel over hun ontmoeting met Meucci.

'En jij?' vroeg Vianello.

'Ik kan me niet voorstellen dat ze elkaar nooit ontmoet hebben,' zei Brunetti. 'Ze zijn allebei dierenarts, dus ze gaan ongetwijfeld naar dezelfde beroepsbijeenkomsten. En als Nava bevoegd was om zo'n baan aan te nemen, moet er iets van een gemeenschappelijke achtergrond zijn.' Toen Vianello de brug op begon te lopen, liet Brunetti erop volgen: 'En Nava moet vragen hebben gehad over het werk.'

Hij kwam naast de inspecteur lopen en zei: 'Het is duidelijk dat hij al wist dat we naar het *macello* waren geweest en daar mensen hebben gesproken. Dus waarom ontkende hij dan dat hij dat wist?'

'Hoe dom denkt hij wel niet dat we zijn?' barstte Vianello uit.

'Heel dom, waarschijnlijk,' zei Brunetti, bijna zonder erbij na te denken. Onderschat te worden, had hij geleerd – hoe weinig flatteus ook – was altijd een voordeel. Als de onderschattende partij ook nog eens niet zo slim was – en Brunetti had het gevoel dat Meucci dat niet was – werd dat voordeel alleen maar groter.

Hij haalde zijn mobiel uit zijn zak en belde signorina Elettra. Toen ze opnam zei hij: 'Ik vroeg me af of uw vriend Giorgio misschien belangstelling zou kunnen opvatten voor een dierenarts die Gabriele Meucci heet.'

Giorgio. Giorgio: de man van Telecom, zij het niet de man die de telefoon kwam aansluiten. Giorgio, die geen achternaam leek te hebben, en geen geschiedenis, en ook geen menselijke eigenschappen, afgezien van een slaafse behoefte om aan iedere wens van signorina Elettra te voldoen en een vermogen om ieder telefoongesprek dat ze maar wilde op te sporen of terug te vinden, ongeacht land van oorsprong, naam van beller, of bestemming. Brandde men een kaarsje voor Giorgio; stuurde men hem een kistje champagne met Kerstmis? Dat deed er nauwelijks toe voor Brunetti, die alleen maar wilde blijven geloven in Giorgio's bestaan, want twijfelen aan zijn bestaan schiep de mogelijkheid dat het illegaal toegang verkrijgen tot de telefoongegevens van burgers en overheidsinstanties, dat al meer dan tien jaar gaande was, niet het werk van Giorgio was geweest, maar zijn naspeurbare – en overduidelijk criminele – oorsprong vond in e-mails die verstuurd waren vanaf een computer in het kantoor van de vice-questore van de stad Venetië.

'Ik moet hem nog over iets anders spreken,' zei ze vriendelijk. 'Ik kan het zeker vragen.'

'Erg aardig van u,' zei Brunetti en hij klapte zijn mobieltje dicht.

Hij keek naar Vianello en zag een peinzende uitdrukking op diens gezicht. 'Wat is er?' vroeg Brunetti.

'Het is net zoiets als wat je in die psychologische profielen van seriemoordenaars tegenkomt.'

Brunetti, die niet wilde laten merken dat hem volledig ontging wat Vianello bedoelde, beperkte zich tot: 'In welk opzicht?'

'Volgens die psychologen beginnen ze met dieren pijn doen en is de volgende stap dat ze ze doodmaken, daarna krijg je brandstichting en mensen pijn doen, en voor je het weet hebben ze dertig mensen vermoord en in de tuin begraven zonder ooit een greintje spijt of wroeging te voelen.'

'En wat wil je daarmee zeggen?' vroeg Brunetti.

'Dat is net zoiets als wat er met ons is gebeurd. We zijn begonnen met haar een telefoonnummer voor ons te laten opzoeken, terwijl ze eigenlijk voor Patta werkte. Daarna vroegen we weer een nummer, en daarna wat informatie over degene van wie dat nummer was, en daarna of die persoon misschien gebeld had naar een ander nummer. En nu laten we haar de bestanden van Telecom plunderen en inbreken in bankrekeningen en belastinggegevens.' De inspecteur duwde zijn vuisten in zijn jaszakken. 'Als ik bedenk wat er zou gebeuren als...' Hij sprak het liever niet hardop uit.

'En?' vroeg Brunetti, in afwachting van de vergelijking met seriemoordenaars, die bepaald niet dit soort gewetensbezwaren hadden.

'En we vinden het nog leuk ook,' zei Vianello. 'Dat is het beangstigende.'

Brunetti wachtte een volle minuut tot de golven veroorzaakt door Vianello's laatste opmerking waren weggeëbd en de lucht om hen heen volkomen stil was geworden, en zei toen: 'Ik denk dat we even een kop koffie moeten gaan drinken voor we weer aan het werk gaan.'

Toen ze bij de Questura aankwamen zagen ze Foa geknield op de houten voorsteven van de politieboot zitten, bezig het windscherm schoon te maken met een zemen lap. Vianello riep hem een hartelijke groet toe en Foa zei, tegen Brunetti: 'Ik heb de tabellen bekeken, meneer.'

Brunetti onderdrukte de neiging om te zeggen dat het wel eens tijd werd en vroeg in plaats daarvan: 'En wat is daaruit gekomen?'

Met het gemak van een jonge man die het grootste deel van zijn tijd op boten doorbracht kwam Foa overeind, zette zijn handen op de bovenkant van het windscherm, zwaaide zich er moeiteloos overheen en landde rechtop op het dek. 'Er was doodtij die nacht, commissario,' zei hij, en hij haalde een stuk papier uit zijn zak.

Brunetti herkende een kaart van het gebied rond het Giustinian-ziekenhuis. Foa hield hun de kaart voor en zei: 'Het tij keerde die ochtend om drie voor halfvier, en ze hebben hem om zes uur gevonden, dus als dottor Rizzardi gelijk heeft en hij inderdaad een uur of zes in het water heeft gelegen, dan kan hij niet erg ver gekomen zijn van waar hij erin gegaan is. Tenzij hij ergens door is tegengehouden.' Voordat een van beiden iets kon zeggen of vragen voegde hij eraan toe: 'Als hij tenminste dezelfde weg is teruggedreven als hij gekomen is, en dat is waarschijnlijk het geval.'

'En in het afgaand tij?' vroeg Brunetti.

'Dat duurt het langst bij doodtij, meneer, dus het water moet een hele tijd stilgestaan hebben,' zei Foa. De schipper wees een punt op de kaart aan. 'Hier hebben ze hem gevonden.' Vervolgens ging zijn vinger heen en weer langs de Rio del Malpaga. 'Ik denk dat hij ergens links of rechts van die plek het water in gegaan is.' Foa haalde zijn schouders op. 'Tenzij hij een tijdje ergens achter is blijven steken, zoals ik al zei: een brug, een meertouw, een paal. Als dat niet gebeurd is, zou ik zeggen dat hij niet meer dan honderd meter van waar hij gevonden is het water in is gegaan.'

Vianello en Brunetti wisselden een blik boven het gebogen hoofd van de schipper. Honderd meter, dacht Brunetti. Hoeveel waterdeuren zouden dat zijn? Hoeveel *calli* die uitkwamen op het water? Hoeveel onverlichte hoeken waar een boot kon stilhouden om zich van zijn lading te ontdoen?

'Jij hebt toch een vriendin, Foa?'

'Een verloofde, meneer,' antwoordde Foa meteen.

Brunetti kon bijna horen dat Vianello de opmerking inslikte dat het een het ander niet uitsloot. 'Mooi. En je hebt een eigen boot, hè?'

'Ja, meneer, een *sandolo*.'

'Met een motor?'

'Ja, meneer,' zei Foa, die geen idee had waar dit heen ging.

'Mooi, dan wil ik graag dat jullie met z'n tweetjes met een camera op en neer gaan varen over de Rio del Malpaga en foto's maken van alle waterpoorten.' Hij trok de kaart naar zich toe en wees naar de plek die Foa had aangegeven. 'En daarna aan de voorkant langs de huizen lopen – aan allebei de kanten van het kanaal – om de straatnummers te zoeken van de panden met een waterpoort, en dan de lijst aan signorina Elettra geven.'

'Wilt u dat we meteen de namen opschrijven die bij de deurbellen staan, meneer?' vroeg Foa, die een stapje in Brunetti's achting steeg.

Brunetti bedacht dat dat wel erg in het oog zou lopen. 'Nee. Alleen de nummers van de huizen die volgens jullie een waterpoort hebben, oké?'

'Wanneer, meneer?' vroeg Foa.

'Zo snel mogelijk,' zei Brunetti, waarna hij om zich heen keek en eraan toevoegde: 'Kun je het vanmiddag doen?'

Foa deed zijn best om niet te glunderen om deze plotselinge promotie tot iets wat meer in de buurt kwam van een politieman. 'Ik zal haar bellen en zeggen dat ze haar werk voor vandaag maar moet vergeten,' zei hij.

'Dat geldt ook voor jou, Foa. Zeg maar tegen Battisti dat ik gezegd heb dat je een speciale opdracht hebt.'

'Jawel, meneer,' zei de schipper met een keurig saluut.

Vianello en Brunetti keerden de lachende agent de rug toe en gingen de Questura binnen. Onder aan de trap bleef Vianello opeens staan, als een paard dat iets gevaarlijks op zijn pad ziet liggen. Hij keek Brunetti aan en was niet in staat zijn emoties te verbergen. 'Ik moet steeds aan gisteren denken,' zei hij, en hij glimlachte beschaamd. 'We hebben veel erger gezien. Als het om mensen ging.' Hij schudde zijn hoofd om zijn eigen verwarring. 'Ik begrijp het niet. Maar ik geloof niet dat ik hier vandaag wil zijn.'

De eenvoud van Vianello's verwarring trof Brunetti met plotselinge kracht. Hij had de neiging om zijn arm om de schouder van zijn vriend te slaan, maar nam genoegen met een klopje op diens bovenarm en zei alleen maar: 'Ja.' Dat woord gaf uiting aan zijn eigen aangeslagenheid na het bezoek aan het slachthuis gisteren en de pogingen van vandaag om zijn diepe afkeer van Meucci te verbergen, maar vooral aan zijn verlangen om terug te keren naar zijn nest en zich te koesteren in de puur dierlijke troost van de mensen die hem het liefst waren.

Hij zei nog een keer: 'Ja. Morgen beginnen we gewoon weer bij het begin en nemen we het allemaal nog eens goed door.' Het rechtvaardigde niet echt dat ze nu al naar huis gingen, maar dat kon Brunetti niet schelen, zozeer was hij aangestoken door Vianello's puur lichamelijke behoefte om weg te gaan. Hij kon zich wel voorhouden dat een geur die hij nog rook louter een spook van zijn verbeelding was, maar daar was hij niet helemaal van overtuigd. Hij kon zich wel voorhouden dat wat hij in Preganziol gezien had gewoon de manier was waarop sommige dingen werden gedaan, maar dat veranderde niets.

Een uur later stond Brunetti na zijn tweede douche van die dag met een handdoek om zijn middel en een roze huid voor een spiegel waarin hij niet verscheen, en als hij al verscheen, dan was het als een vochtig droombeeld dat nauwelijks zichtbaar was achter de condens. Af en toe smolt er een groepje waterdruppels samen en baande zich snel een weg naar beneden, waardoor er een roze groef in het oppervlak werd getrokken. Hij haalde zijn hand over de spiegel, maar de stoom bedekte onmiddellijk de plek die hij had schoongeveegd.

Achter hem klopte iemand op de deur. 'Is alles goed met je?' hoorde hij Paola vragen.

'Ja,' riep hij terug, en hij deed de deur open, waardoor er plotseling een stroom koude lucht het vertrek binnenkwam. '*Oddio!*' zei hij, en hij pakte zijn flanellen badjas van de achterkant van de deur. Pas toen hij die veilig om zich heen had geslagen, liet hij de handdoek op de grond vallen. Op het moment dat hij zich bukte om die op te rapen zei Paola vanuit de hal: 'Ik wilde even zien of je huid al begon los te laten.'

Vervolgens, misschien omdat ze de blik zag die hij haar toewierp, deed ze een stap naar voren en zei: 'Het was maar een grapje, Guido.' Ze nam de handdoek van hem aan en hing die over de radiator. 'Als jij een halfuur onder de douche blijft staan, weet ik heus wel dat er iets aan de hand is.' Ze duwde voorzichtig het natte haar van zijn voorhoofd en ging met haar hand over zijn hoofd en toen over zijn schouder. 'Hier,' zei ze, en ze opende de badkamerkast en haalde er een kleinere handdoek uit, 'buig je maar naar me toe.'

Dat deed hij. Ze spreidde de handdoek in haar handen en legde hem over zijn hoofd. Hij legde zijn eigen handen op de hare en begon te wrijven. Met een verborgen gezicht zei hij: 'Zou je de kleren die ik gisteren aanhad in een plastic zak willen doen? Ook het overhemd?'

'Is al gebeurd,' zei ze met haar beminnelijkste stem.

Hij kwam even in de verleiding om het rigoureus aan te pakken en tegen haar te zeggen dat ze de hele zwik maar aan een goed doel moest geven, maar bedacht toen hoezeer hij op dat jack gesteld was, dus stak hij zijn hoofd tevoorschijn en zei: 'Dat moet allemaal naar de stomerij.'

Brunetti had haar gisterochtend verteld waar hij met Vianello naartoe ging, maar ze had er na afloop verder niet naar gevraagd en deed dat nog steeds niet. In plaats daarvan vroeg ze: 'Wil je die trui die je vorig jaar in Ferrara hebt gekocht?'

'Die oranje?'

'Ja. Die is lekker warm; ik dacht dat je die misschien wel aan wilde.'

'Nu ik mezelf aan de kook heb gebracht, bedoel je?' zei hij. 'En alle poriën heb opengezet?'

'En daarmee je hele lichaam vatbaar hebt gemaakt voor de aanval van bacillen,' vulde ze aan, die laatste zin uitsprekend met dezelfde nadruk als waarmee zijn moeder tientallen jaren lang uiting had gegeven aan haar geloof in de gevaren van lichamelijke blootstelling aan extreme temperaturen in welke vorm dan ook, vooral die welke worden veroorzaakt door heet water.

'Maar dan wel de bacillen die niet al voortdurend op de loer liggen voor treinraampjes, wachtend op een kans om binnen te komen bij de eerste de beste *corrente d'aria*,' ging hij verder, en hij glimlachte bij de herinnering aan die twee stokpaardjes van zijn moeder en aan de blijmoedigheid waarmee ze altijd zijn milde spot en Paola's scepsis had ondergaan.

Ze stapte de hal weer in en zei: 'Als je aangekleed bent, moet je er maar eens over vertellen.'

25

Brunetti werd de volgende ochtend wakker van een geur, of eigenlijk van twee geuren. De eerste was de geur van de lente, een zachte zoetheid die naar binnen dreef door het raam dat ze de avond tevoren voor het eerst weer open hadden laten staan, en de tweede, die de eerste algauw overheerste en verdrong, was de geur van koffie, die hem gebracht werd door Paola. Ze was aangekleed en klaar om de deur uit te gaan, hoewel hij zag dat haar haar nog niet helemaal droog was.

Ze bleef naast het bed staan tot hij rechtop tegen zijn kussen zat en gaf hem toen de kop en schotel. 'Ik vond dat iemand maar eens iets aardigs voor je moest doen na die dagen die je achter de rug hebt,' legde ze uit.

'Dank je wel,' was het enige wat hij wist te zeggen, verdoofd door de slaap als hij was. Hij nam een slokje en genoot van de mengeling van bitterheid en zoetheid. 'Je hebt mijn leven gered.'

'Ik ben weg,' zei ze, onaangedaan door zijn compliment, als het dat al was. 'Ik heb om tien uur college, en daarna is er een vergadering van de benoemingscommissie.'

'Moet je daarnaartoe?' vroeg hij, denkend aan de gevolgen die dat zou hebben voor zijn lunch.

'Je bent zo doorzichtig, Guido,' zei ze lachend.

Hij keek naar de vloeistof in zijn kopje en zag dat ze de moeite had genomen om de melk te schuimen voor ze hem bij de koffie deed.

'Het is een vergadering waar ik naartoe wil, dus je bent voor de lunch op jezelf aangewezen.'

Hij flapte er verbluft uit: 'Jij wílt naar een vergadering van je vakgroep?'

Ze keek op haar horloge en ging op de rand van het bed zitten. 'Weet je nog dat ik je vroeg wat je moet doen als je weet dat er iets illegaals gaat gebeuren?'

'Ja.'

'Daarom moet ik ernaartoe.'

Hij dronk het laatste beetje koffie op en zette het lege kopje op het nachtkastje. 'Vertel op,' zei hij, opeens helemaal wakker.

'Ik moet ernaartoe zodat ik tegen kan stemmen wanneer er iemand wordt voorgedragen voor een hoogleraarschap.'

Brunetti probeerde dit te snappen en zei: 'Ik begrijp niet hoe jouw stem crimineel kan zijn.'

'Mijn stem is dat ook niet. Degene over wie we moeten stemmen is crimineel.'

'En dus?' moedigde hij aan.

'Zij het niet in dit land. Hij is in Frankrijk en Duitsland betrapt op het stelen van boeken – en kaarten – uit universiteitsbibliotheken. Maar omdat hij zulke goede politieke connecties heeft, hebben ze besloten geen aanklacht in te dienen. Maar zijn docentschap in Berlijn is komen te vervallen.'

'En nu heeft hij hier gesolliciteerd?'

'Hij geeft hier al les, maar alleen als assistent, en dat contract loopt dit jaar af. Hij heeft naar een vaste betrekking gesolliciteerd, en vandaag komt de benoemingscommissie bij elkaar om te beslissen of hij wordt aangenomen, of dat nota bene zijn tijdelijke contract wordt verlengd.'

'Hij doceert literatuur, neem ik aan?' vroeg hij.

'Ja, iets wat "de semiotiek van de ethiek" heet.'

'Gaan die colleges ook over diefstal?' vroeg Brunetti.

'Ongetwijfeld.'

'En jij gaat tegen hem stemmen?'

'Ja. En ik heb twee andere leden van de commissie overgehaald om dat ook te doen. Dat zou genoeg moeten zijn.'

'Je zei dat hij goede politieke connecties heeft,' zei Brunetti. 'Ben je daar niet bang voor?'

Ze schonk hem de haaienglimlach die hij van haar kende wanneer ze op haar gevaarlijkst was. 'Helemaal niet. Mijn vader heeft veel betere connecties dan die beschermheren van hem, dus hij kan me niets maken.'

'En degenen die met je meestemmen?' vroeg hij, bezorgd dat haar kruistocht misschien anderen in gevaar zou brengen.

'Eentje is de minnares van zijn vader, die hem verafschuwt. Tegen haar kan hij niets beginnen.'

'En die ander?'

'Vier van zijn voorvaderen waren dogen, en hij heeft twee palazzi aan het Canal Grande en ook nog een supermarktketen.'

Brunetti wist onmiddellijk wie ze bedoelde. 'Maar je zegt altijd dat dat een idioot is.'

'Ik heb gezegd dat hij een waardeloze docent is. Dat is niet hetzelfde.'

'Weet je zeker dat hij met je mee zal stemmen?'

'Ik heb hem verteld over dat stelen van boeken uit een bibliotheek. Volgens mij is hij nog steeds niet van de schok bekomen.'

'Steelt hij nog steeds boeken?' vroeg Brunetti.

'Een tijdje, maar ik heb er een stokje voor gestoken.'

'Hoe dan?'

'De bibliotheek heeft de regels veranderd. Om in het magazijn te komen moet iedereen die geen hoogleraar is een pasje hebben. Aangezien hij geen vast contract heeft, heeft hij geen pasje, en dat krijgt hij ook niet. Dus als hij een boek wil gebruiken, moet hij het bij de balie aanvragen, en wanneer hij het weer inlevert moet hij blijven wachten tot het personeel het boek heeft gecontroleerd.'

'Gecontroleerd?'

'In de bibliotheek van München sneed hij er pagina's uit.'

'En die man geeft les aan de universiteit? Ethiek?'

'Niet lang meer, schat,' zei ze, en ze stond op.

Brunetti kuierde – er is geen beter woord voor – om elf uur de Questura binnen en ging meteen naar de kamer van signorina Elettra. 'Ah, commissario,' zei ze, 'ik heb u vanmorgen al twee keer gebeld.'

'Opgehouden door ambtsbezigheden,' zei hij met een glimlach.

'Ik heb wat informatie voor u, meneer,' zei ze, en ze schoof wat papieren over haar bureau naar hem toe. Voor hij ze kon pakken voegde ze er echter aan toe: 'Misschien wilt u eerst hier even naar kijken,' en ze drukte op een paar toetsen van haar computer.

Hij liet de papieren voor wat ze waren en kwam achter haar bureau staan om naar het scherm te kijken. Hij zag een foto van het gezicht van een vrouw: donker, sensueel, en met haar dat tot over haar schouders viel en buiten de foto doorliep. Ze had een licht ontevreden trek op haar gezicht, van het soort dat, waargenomen op het gezicht van een vrouw zo knap als deze, bij mannen de neiging teweegbracht hem weg te nemen. Bij een minder aantrekkelijke vrouw zou hij worden opgevat als het waarschuwingssignaal dat hij was. Brunetti herkende onmiddellijk Giulia Borelli: met langer haar, jonger, maar onmiskenbaar dezelfde vrouw.

Hij had niet de zucht gehoord die hem ontsnapte, maar hoorde wel signorina Elettra opmerken: 'Ze was jonger toen die foto gemaakt werd.'

'Wat heeft u gevonden?'

'Zoals u al zei, meneer, heeft ze eerder een baan gehad bij een bedrijf dat Tekknomed heet, waar ze op de boekhoudafdeling werkte totdat ze wegging om de assistent van dottor Papetti te worden. Dit is de foto van haar bedrijfspasje. Met hem ga ik me vanmiddag bezighouden.' Brunetti twijfelde daar niet aan.

Ze sloeg een paar toetsen aan en er verscheen een document op het scherm. Uit wat hij las, maakte hij op dat het een aantal andere, interne documenten van Tekknomed bevatte, te beginnen met een e-mail van het hoofd van de boekhoudafdeling waarin gesproken werd over 'bepaalde onregelmatigheden' in de boekhouding van signorina Giulia Borelli. Daarop volgde een e-mailwisseling tussen het afdelingshoofd en de directeur van het bedrijf, die eindigde met het bevel van de directeur dat signorina Borelli onmiddellijk van haar taken moest worden ontheven en dat ze vanaf het moment dat zijn e-mail was ontvangen geen toegang meer tot haar computer mocht hebben. Als laatste kwam er een brief, aan haar gericht, van de personeelsafdeling, waarin stond dat haar contract met ingang van de datum van die brief was ontbonden.

'Ze hebben geen juridische stappen ondernomen,' zei signorina Elettra, 'dus ik weet niet wat ze gedaan heeft.' Ze drukte weer een paar toetsen in, en er verscheen een tabel met getallen op het scherm. 'Zoals u kunt zien,' zei ze, tikkend tegen een van de getallen, 'hebben ze een jaaromzet van zeventien miljoen.'

'Mogelijkheden te over,' merkte Brunetti op, en vervolgens: 'Verder nog iets?'

Ze knikte naar de papieren en zei: 'Haar arbeidscontract bij het *macello* voorziet in een auto, zes weken vakantie en een salaris van veertigduizend euro, plus een heel royale onkostenvergoeding.'

'Als persoonlijk assistent?' vroeg hij. 'Ik vraag me af wat Papetti dan wel niet moet krijgen.'

Ze hief haar hand op. 'Vanmiddag pas, commissario.'

'Natuurlijk,' antwoordde Brunetti, waarna hij ter plekke besloot: 'Vianello en ik gaan nog een keer bij de weduwe langs. Kunt u een auto op het Piazzale Roma regelen voor over een halfuur?'

'Natuurlijk, signore. Zal ik haar ook even bellen om het te zeggen?'

'Ja, ik denk dat we dit keer maar moeten laten weten dat we komen,' zei hij, en hij ging op zoek naar Vianello.

De vrouw die de deur opendeed had de oudere zus kunnen zijn van de vrouw die ze eerder hadden gesproken. Dat liet zich aflezen aan het hangen van haar mond en de donkerte onder haar ogen, maar ook aan de ouwelijke behoedzaamheid waarmee ze zich bewoog, als iemand die verdoofd was, of herstellende van een ernstige ziekte. Signora Doni gaf een knikje van herkenning toen ze de twee mannen zag. Het duurde een paar tellen voor ze haar hand naar hen uitstak. En daarna had ze ook even nodig om te vragen of ze binnen wilden komen. Het viel Brunetti op hoe stoffig haar brillenglazen waren.

Ze liepen met haar mee naar dezelfde kamer. De tafel voor de bank was bedekt met kranten die geen van beide mannen nader hoefde te bekijken om te weten dat ze opengeslagen lagen bij de artikelen over de moord op haar man. Her en der op de opengeslagen kranten stonden kopjes. Ze leken allemaal op enig moment koffie bevat te hebben; sommige bevatten die nog steeds. Over de armleuning van de bank lag een theedoek, en daarnaast stond een bord met een uitgedroogde boterham.

Ze ging dit keer op de bank zitten en pakte afwezig de theedoek, die ze op haar schoot uitspreidde en in de lengte in drieën begon te vouwen. Ze hield haar blik op de theedoek gericht terwijl de twee mannen in de stoelen tegenover haar gingen zitten.

Ten slotte zei ze: 'Bent u hier voor de begrafenis?'

'Nee, signora,' antwoordde Brunetti.

Ze hield haar ogen neergeslagen en het leek alsof ze niets meer wist te zeggen.

'Hoe gaat het met uw zoon, signora?' vroeg Brunetti uiteindelijk.

Ze keek hem aan en maakte een beweging met haar mond die ze waarschijnlijk voor een glimlach hield. 'Ik heb hem uit logeren gestuurd bij mijn zus. En zijn neefjes.' Dat was de zus die hij gesproken had, die bevestigd had waar signora Doni de nacht dat haar man vermoord werd was geweest.

'Hoe heeft hij op het nieuws gereageerd?' vroeg Brunetti, die de gedachte wegdrukte dat iemand diezelfde vraag misschien ook ooit aan Paola zou stellen.

Ze maakte een gebaar met haar rechterhand; de theedoek zwaaide door de lucht en vestigde daarmee de aandacht op zichzelf. Ze legde hem op haar schoot en begon hem weer op te vouwen, en zei toen: 'Ik weet het niet. Ik heb gezegd dat zijn vader naar Jezus is gegaan. Daar geloof ik niet in, maar het was het enige wat ik kon bedenken.' Ze ging met haar hand langs de twee vouwen in de theedoek. 'Daar heeft hij wel iets aan gehad, denk ik. Maar ik weet niet wat er in hem omgaat.' Ze draaide zich opeens om naar de armleuning en legde de theedoek eroverheen.

'Bent u hier vanwege Teodoro?' vroeg ze, en haar verwarring was hoorbaar in de nadruk die ze op dat laatste woord legde.

'Voor een deel, signora. Het is een leuk jongetje, en ik heb de laatste dagen aan hem moeten denken.' Dat was in ieder geval waar, godzijdank. 'Maar we zijn hier, vrees ik, om u nog wat vragen te stellen over uw man, en hoe hij zich gedroeg de laatste maanden.' Hij had niet willen zeggen: 'de maanden voor zijn dood,' al kwam het uiteindelijk op hetzelfde neer.

Opnieuw was het langer stil dan het zou moeten zijn tussen vraag en antwoord. 'Hoe bedoelt u?'

'Toen we elkaar onlangs spraken, signora, zei u dat hij zich zorgen leek te maken. Wat ik graag zou willen weten, is of hij ooit heeft aangegeven wat de oorzaak was van zijn... zijn ongerustheid.'

Dit keer slaagde ze erin de verleiding van de theedoek te weerstaan. In plaats daarvan ging ze met haar hand over haar horlogebandje, maakte het los en klikte het meteen weer vast.

'Ja, ik denk wel dat hij zich zorgen maakte, maar ik heb tegen hem gezegd dat ik het niet wilde horen – dat was de laatste keer dat we elkaar gesproken hebben. Ik geloof dat ik gezegd heb dat hij zijn problemen maar met haar moest bespreken, en toen zei hij dat hij dacht dat zij juist zijn probleem was.'

Dit was een detail dat ze de vorige keer niet had genoemd. Brunetti kon het niet laten even een blik op Vianelllo te werpen, die onbewogen zat te luisteren. Signora Doni keek hem recht-streeks aan. 'Nou ja, dat was ze ook, hè? Hij dacht zeker dat ik hem de kans zou geven om tussen ons te kiezen, zij of ik. Maar dat heb ik niet gedaan: ik heb gewoon gezegd dat hij kon ver-trekken.' Ze zweeg even en zei toen: 'De eerste keer en de laatste keer.'

'Die laatste keer, signora, heeft hij toen iets over zijn werk ge-zegd?'

Ze wilde antwoord geven, maar viel ten prooi aan een plotse-linge lethargie en keek weer naar haar horloge. Het kon zijn dat ze zich probeerde te herinneren hoe ze moest klokkijken en het kon zijn dat ze probeerde te bedenken hoe ze zijn vraag moest beantwoorden. Brunetti vond het niet nodig haar aan te sporen.

'Hij zei dat het het niet waard was geweest, om die baan te ne-men. Hij zei dat het alles kapotgemaakt had. Hij bedoelde waar-schijnlijk omdat hij haar daar had ontmoet. Dat nam ik tenmin-ste aan toen hij dat zei.'

'Zou het kunnen zijn dat hij iets anders bedoelde, signora?' mengde Vianello zich in het gesprek.

Ze moest zich de aardige politieman herinneren, want de be-weging die haar mond dit keer maakte kwam dichter in de buurt van een glimlach. Na een hele tijd zei ze: 'Misschien.'

'Heeft u enig idee wat dat geweest zou kunnen zijn?' vroeg Vianello.

'Hij heeft één keer gezegd,' begon ze, en ze keek langs hen heen naar een herinnering die zich niet in de kamer bevond, in ieder geval niet bij hen, 'dat het verschrikkelijk was wat ze daar deden.'

Brunetti hoefde maar terug te denken aan wat ze gezien hadden om te weten hoe waar dat was. 'Wat die dieren werd aangedaan?' vroeg hij.

Ze keek hem met een schuin hoofd aan en zei: 'Dat is juist zo vreemd. Nu, bedoel ik. Nu ik nadenk over wat er gebeurd is, denk ik dat hij misschien niet doelde op wat ze met die dieren deden.' Ze boog zich weer opzij en streelde de theedoek alsof het een of ander huisdier was. 'De eerste keer dat hij daarnaartoe ging, hebben we het erover gehad. Ik moest er wel naar vragen omdat hij zo veel van dieren houdt... hield. En ik weet nog dat hij vertelde dat het lang niet zo vreselijk was als hij gedacht had.' Ze schudde haar hoofd. 'Ik kon het eerst niet geloven, maar hij zei dat hij daar een uur geweest was die ochtend, om te kijken wat er gebeurde. En dat het veel minder erg was dan hij gedacht had.'

Er ontsnapte haar een zucht. 'Misschien heeft hij gelogen om mij te sparen. Ik weet het niet.' De woorden kwamen merkbaar trager.

Brunetti wist het ook niet. Hij had geen idee wat voor toneelstukje de slachters voor de controlerend dierenarts opgevoerd zouden kunnen hebben, en hij wist ook niet of de man naderhand nog getuige had moeten zijn van het slachten of dat hij zich alleen bezig hoefde te houden met het inspecteren van het dode vlees. Hij dacht terug aan de hevige worstelingen, het geschreeuw en geschop. 'Kunt u zich nog iets anders herinneren dat hij gezegd heeft?' vroeg Brunetti.

Zelfs met de traagheid van haar reacties was haar aarzeling zichtbaar. Ze voelde weer aan haar horloge, en hij dacht heel even dat ze het ging opwinden, maar vervolgens zei ze, met haar ogen nog steeds op het horloge gericht: 'Niet tegen mij.'

Brunetti had de vraag al op zijn lippen, maar bedacht zich en hief zijn kin op naar Vianello.

'Tegen uw zoon, signora?' vroeg de inspecteur.

'Ja. Tegen Teo.'

'Kunt u ons vertellen wat het was?'

'Hij vertelde Teo op een gegeven moment een verhaaltje voor het slapengaan, nadat hij hem thuis had gebracht. Dat was ongeveer drie weken geleden.' Ze liet dit langzaam wegebben. 'Dat deed hij altijd als ze thuiskwamen.' Bij dat laatste woord stokte ze even. Ze kuchte en ging toen verder. 'Het was altijd een verhaal of een boek over een dier. Dit verhaal – hij moet het verzonnen hebben, want zo'n boek hebben we niet – ging over een hond die niet erg dapper was. Hij was overal bang voor: hij was bang voor katten, en ook voor andere honden. In het verhaal wordt hij ontvoerd door rovers, die hem willen trainen om ze te helpen. Ze trainen hem om zich te ontfermen over de mensen die op het pad door het bos lopen. Als die mensen zien dat die grote, vriendelijke hond met ze meeloopt, voelen ze zich veilig en blijven ze doorlopen, steeds dieper het bos in. De rovers vertellen hem dat hij op een gegeven moment moet wegrennen, zodat ze die mensen pijn kunnen doen en beroven.

Maar ook al is hij een lafaard, hij is nog steeds een hond, en hij kan nooit erge dingen laten gebeuren met mensen. Dus als de rovers hem na al dat getrain eindelijk meenemen om ze te helpen iemand te beroven, gedraagt die hond zich als een echte hond en keert zich tegen de rovers en blaf en gromt naar ze – hij bijt er zelfs een, maar niet zo hard – net zo lang tot de politie komt om ze te arresteren. En de man die ze wilden beroven brengt de hond terug naar zijn oude huis en vertelt de familie wat een brave hond hij is. Ze nemen hem weer in huis en ze houden van hem, ook al is hij nog steeds eigenlijk niet zo'n dappere hond.'

'Waarom denkt u aan dat verhaal, signora?' vroeg Vianello voorzichtig, toen hij begreep dat ze klaar was.

'Omdat, toen het verhaal afgelopen was, Andrea tegen Teo

zei dat hij dat verhaal altijd moest onthouden en nooit moest toestaan dat iemand andere mensen kwaad deed, omdat dat het ergste is wat je kunt doen.' Ze zweeg even en haalde diep adem. 'Maar toen kwam ik de kamer binnen en hield hij zijn mond.'

Ze probeerde om zichzelf te lachen, maar het kwam eruit als een hoest. 'Ik vertel het omdat hij zo bloedserieus leek toen hij dat verhaal vertelde. Hij wilde echt dat Teo die les leerde: je mag nooit erge dingen met mensen laten gebeuren, zelfs niet als de rovers je bedreigen.'

Ze gaf toe aan de verleiding en pakte de theedoek. Ze probeerde hem niet meer op te vouwen of glad te strijken, maar wrong hem samen, alsof hij iets was wat ze wilde vernietigen.

Hoe nieuwsgierig hij ook nog steeds was naar Giulia Borelli, Brunetti wist dat het waanzin was om naar haar te vragen. Hij stond op en bedankte signora Doni. Toen ze aanbood met hen mee te lopen naar de deur, sloeg hij dat beleefd af, waarna ze haar achterlieten met haar gehavende herinneringen.

26

'Wat vond je van haar?' vroeg Brunetti toen ze terugliepen naar de ongemarkeerde auto die langs de stoep geparkeerd stond.

'Volgens mij gaat ze het zichzelf nooit vergeven, en als ze dat wel doet zal het een hele tijd duren.'

'Wat vergeven?'

'Dat ze niet naar hem geluisterd heeft.'

'Niet dat ze hem eruit heeft gegooid?'

Vianello haalde zijn schouders op. 'Voor zo'n soort vrouw is dat zijn verdiende loon. Maar dat ze niet naar hem geluisterd heeft toen hij het vroeg, dat zal haar blijven achtervolgen.'

'Dat gebeurt volgens mij nu al,' zei Brunetti.

'Ja. En de rest van wat ze zei?'

Brunetti ging samen met Vianello achterin zitten en gaf de chauffeur opdracht hen terug te brengen naar het Piazzale Roma. Toen de auto van de stoeprand wegreed zei hij: 'Bedoel je zijn opmerking dat die baan alles kapotgemaakt had?'

'Ja,' zei Vianello, en hij voegde eraan toe: 'Ik denk niet dat we die vrouw moeten vergeten.'

'Misschien,' zei Brunetti, die zijn gedachten nog een keer over het gesprek met Nava's weduwe liet gaan.

'Wat anders dan?'

'Er kunnen allerlei dingen misgaan op je werk. Je kunt een hekel hebben aan je baas of aan de mensen met wie je werkt. Of zij hebben een hekel aan jou. Je kunt een hekel aan je werk hebben.' Brunetti zweeg even en vervolgde toen: 'Maar dat snijdt allemaal geen hout als je denkt aan dat verhaal dat hij zijn zoon heeft verteld.'

'Kan dat niet gewoon een verhaaltje geweest zijn?'

'Zou jij zo'n verhaaltje aan een van je eigen kinderen vertellen?' vroeg Brunetti.

Vianello dacht daar even over na en antwoordde toen: 'Waarschijnlijk niet, nee. Ik ben niet zo goed in verhaaltjes met een moraal.'

'De meeste kinderen ook niet, als je het mij vraagt,' zei Brunetti.

Vianello moest lachen. 'Mijn kinderen vinden die verhalen leuk waarin het brave, kleine meisje op het laatst wordt opgegeten door de leeuw en de stoute kinderen de hele chocoladetaart mogen hebben.'

'De mijne ook,' beaamde Brunetti, waarna hij terugkeerde naar wat hem dwarszat en vroeg: 'Dus waarom zou hij hem zo'n verhaal vertellen?'

'Misschien omdat hij wist dat zijn vrouw zou meeluisteren?'

'Misschien,' zei Brunetti.

'En in dat geval?' vroeg Vianello.

'In dat geval probeerde hij haar iets duidelijk te maken.'

'Zonder het tegen haar te hoeven zeggen.'

Brunetti zuchtte. 'Hoe vaak hebben we dat allemaal wel niet gedaan?'

'En wat probeerde hij haar duidelijk te maken?'

'Dat hij in een situatie zat waarin hij opdracht had gekregen om mensen erge dingen aan te doen, en dat hij dat verkeerd vond en het niet wilde doen.'

'Mensen, niet dieren?' vroeg Vianello.

'Dat zei hij. Als hij over dieren had willen praten, zou hij wel een verhaal hebben verteld over een dier dat andere dieren kwaad moest doen. Kinderen vatten alles heel letterlijk op.'

'Denk je dat ze zich er iets van aantrekken als iemand zegt

dat ze andere mensen geen erge dingen mogen aandoen?' vroeg Vianello, die allerminst overtuigd leek.

'Wel als ze degene die dat zegt vertrouwen, denk ik,' zei Brunetti.

'En hoe kan een dierenarts mensen iets ergs aandoen, behalve dan door hun huisdier te grazen te nemen?'

'Het was die baan in het *macello* die hem dwarszat,' zei Brunetti.

'Je hebt die slachters gezien. Het zou niet zo makkelijk zijn om die iets aan te doen.'

Daarmee deden de twee mannen er het zwijgen toe. De auto vervolgde zijn weg over de viaducten die van Mestre naar de brug voerden, en daarna langs de rij fabrieken aan de rechterkant, met hun schoorstenen die God mocht weten wat uitspuwden voor menselijke consumptie.

Brunetti kreeg een idee, en hij zei het hardop: 'Voor menselijke consumptie.'

'Wat?' vroeg Vianello, die zijn aandacht had laten afdwalen naar de enorme digitale thermometer op het gebouw van de *Gazzettino*.

'Voor menselijke consumptie,' herhaalde Brunetti. 'Dat was zijn werk in het *macello*. Hij inspecteerde de dieren die binnengebracht werden en hij controleerde het vlees dat ze geworden waren. Hij bepaalde of het aan de voorwaarden voldeed om als voedsel te worden verkocht; hij verklaarde het geschikt voor menselijke consumptie.' Denkend aan het verhaal dat Nava zijn zoon had verteld, zei Brunetti: 'Het was zijn werk om ervoor te zorgen dat er niets ergs met mensen gebeurde.'

Toen Vianello niets zei, voegde Brunetti eraan toe: 'Om te zorgen dat ze geen slecht vlees zouden eten.' Vianello gaf geen reactie, en Brunetti vroeg: 'Hoeveel weegt een koe?'

Vianello reageerde nog steeds niet.

De chauffeur bemoeide zich ermee en zei: 'Mijn zwager is

boer, commissario. Een goede koe weegt wel zevenhonderd kilo.'

'Hoeveel hou je daarvan over aan vlees?'

'Dat weet ik niet precies, commissario, maar ik zou denken ongeveer de helft.'

'Moet je eens nagaan, Lorenzo,' zei Brunetti. 'Als hij ze zou weigeren of afkeuren of wat het ook is dat een dierenarts hoort te doen, zou die boer alles kwijt zijn.'

Nog steeds geconfronteerd met Vianello's stilzwijgen vroeg Brunetti aan de chauffeur: 'Hoeveel krijgen ze per kilo?'

'Dat zou ik niet precies durven zeggen, commissario. Mijn zwager gaat er altijd van uit dat een koe vijftienhonderd euro waard is. Misschien iets meer, maar dat is het bedrag dat hij hanteert.'

Brunetti wendde zich tot Vianello en zei, reagerend op zijn aanhoudende gebrek aan enthousiasme en zich bewust van zijn misnoegde toon: 'Dit is het eerste wat we tegenkomen wat een reden zou kunnen zijn om hem te vermoorden.'

Pas toen ze op de brug reden en de stad in zicht was, stond Vianello zichzelf toe te zeggen: 'Ook al ziet Patta het niet graag als mogelijkheid, ik geloof toch dat ik de voorkeur geef aan geweldpleging.'

Brunetti richtte zijn aandacht weer op het water rechts van de auto.

Brunetti en Vianello stapten de steiger op zodra de boot voor de Questura tot stilstand kwam en gingen het gebouw in. Ze liepen samen de kamer van signorina Elettra binnen, een entree die ze, aan haar gezicht te zien, opvatte als een dubbel genoegen.

'Zijn jullie hier voor Papetti?' vroeg ze, en de vraag suggereerde dat ze, als dat zo was, aan het juiste adres waren.

'Ja,' antwoordde Brunetti. 'Vertel maar.'

'Dottor Papetti is getrouwd met de dochter van Maurizio De Rivera,' zei ze, informatie die door Vianello werd begroet met een zacht gefluit en door Brunetti met een gefluisterd 'Ah'.

'Aan die geluiden te horen zijn jullie op de hoogte van haar vaders positie en macht,' zei ze.

En wie in het noordoosten van het land was dat niet? vroeg Brunetti zich af. De Rivera was voor de bouw wat Thyssen was voor staal: de familienaam was genoeg om je het product voor de geest te roepen, was er bijna synoniem mee. De dochter, zijn enige kind – tenzij er nog een paar de familie binnen waren gesmokkeld op een moment dat de roddeljournalistiek collectief onder verdoving was gebracht – had een flink deel van haar jeugd doorgebracht onder de voor iedereen zichtbare invloed van middelen die even verboden als schadelijk waren.

'Wanneer was die brand?' vroeg Vianello.

'Tien, elf jaar geleden,' antwoordde Brunetti, verwijzend naar de brand in haar appartement in Rome waaruit de dochter – hij kon zich haar naam niet herinneren – was gered ten koste van de levens van drie brandweerlieden. Het publiek had er maanden van gesmuld, waarna ze uit het nieuws was verdwenen, om er een jaar later of zo weer in terug te keren als vrijwilligster bij een of andere gaarkeuken of opvang, kennelijk gelouterd door een transformatieve ervaring als gevolg van het feit dat ze haar leven te danken had aan de dood van drie anderen. Maar daarna was ze opnieuw uit de kranten en daarmee ook uit het publieke bewustzijn verdwenen.

Niet aangeraakt door enigerlei transformatieve ervaring was haar vader, of diens reputatie. Er werd nog steeds druk gespeculeerd over het ene na het andere contract dat zijn bedrijf binnenhaalde voor gemeentelijke en provinciale bouwprojecten, voornamelijk in het zuiden. En in dat deel van het land was de offerte van zijn bedrijf vaak ook de enige die werd ingediend.

Er deden ook andere geruchten over hem de ronde, maar dat waren slechts geruchten.

Na hun de tijd te hebben gegeven om deze informatie tot zich door te laten dringen vervolgde signorina Elettra: 'Ik heb ook een intern schrijven gevonden waarin Papetti verzoekt om Borelli aan te nemen, en tegen dat salaris.' Ze glunderde zichtbaar toen ze dit vertelde.

'Als er inderdaad gaande is wat ik denk dat er gaande is, dan is Papetti, gezien de reputatie van zijn schoonvader, wel erg dapper,' zei Vianello.

'Of erg dom,' reageerde Brunetti.

'Of allebei,' opperde signorina Elettra.

'De Rivera is nooit ergens voor veroordeeld,' zei Vianello op neutrale toon.

'Veel van onze politici en ministers ook niet,' voegde signorina Elettra daaraan toe.

Brunetti kwam in de verleiding om te zeggen dat ze zelf ook geen van drieën ooit veroordeeld waren, en wat bewees dat? In plaats daarvan zei hij: 'Zullen we het erop houden dat Papetti's relatie met signorina Borelli er een is die hij misschien liever voor zijn schoonvader geheimhoudt?' Vianello knikte. Signorina Elettra glimlachte.

'Wat bent u nog meer over hem te weten gekomen?' ging Brunetti verder.

'Ze hebben het heel goed, hij en zijn vrouw en hun kinderen.'

'Hoe heet ze ook alweer? Ik ben het vergeten,' onderbrak Vianello haar.

'Natasha,' zei signorina Elettra rustig.

'O ja,' zei de inspecteur. 'Ik wist dat het iets aanstellerigs was.'

Alsof de inspecteur niets gezegd had, vervolgde ze: 'Hij heeft bijna twee miljoen euro in diverse beleggingen, hun huis is minstens zoveel waard, hij rijdt in een van hun twee Mercedes-suv's en ze gaan vaak op vakantie.'

'Het kan De Rivera's geld zijn,' opperde Brunetti.

Als een schooljuf die een overenthousiaste leerling terechtwees, zei signorina Elettra: 'De rekeningen staan alleen op zijn naam. En het zijn rekeningen in het buitenland.'

'Ik neem mijn woorden terug,' zei Brunetti, waarna hij vroeg: 'En signorina Borelli? Nog iets over haar?'

'Hoewel ze bij Tekknomed nog geen vijfentwintigduizend euro per jaar verdiende, is ze er op de een of andere manier in geslaagd om in de jaren dat ze daar werkte twee appartementen in Venetië en eentje in Mestre te kopen. Ze woont in dat huis in Mestre en verhuurt de appartementen in Venetië aan toeristen.'

'En Tekknomed koos ervoor geen aanklacht tegen haar in te dienen toen ze wegging,' zei Brunetti peinzend. 'Ze moet heel wat over hun boekhouding weten.' Vervolgens, tegen signorina Elettra: 'Haar bankrekeningen?'

'Mijn onderzoek is nog niet afgerond, signore,' zei ze stijfjes.

'Zijn er aanwijzingen dat haar relatie met Papetti seksueel van aard is?'

Ze stond zichzelf een koele blik toe. 'Het is onmogelijk om dat soort dingen in de officiële bestanden te vinden, meneer.'

'Ja, natuurlijk,' antwoordde Brunetti. 'Gaat u maar verder met uw onderzoek dan.' Tegen Vianello zei hij: 'Ik wil Papetti spreken.'

'Kun je het opbrengen om weer terug te gaan naar het vasteland?' vroeg Vianello met een glimlach.

'Ik wil hem spreken voor er nog meer tijd voorbijgaat.'

'Als je gaat, kun je beter alleen gaan,' zei Vianello. 'Dat is minder bedreigend.'

Hij deed een stap naar signorina Elettra toe en vroeg: 'Denkt u dat we misschien eens naar de administratie van het *macello* kunnen kijken terwijl de commissario weg is?'

Haar antwoord was een oefening in bescheidenheid. 'Ik kan het proberen.'

Brunetti liet dat verder aan hen over en ging naar beneden en naar buiten naar de boot.

27

Brunetti vroeg zich opnieuw af hoe het mogelijk was dat mensen zo konden leven: rondrijdend in auto's, wachtend achter lange rijen andere auto's, altijd weer overgeleverd aan de nukken van het verkeer. En de stank, en het lawaai, en de overweldigende lelijkheid van alles wat hij passeerde. Geen wonder dat automobilisten geneigd waren tot geweld: hoe zouden ze dat niet kunnen zijn?

Signorina Elettra had telefonisch een afspraak gemaakt met dottor Papetti. Ze had hem verteld dat commissario Brunetti die dag op de wal was en gemakkelijk even langs kon komen om met hem te praten over dottor Nava. Dottor Papetti had die middag gelukkig geen afspraken en zou op zijn kantoor zijn. Ze had hem verteld dat dottor Brunetti de weg naar het slachthuis kende.

Hoewel de chauffeur dezelfde route nam, herkende Brunetti niet veel van wat hij zag. Hij had geen geheugen voor wegen. Hij meende een van de villa's eerder te hebben gezien, maar van een afstand leken die vaak nogal op elkaar. Hij herkende echter wel de smalle weg die naar het slachthuis leidde, en daarna het hek waarachter het stond. En Brunetti herkende ook de geur die van achter het gebouw op hem afkwam, hoewel die nu minder sterk leek.

Dit keer was het dottor Papetti die hem bij de deur begroette. Hij was een lange man met een terugwijkende haargrens die de smalheid van zijn gezicht en hoofd benadrukte. Zijn ogen waren rond en donker en hoorden thuis in een dikker gezicht. De lippen waren dun en opgetrokken in een formele glimlach. Zijn pak was voorzien van schoudervullingen, die uit de mode waren maar er wel in slaagden zijn magerte te verhullen. Brunetti keek naar beneden en zag dat zijn schoenen handgemaakt waren; zijn smalle voeten maakten dat waarschijnlijk noodzakelijk.

Na Brunetti te hebben verrast met een stevige handdruk stelde Papetti voor dat ze naar zijn kamer zouden gaan. Papetti liep naast hem met de schokkerige bewegingen van een reiger in het water; zijn hoofd, op een uitzonderlijk lange nek, schoof bij elke stap naar voren. Geen van beide mannen zei iets. Er kwamen af en toe geluiden van dieper in het gebouw.

Papetti opende de deur van zijn kamer, deed een stap naar achteren en zei: 'Commissario, gaat u zitten, alstublieft, en vertel me hoe ik u kan helpen. Het spijt me dat ik hier niet kon zijn tijdens uw vorige bezoek.'

Brunetti liep voor hem langs en zei: 'Ik ben heel blij dat u de tijd heeft kunnen vinden om me alsnog te woord te staan, dottor Papetti.' Zodra ze allebei zaten, voegde Brunetti eraan toe, op een toon die niet gespeend was van dankbaarheid: 'Een man in uw positie heeft vast veel verantwoordelijkheden.' Papetti glimlachte bescheiden, en zijn glimlach deed Brunetti denken aan een regel die hij ooit had gelezen, bij Kafka, dacht hij, over een man die mensen had zien lachen 'en meende te weten hoe dat moest'.

'Gelukkig,' begon Papetti, 'althans, gelukkig voor u, hebben twee mensen een afspraak voor vanmiddag afgezegd, dus ik had opeens wat ruimte vrij in mijn agenda.' Hij probeerde nog een lachje. 'Dat gebeurt niet zo vaak.'

Zijn woorden hadden iets bekends dat Brunetti niet kon thuisbrengen, en toen kwam zijn geheugen hem te hulp: het was Patta's stem die de man gebruikte. Maar was het Patta op zijn joviaalst of op zijn sluwst?

'Zoals mijn secretaresse u vast heeft verteld, wil ik u graag spreken over dottor Nava,' zei Brunetti, als de ene overbelaste bureaucraat tegen de andere.

Papetti knikte, en Brunetti vervolgde: 'Aangezien hij voor u werkte, dacht ik dat u me misschien iets over hem zou kunnen vertellen.' In een plotseling vertoon van openhartigheid ging Brunetti verder: 'Ik heb met zijn weduwe gesproken, maar zij kon me maar heel weinig vertellen. Ik weet niet of u dit weet, maar ze leefden al enkele maanden gescheiden.' Hij wachtte even om te zien wat Papetti hierop zou zeggen.

Na een nauwelijks merkbare aarzeling zei hij: 'Nee, ik ben bang dat ik dat niet wist,' en hij wreef met de vingers van zijn linkerhand over de rug van de rechter. 'Ik kende hem alleen van zijn werk bij het *macello*, dus ik was niet bekend met zijn privéleven.'

'Maar u wist toch wel dat hij getrouwd was, dottore?' vroeg Brunetti met zijn welwillendste stem.

'O,' zei Papetti met een poging tot een luchtig wuivend handgebaar, 'dat zal ik waarschijnlijk wel geweten hebben, of in ieder geval aangenomen. De meeste mensen van zijn leeftijd zijn per slot van rekening getrouwd. Of misschien heeft hij het wel eens over zijn kinderen gehad. Het spijt me, maar ik kan het me niet herinneren.' Hij zweeg heel even en zei toen, met wat bedoeld was als een blik van bezorgdheid: 'Ik zou graag willen dat u mijn condoleances overbrengt aan zijn weduwe, commissario.'

'Natuurlijk, natuurlijk,' zei Brunetti met een knikje waaruit begrip voor Papetti's gevoelens sprak.

Brunetti liet wat tijd voorbijgaan en vroeg toen: 'Kunt u me vertellen wat dottor Nava's werkzaamheden precies waren bij het *macello*?'

Papetti's antwoord kwam zo snel dat het leek alsof hij op die vraag was voorbereid. 'Zijn functie was in feite die van inspecteur. Hij moest erop toezien dat de dieren die bij ons komen geschikt zijn voor de slacht, en daarna moest hij monsters van het vlees van deze dieren inspecteren.'

'Natuurlijk, ja, natuurlijk,' zei Brunetti, waarna hij met het enthousiasme van een beginneling vervolgde: 'U zult door uw positie de nodige kennis hebben van de manier waarop alle slachthuizen te werk gaan, dottore. In het algemeen, bedoel ik. Die dieren komen aan, worden uitgeladen...' Brunetti zweeg even, opnieuw met een vriendelijk lachje, en zei: 'We hebben niet echt een goede indruk kunnen krijgen.' Hij probeerde niet al te beschaamd te kijken. 'Mijn inspecteur, die...' Hij zweeg en haalde zijn schouders op en ging toen verder: 'Dus ik hoop dat u begrijpt dat ik uit onwetendheid spreek, dottore. Ik probeer me alleen voor te stellen hoe het in zijn werk gaat. Dat weet u vast veel beter dan ik.' Brunetti deed zijn best om onzeker over te komen en zei: 'Goed, waar was ik ook alweer? O ja, de dieren worden uitgeladen of naar binnen gebracht of hoe ze hier ook belanden. En dan neem ik aan dat dottor Nava ze onderzoekt om te kijken of ze gezond zijn, en daarna worden ze het slachthuis binnengebracht en gedood.' Saaie mensen vallen in herhaling, wist Brunetti, en hij hoopte dat Papetti dat ook geloofde.

Papetti leek zich te ontspannen bij deze kans om ver van de bijzonderheden te blijven. 'Dat is min of meer wat er gebeurt, ja.'

'Zijn er problemen die u zou kunnen tegenkomen, of die dottor Nava tegengekomen zou kunnen zijn?'

Papetti tuitte nadenkend zijn lippen en zei toen: 'Nou, wat het slachthuis betreft, als er een verschil zou zijn tussen het aantal dieren dat volgens onze gegevens is binnengebracht en het aantal dat de boeren opgeven; dat zou een probleem kunnen zijn. Of als er vertragingen in de verwerking zijn waardoor de boeren gedwongen zijn hun dieren hier langer te houden dan gepland, met alle kosten van dien; dat is er ook een.' Hij sloeg zijn benen over elkaar en zette ze weer naast elkaar en zei: 'Wat dottor Nava betreft, die zou te maken kunnen krijgen met een eventuele schending van de eu-richtlijnen.'

'Zou u een voorbeeld kunnen geven, signore?' vroeg Brunetti.

'Als de dieren onnodig lijden of als de voorschriften op het gebied van hygiëne niet worden nageleefd.'

'Ach, natuurlijk. Nu is het me duidelijk. Dank u wel, dottore.' Brunetti was tevreden over de indruk die hij moest maken, nu hij het eindelijk allemaal begreep.

Als in reactie op Brunetti's bereidheid het te begrijpen, zei Papetti: 'We zien onszelf graag als een instantie die met de boeren samenwerkt om te zorgen dat ze een eerlijke prijs krijgen voor de dieren die ze hebben grootgebracht en bij ons binnenbrengen.'

Brunetti moest zorgen dat hij niet te ver ging en slikte de opmerking in dat hij het zelf niet correcter had kunnen zeggen. In plaats daarvan mompelde hij: 'Juist, ja,' en zei toen: 'Maar als ik weer even terug mag naar dottor Nava, heeft u ooit iemand in het *macello* iets ten nadele van hem horen zeggen?'

'Niet dat ik me kan herinneren,' antwoordde Papetti meteen.

'En was u tevreden over zijn werk?'

'Absoluut,' zei Papetti, met nog wat gewrijf over de rug van zijn hand. 'Maar u moet begrijpen dat mijn functie in de eerste plaats bestuurlijk van aard is. Mijn directe contact met de mensen die hier werken is enigszins beperkt.'

'Zou u het van de mensen die hier werken te horen hebben gekregen als er iets aan te merken was geweest op dottor Nava's functioneren?' vroeg Brunetti.

Papetti dacht even na en zei toen: 'Dat weet ik niet, commissario,' waarna hij er met een bescheiden glimlachje aan toevoegde: 'Ik betwijfel of dat soort informatie aan mij zou worden doorgespeeld.' Kon louter roddel zo hoog stijgen?

Brunetti hield zijn toon net zo terloops als hij tot dan toe geweest was en vroeg: 'Denkt u dat ze iets tegen u zouden zeggen over Nava's verhouding met uw assistente, signorina Borelli?'

'Hoe weet u...' begon Papetti, en toen deed hij iets wat Brunetti een volwassene nooit eerder had zien doen: hij sloeg beide handen voor zijn mond. Rondheid is iets absoluuts. Dus Papetti's ogen konden niet nog ronder worden, maar ze konden wel groter worden. En dat werden ze ook, en zijn gezicht werd bleker naarmate het bloed eruit wegtrok.

Hij probeerde het. Dat moest Brunetti hem nageven. Papetti legde verontwaardiging in zijn stem en zei: 'Hoe durft u dat te zeggen?' Maar het was een zwakke poging: beide mannen wisten dat het voor hem te laat was om nog te proberen zijn reactie of zijn woorden te veranderen.

'En, hebben ze dat tegen u gezegd, dottore?' vroeg Brunetti, die zichzelf eindelijk zijn wolvenglimlach toestond. 'Of heeft signorina Borelli het misschien zelf gezegd?'

Brunetti dacht in eerste instantie, bij het geluid dat Papetti maakte, dat de man stikte, maar toen besefte hij dat het het geluid was van een man die tegen zijn tranen vocht. Papetti zat daar met één hand over zijn ogen en de andere over zijn kale voorhoofd en schedel in een poging zich te verstoppen. Het geluid hield aan, en ging langzaam over in een diep gezucht terwijl de man zijn adem hervond, vervolgens in zwaar ademen, en ondertussen bleef hij zo zitten, zijn hoofd en gezicht nog steeds beschermd tegen Brunetti.

Op een gegeven moment haalde Papetti zijn handen weg. De ronde ogen waren omgeven door rode vlekken, waarvan er ook twee midden op zijn wangen waren verschenen.

Hij keek Brunetti aan en zei met trillende stem: 'U moet nu vertrekken.'

Brunetti verroerde zich niet.

'U moet nu vertrekken,' zei Papetti nog een keer.

Brunetti kwam langzaam overeind. Hij wist wie de schoonvader van deze man was, en van zijn eigen familie wist hij ook hoe ver de vader van een echtgenote kon gaan om zijn dochter en zijn kleinkinderen te beschermen. Hij pakte zijn portefeuille en haalde er een visitekaartje uit. Daarna pakte hij een pen van

Papetti's bureau, schreef het nummer van zijn *telefonino* op de voorkant van het kaartje en legde het tussen hen in op het bureau.

'Dit is mijn nummer, dottore. Mocht u besluiten me hier meer over te willen vertellen, dan kunt u me bellen wanneer u maar wilt.'

Buiten zag Brunetti de chauffeur tegen het portier van de auto geleund staan, zijn ogen tot spleetjes geknepen tegen de zon. Hij at een ijsje en oogde daar heel tevreden mee. Ze reden terug naar Venetië.

28

Aangezien hij merkte dat tot tweemaal toe naar het vasteland afreizen op één dag – hoe weinig definitiefs de gesprekken ook hadden opgeleverd en ongeacht het feit dat duizenden mensen die reis elke dag twee keer moesten maken – voor hem meer dan een volle werkdag inhield, besloot Brunetti dat hij niet terug hoefde naar de Questura. Toen de chauffeur hem had afgezet op het Piazzale Roma gunde hij zichzelf dan ook de kans om naar huis te wandelen via iedere route die hij maar wenste, zolang hij maar op tijd thuis was voor het eten.

De zachtheid van de namiddag moedigde hem aan om grof-weg in de richting van San Polo te lopen, en af te slaan of stil te blijven staan wanneer hij daar zin in had. Hij kende dit deel van de stad nog goed van tientallen jaren geleden, toen hij elke dag de trein naar Padua nam om naar college te gaan en altijd van en naar het station liep omdat hij daarmee de – hoeveel was het toen? – vijftig lire voor de boot uitspaarde. Dat was genoeg geweest voor een zoet drankje of een koffie. Met de genegenheid die de ouderdom opbrengt voor de zwakten van de jeugd dacht hij eraan terug dat hij altijd alleen maar koffie koos als hij met zijn klasgenoten was, en toegaf aan zijn normale voorkeur voor zoete drankjes wanneer hij alleen was en niemand zijn keus als onverfijnd kon bestempelen.

Hij overwoog even om ergens zo'n drankje te gaan drinken, als hij zich nog kon herinneren hoe ze heetten. Maar hij was een man en had afgelegd wat kinderlijk was, dus ging hij een kop koffie drinken, en glimlachte om zichzelf toen hij het tweede suikerzakje in zijn kopje leegde.

Hij kwam uit op het Campo Santa Margherita, overdag hetzelfde doodnormale *campo* dat het al eeuwen was, met fruit- en viskramen, een *gelateria*, een apotheek, allerlei soorten winkels, en die eigenaardige, langwerpige vorm die het voor kinderen zo'n goede plek maakte om achter honden of andere kinderen aan te rennen. Omdat hij zichzelf vrijaf had gegeven, stond Brunetti maar niet stil bij de chaos die het *campo* tegenwoordig 's avonds plaagde en die mensen die hij kende ertoe gedreven had hun huis te verkopen, alleen al om aan het lawaai te ontsnappen.

Als Gobbetti er nog had gezeten, zou hij een chocolademousse voor thuis hebben gekocht, maar ze hadden de zaak verkocht, en de *pasticceria* die ervoor in de plaats was gekomen had de mousse niet nagemaakt. Hoe kon je het sublieme namaken?

De boten lagen aangemeerd aan de andere kant van de Ponte dei Pugni, één voor fruit en één voor groente, en hij probeerde zich te herinneren of hij ooit had meegemaakt dat ze daar níét lagen. Als dat niet het geval was, en ze daar permanent hadden gelegen, waren het – althans in filosofische zin – dan nog wel boten? Hierover mijmerend was hij al halverwege het Campo San Barnaba gekomen toen hij bedacht dat hij naar huis wilde om op zijn balkon van de rest van die namiddag te genieten. Hij passeerde de *calle* die naar het palazzo van zijn schoonouders leidde zonder ook maar een seconde te overwegen om even bij ze langs te gaan. Hij had zich in zijn hoofd gezet dat hij naar huis wilde, dus naar huis zou hij.

Tot Brunetti's grote opluchting was iedereen er toen hij thuiskwam, en tot zijn nog grotere opluchting lieten ze hem, na een begroeting en een kus, met rust om te doen wat hij wilde en gingen weer hun eigen gang. Hij schonk een glas witte wijn voor zichzelf in en zette een stoel op het balkon, waar hij een uur bleef zitten, kijkend hoe het licht zwakker werd en ten slotte verdween, nippend van zijn wijn, en dankbaar dat de mensen van wie hij hield allemaal een leven leidden en dingen deden die niets te maken hadden met de verschrikkelijke leugens en het bedrog waarmee zijn dagen waren gevuld.

De volgende morgen daagde zoet voor Brunetti, maar dat gevoel werd minder naarmate hij dichter bij de Questura kwam, waar hij Patta opnieuw onder ogen moest komen. Hij besefte dat hij geen andere keus had dan zijn meerdere te vertellen wat hij te weten was gekomen en welke vermoedens die feiten bij hem hadden gewekt. Als de componist van een opera had hij noten en aria's, een verscheidenheid aan zangers en in grote trekken een intrige, maar er was nog geen samenhangend libretto.

'Zij is de dochter van Maurizio De Rivera en jij denkt dat haar man iets weet over een moord maar daar niets over zegt?' barstte Patta los toen Brunetti hem op de hoogte had gebracht van zijn gesprek met Papetti. Als Brunetti hem had verteld dat de vloeibaarwording van het bloed van San Gennaro bedrog was, had Patta niet verontwaardigder kunnen zijn.

'Je weet toch wie hij is, hè, Brunetti?' wilde zijn chef weten.

Brunetti ging daar niet op in en zei: 'Hij wil misschien wel weten met wat voor soort man zijn dochter getrouwd is.'

'De waarheid is het laatste wat iemand wil weten over de man met wie zijn dochter getrouwd is.' Vervolgens, na een stilte die zo lang duurde dat Brunetti het gevoel kreeg dat Patta heel zorgvuldig mikte, haalde Patta de trekker over. 'Dat zou jíj moeten weten.'

Het lukte Brunetti niet zijn reactie te verbergen, maar hij wist die wel te beperken tot een blik, die hij snel afwendde. Het moest echter genoeg geweest zijn om Patta te laten inzien dat hij eindelijk te ver was gegaan, want hij voegde er onmiddellijk aan toe, in een doorzichtige poging om terug te krabbelen: 'Jij hebt per slot van rekening ook een dochter. Dan wil je toch geloven dat ze met een goede man getrouwd is?'

Brunetti's hart bonsde nog van de belediging, dus het duurde even voor hij kon antwoorden. Uiteindelijk zei hij: 'De Rivera hanteert misschien andere maatstaven dan andere vaders, vice-questore. Als zijn dochter of haar man op enigerlei wijze betrokken is bij deze moord, zou hij misschien niet terugdeinzen voor dingen als belemmering van de rechtsgang, liegen tegen een ambtenaar in functie, misschien zelfs rechtstreekse hulp bij het begaan van het misdrijf.' Hij zweeg even en liet er toen op volgen: 'Hij heeft per slot van rekening voor die eerste twee al voor de rechter moeten verschijnen.'

'En is vrijgesproken,' snauwde Patta.

Brunetti negeerde die opmerking en ging verder: 'Nava is in zijn rug gestoken en op de een of andere manier naar een plek gebracht waar hij in een kanaal kon worden geduwd. Dat doet vermoeden dat er twee mensen aan het werk zijn geweest.' Brunetti was inmiddels kalmer geworden en had zijn stem meer onder controle.

'En waarom moet Papetti daarbij betrokken zijn?' vroeg Patta hooghartig.

Brunetti onderdrukte de neiging om eruit te flappen dat hij gewoon dat gevóél had, want hij wist heel goed hoe ver hij daarmee zou komen. 'Dat hoeft niet per se, dottore. Maar hij weet wel iets, misschien meer dan één ding, waar hij niets over zegt. Hij wist van de verhouding tussen Nava en Borelli: zijn verrassing dat ík het wist bewijst dat. En als hij haar heeft aanbevolen voor die baan als zijn assistente, dan heeft ze hem op de een of andere manier in haar macht,' zei Brunetti, die de mogelijkheid zonder meer van de hand wees dat er sprake zou zijn van de generositeit die een van de eerste tekenen van liefde is.

Patta tuitte zijn lippen, een gewoonte die Brunetti in de loop der jaren was gaan zien als een visuele aanwijzing dat hij in alle redelijkheid over de dingen ging nadenken. De vice-questore bracht zijn rechterhand omhoog en bestudeerde zijn nagels. Brunetti had geen idee of hij ze echt zag of dat dit ook weer alleen maar een fysieke manifestatie van denken was.

Ten slotte liet Patta zijn hand zakken en ontspande zich. 'Wat wil je doen?'

'Ik wil die signorina Borelli hiernaartoe brengen en haar een paar vragen stellen.'

'Zoals?'

'Dat weet ik pas als ik meer informatie heb.'

'Wat voor informatie?' vroeg Patta.

'Over een paar appartementen die ze bezit. Over Papetti en Nava en hoe ze die baan als assistente van Papetti heeft gekregen. En hoe haar salaris is vastgesteld. Over het slachthuis en hoe goed ze dottor Meucci kent,' zei hij, terwijl zich zoiets als een scenario begon te vormen.

'Wie is dat?' wilde Patta weten, en hij maakte daarmee duidelijk dat hij de rapporten over de zaak niet had gelezen.

'Nava's voorganger.'

'Wat is dat met die vrouw – heeft ze iets met dierenartsen?'

Brunetti moest bijna glimlachen toen hij Patta zo onbedoeld deze zeer interessante vraag hoorde stellen.

'Ik heb geen idee, meneer. Ik ben gewoon op een algemene manier nieuwsgierig.'

'Op een algemene manier?' herhaalde Patta langzaam. 'En dat betekent?'

'Dat betekent, meneer, dat ik nog niet precies weet hoe al die mensen met elkaar in verband staan en wat ze precies aan elkaar bindt. Maar er is wel iets wat ze bindt, want niemand vertelt me iets.' Meer tegen zichzelf dan tegen Patta voegde Brunetti daaraan toe: 'Ik heb alleen een ingang nodig.'

Patta legde resoluut zijn handen op het bureau. 'Goed dan, laat haar maar komen en kijk maar wat ze te zeggen heeft. Maar denk erom, ik wil precies weten wat je over Papetti te horen krijgt voor je er actie op onderneemt.'

'Natuurlijk, vice-questore,' zei Brunetti, en hij begaf zich weer naar het voorvertrek, waar hij het gezicht van signorina Elettra boven haar computerscherm uit zag komen.

'Ik heb toegang kunnen krijgen tot de bestanden van het ULSS-kantoor in Treviso, meneer, en die houden dezelfde gegevens bij als het slachthuis,' zei ze. 'Dat was makkelijker dan binnen proberen te komen in die van het *macello*.' Ze dacht even na en zei toen: 'Trouwens, in het onwaarschijnlijke geval dat mijn aanwezigheid sporen zou achterlaten, is het altijd beter om die achter te laten bij een overheidsinstelling dan bij een particulier bedrijf.'

Signorina Elettra verwachtte misschien dat hij vraagtekens zou zetten bij het gebruik van woorden als 'toegang' of 'altijd', of misschien zelfs bij de zinsnede 'in het onwaarschijnlijke geval dat', maar Brunetti beperkte zich tot een mild: 'Vertelt u maar.'

'Ik ben vier jaar teruggegaan, meneer, en om het wat duidelijker te maken heb ik het in een grafiek gezet.' Ze knikte naar het scherm.

Ze bewoog de muis, klikte, klikte nog een keer, en er verscheen een lijngrafiek met daarboven 'Prenganziol'. Aan de bovenkant stonden de maanden van het jaar vermeld, aan de zijkant getallen die opliepen van o naar 100.

De lijn begon, in januari vier jaar eerder, bij drie, ging zigzaggend omhoog naar vier de maand erop, en kronkelde toen terug naar drie de maand daarop. Dit patroon handhaafde zich de daaropvolgende twee jaar. In het derde jaar volgde de lijn dezelfde grillige weg omhoog naar vijf, zakte vervolgens terug naar drie, en bleef daar steken tot november, toen hij omhoogschoot naar acht, waarna hij verder bleef stijgen om het jaar af te sluiten op twaalf. De lijn sprong in januari omhoog naar dertien, bleef daar een maand, en steeg in maart naar veertien. De grafiek eindigde bij die maand.

'Dus wat het ook is waar die getallen voor staan,' zei Brunetti, 'het ging opeens omhoog rond de tijd dat Nava in het *macello* kwam werken, en bleef omhooggaan...' Hij boog zich naar voren en tikte tegen het einde van de lijn: '... tot een maand voor zijn dood.'

Signorina Elettra scrolde omlaag en liet Brunetti het bijschrift lezen: *Percentage dieren afgewezen door het bevoegd gezag als zijnde ongeschikt voor de slacht.*

'Ongeschikt voor de slacht.' Dat betekende waarschijnlijk 'ongeschikt voor menselijke consumptie'. Daar had je het. De lafhartige hond had de rovers getrotseerd, maar deze lafhartige hond had zich niet tegen de rovers teweer kunnen stellen en had niemand kunnen redden, en de familie waar hij had gewoond, had hem niet opnieuw in huis kunnen nemen om weer van hem te houden, ook al was hij nog steeds niet erg dapper.

'Dus hij deed wat hij moest doen,' zei Brunetti, en hij voegde er tot verwarring van signorina Elettra aan toe: 'Net als de hond.' Maar meteen daarna zei hij iets wat ze wel begreep, zo duidelijk was de grafiek: 'En zijn voorganger niet.'

'Tenzij we terug zijn in Exodus en het land geteisterd werd door plagen en het vee door de pest vanaf het moment dat hij daar begon te werken,' zei ze.

'Niet waarschijnlijk,' merkte Brunetti op, en hij vroeg: 'Verder nog iets over signorina Borelli?'

'Behalve een lijstje met haar bezittingen heb ik nu ook wat informatie over haar investeringen en haar bankrekeningen.'

'Meervoud?'

'Eentje hier in de stad, eentje in Mestre waarop haar salaris wordt gestort, en eentje bij de oude girobank.' Ze glimlachte en zei met slecht verhulde minachting: 'Mensen denken zeker dat niemand eraan denkt om daar te kijken.'

'En wat nog meer?' vroeg hij, zo vertrouwd met haar manier van doen dat hij wist dat er nog meer interessants onthuld zou worden.

'Meucci. Niet alleen heeft hij de afgelopen twee dagen drie keer naar signorina Borelli's *telefonino* gebeld, maar hij blijkt ook nog eens helemaal geen dierenarts te zijn.'

'Wat?'

'Hij heeft vier jaar op de universiteit van Padua gezeten en de meeste tentamens gedaan en gehaald, maar de laatste vier heeft hij nooit gedaan, en er is nergens geregistreerd dat hij zijn doctoraal heeft behaald of staatsexamen heeft gedaan, of zelfs maar aangevraagd.'

Brunetti stond op het punt te vragen hoe het dan mogelijk was dat de provinciale gezondheidsdienst hem een baan als dierenarts in een slachthuis had gegeven, of hoe hij zijn eigen praktijk had kunnen opzetten, maar hield zich op tijd in. Er ging bijna geen week voorbij zonder dat er een neparts of -tandarts werd ontmaskerd; waarom zou fraude minder voor de hand liggen als de patiënten tot een andere soort behoorden?

Hij besloot meteen actie te ondernemen. 'Belt u zijn praktijk en kijk of hij er is; vraag of u met uw kat langs kunt komen of zoiets – als u maar te horen krijgt of hij er is. Zo ja, stuurt u dan Foa en Pucetti naar hem toe met het verzoek of hij hiernaartoe wil komen om met me te praten.'

'Met alle genoegen, meneer,' zei ze, en vervolgens: 'Kijkt u maar even naar die papieren over signorina Borelli.'

Brunetti pakte de map en was van plan naar zijn kamer te gaan om daar een en ander door te lezen, maar in plaats daarvan ging hij naar de agentenkamer en gaf Foa en Pucetti preciezere instructies, waarbij hij Pucetti op het hart drukte dat hij Meucci moest aanspreken als 'signore', niet als 'dottore'. Daarna, nog steeds met de map in zijn hand, ging hij naar de bar bij de Ponte dei Greci en bestelde een koffie en twee *tramezzini*.

Teruggekomen op zijn kamer belde hij Paola om te vragen wat ze die avond zouden eten. Om haar een plezier te doen vroeg hij hoe ze zich voelde, nu ze met haar machinaties had weten te voorkomen dat haar collega's contract werd verlengd.

'Als Lucrezia Borgia,' zei ze lachend.

Brunetti was een tijdje op zoek naar een opnameapparaat, dat hij uiteindelijk achter in zijn onderste la vond. Hij controleerde of het werkte en zette het duidelijk zichtbaar op zijn bureau neer. Daarna sloeg hij de map open en begon te lezen, maar hij was nog niet verder gekomen dan de prijzen die signorina Borelli had betaald voor haar huis in Mestre en haar eerste appartement in Venetië toen hij een geluid bij de deur hoorde.

Hij keek op en zag Pucetti en Meucci staan. Als Meucci een autoband was geweest, had iemand wat lucht uit hem laten ontsnappen; dat was het duidelijkst te zien aan zijn gezicht, waarin de ogen groter leken te zijn geworden. Zijn wangen hingen slap boven de zachte, kleine mond. Er drukte minder vlees tegen de steunmuur van zijn kraag.

Zijn lichaam leek ook kleiner, maar dat kwam misschien door de donkere wollen jas, die zijn volumineuze laboratoriumjas had vervangen.

Pucetti bleef bij de deur staan toen Meucci naar binnen stapte. De deur ging dicht; ze hoorden de voetstappen van de agent verdwijnen.

'Kom verder, signor Meucci,' zei Brunetti koel. Hij boog zich over het bureau en zette het opnameapparaat aan.

De man kwam langzaam naar voren, zo schuchter als een jonge gnoe die gedwongen wordt het hoge gras in te stappen. Terwijl hij op Brunetti's bureau toe liep, ging zijn blik de kamer rond, op zoek naar het gevaar waarvan hij wist dat het er was. Hij liet zich langzaam in een stoel zakken. Brunetti dacht dat het geluid een zucht was, maar realiseerde zich toen dat het Meucci's met vlees volgepropte kleding was die langs de rug- en armleuningen van de stoel schuurde.

Brunetti keek naar de handen van de man, die op de armleu-

ningen van de stoel lagen. De verkleurde vingers waren eromheen gevouwen, zodat de handen eruitzagen als normale handen, zij het opgezwollen door het vet.

'Hoe bent u aan uw baan bij het *macello* gekomen, signor
Meucci?' vroeg Brunetti. Geen begroeting, geen beleefdheid, alleen die simpele vraag.

Brunetti zag Meucci verschillende mogelijkheden in overweging nemen, en toen zei de dikke man: 'De vacature werd bekendgemaakt en ik heb erop gesolliciteerd.'

'Heeft u bij die sollicitatie nog documenten moeten overleggen, signore?' vroeg Brunetti, met speciale nadruk op dat laatste
woord.

'Ja,' antwoordde Meucci. Het feit dat hij niet antwoordde met
een verontwaardigd 'natuurlijk' maakte Brunetti duidelijk dat
hij geen moeite zou hebben met dit vraaggesprek. Meucci was
een verslagen man die alleen nog de schade die hem te wachten
stond wilde beperken.

'En het ontbreken van enig bewijs dat u was afgestudeerd in
de diergeneeskunde stond uw sollicitatie naar deze betrekking
niet in de weg?' vroeg Brunetti, met de welwillendste belangstelling.

Meucci's rechterhand ging naar zijn jaszak, gleed naar binnen
en putte zo veel mogelijk troost uit het voelen van zijn pakje
sigaretten. Hij schudde zijn hoofd.

'U moet praten, signore. Uw antwoorden moeten te horen
zijn zodat de stenograaf ze kan uittypen.'

'Nee,' zei Meucci.

Kijkend naar Meucci had Brunetti de vreemde gewaarwor-
ding dat de man aan het smelten was. Hij zat lager in zijn stoel, al
had hij geen beweging gemaakt die aangaf dat hij was gaan ver-
zitten. Zijn mond leek kleiner geworden voordat hij dat laatste
eenlettergrepige woordje uitsprak. Zijn jas hing losjes om zijn
schouders.

'Hoe is dat mogelijk, signore?'

Brunetti hoorde een knisperend geluid toen Meucci's hand zich om het pakje sigaretten sloot. 'Niemand heeft me papieren laten zien. Ik heb niets getekend waarin stond dat u dit allemaal aan me mag vragen.' Er was iets wat op woede leek in Meucci's stem te horen.

Brunetti glimlachte begrijpend. 'Natuurlijk, signor Meucci. Dat begrijp ik. U bent hier vrijwillig naartoe gekomen om de politie te helpen bij haar onderzoek.' Brunetti schoof de recorder naar zich toe. 'U bent vrij om te gaan wanneer u wilt.' Hij zette het apparaat uit.

Met zijn ogen op de recorder vroeg Meucci, alle boosheid verdampt: 'Wat gebeurt er als ik dat doe?' Het was een eenvoudig verzoek om een antwoord, geen eisende vraag. Verloren mensen hadden niets te eisen.

'Dan laat u ons geen andere keus dan de politie in Mestre en de ULSS te verwittigen, en voor alle zekerheid ook de Guardia di Finanza, voor het geval u geen belasting heeft betaald over wat waarschijnlijk – gezien het feit dat u niet bevoegd was om als dierenarts te werken – illegale activiteiten zijn geweest.'

Brunetti schoof zijn stoel naar achteren en sloeg zijn benen over elkaar. Aangezien hij niet echt in een theatrale bui was die dag, liet hij het na om achterover te leunen, zijn vingers achter zijn hoofd te verstrengelen en naar het plafond te kijken. 'Laten we eens zien waar mijn diverse collega's mee zouden kunnen komen. Dat u zich valselijk hebt voorgedaan als overheidsfunctionaris, om te beginnen.' Toen hij zag dat Meucci wilde protesteren, verduidelijkte hij: 'U was bij het *macello* werkzaam als overheidsfunctionaris, signore, of u dat nu wist of niet.' Hij zag de waarheid hiervan tot Meucci doordringen.

'Zullen we eens kijken wat we verder nog hebben? Onrechtmatige beroepsuitoefening. Fraude. Geld aannemen onder valse voorwendsels.' Brunetti liet een dreigend lachje over zijn gezicht glijden. 'En als u ooit een recept heeft uitgeschreven voor een van uw patiënten, dan komt daar het onrechtmatig voorschrijven van medicatie bij, en als u ooit tegen betaling een dier hebt ingeënt, ook nog de illegale verkoop en toediening van medicijnen.'

'Maar het zijn dieren,' protesteerde Meucci.

'Inderdaad, signor Meucci. Dat zal uw advocaat aanknopingspunten bieden voor een intrigerend pleidooi tijdens uw proces.'

'Proces?' zei Meucci.

'Nou, daar zal het waarschijnlijk wel van komen, denkt u niet? U wordt natuurlijk gearresteerd, en uw praktijk wordt gesloten, en ik stel me voor dat uw cliënten – om het maar niet te hebben over de directie van het *macello* – een procedure zullen aanspannen om het geld terug te vorderen dat u onrechtmatig in rekening hebt gebracht.'

'Maar ze wísten het,' riep Meucci klaaglijk.

'Uw cliënten?' vroeg Brunetti met gespeelde verbazing. 'Maar waarom zouden ze dan met hun dieren naar u toe komen?'

'Nee, nee, zij niet. De mensen van het *macello*. Die wisten het. Natuurlijk wisten die het. Dat had er allemaal mee te maken.'

Brunetti boog zich naar voren en bracht zijn hand omhoog. 'Zal ik de recorder aanzetten voordat we verdergaan met dit gesprek, signor Meucci?'

Meucci haalde de sigaretten uit zijn zak en klemde zijn handen om het pakje. Hij knikte.

Bereid een gebaar als antwoord te accepteren, zette Brunetti het apparaat aan.

'U heeft me net verteld dat de mensen van het *macello* in Preganziol u hebben aangenomen ook al wisten ze dat u geen dierenarts bent. Althans, ze hebben u aangenomen als dierenarts terwijl ze wisten dat u niet bevoegd bent. Klopt dat, signor Meucci?'

'Ja.'

'Ze wisten dat u niet bevoegd bent?'

'Ja,' zei Meucci, en toen snauwde hij: 'Dat heb ik toch net gezegd. Hoe vaak moet ik het nog herhalen?'

'Zo vaak als u wilt, signor Meucci,' zei Brunetti vriendelijk. 'Misschien dat u door de herhaling gaat beseffen dat zo'n interessant feit enige uitleg behoeft.'

Toen Meucci niets zei, vervolgde Brunetti: 'U zei dat de vacature voor die baan bekendgemaakt werd. Kunt u me vertellen hoe die bekendgemaakt werd?'

Hier kwam het, wist Brunetti: het moment waarop de ondervraagde het relatieve gevaar van kleine leugentjes begon af te wegen. Hier iets vergeten, daar een naam weglaten, een datum of een aantal veranderen, een ontmoeting wegwuiven als zijnde onbelangrijk.

'Signor Meucci,' zei Brunetti, 'ik wil u eraan herinneren hoe buitengewoon belangrijk het is dat u ons alles vertelt wat u nog weet: alle namen, en waar en wanneer u die mensen hebt gesproken, en wat er tijdens die gesprekken is gezegd. Naar beste vermogen.'

'En als ik het niet meer weet?' vroeg Meucci, maar Brunetti hoorde angst in die vraag, geen sarcasme.

'Dan geef ik u de tijd tot u het wel weer weet, signor Meucci.'

Meucci knikte weer, en opnieuw accepteerde Brunetti het gebaar als blijk van instemming.

'Hoe hoorde u over die baan bij het *macello*?'

Er klonk geen aarzeling in Meucci's stem toen hij zei: 'Degene die dat werk deed voordat ik er kwam belde me op een gegeven moment op – we waren met elkaar bevriend op de universiteit – en zei dat hij ermee ophield, en toen vroeg hij of ik misschien in de baan geïnteresseerd was.'

'Wist die vriend dat u uw studie niet had afgemaakt?' vroeg Brunetti.

Hij zag dat Meucci aanstalten maakte om te liegen en stak zijn rechterwijsvinger op in een gebaar dat zijn godsdienstleraar op de lagere school altijd maakte.

'Waarschijnlijk wel,' zei Meucci ten slotte, en Brunetti kon het waarderen dat hij zijn vriend er niet bij had willen lappen.

'En hoe ging dat in zijn werk, dat u voor hem in de plaats kwam?'

'Hij heeft met iemand daar gesproken, en op een gegeven moment moest ik naar het *macello* toe voor een sollicitatiegesprek. Toen kreeg ik te horen wat ik moest doen.'

'Is toen ter sprake gekomen dat u niet gekwalificeerd was?'

'Nee.'

'Moest u een curriculum vitae overleggen?'

Na een zeer korte aarzeling zei Meucci: 'Ja.'

'Heeft u daarin gezegd dat u was afgestudeerd in de diergeneeskunde?'

Op zachtere toon zei Meucci nogmaals: 'Ja.'

'Moest u daarvan een bewijs overleggen – een fotokopie van uw diploma?'

'Ik kreeg te horen dat dat niet nodig was.'

'Juist, ja,' zei Brunetti, en hij vroeg vervolgens: 'Wie zei dat tegen u?'

Meucci, die kennelijk geen erg had in wat hij deed, haalde een sigaret uit het pakje en stopte hem in zijn mond. Hij haalde een aansteker tevoorschijn en stak de sigaret aan. Jaren geleden had Brunetti eens een oude man die op een tussenstation uit de trein was gestapt een sigaret zien opsteken en drie ongelofelijk diepe halen zien nemen. Vervolgens, toen het fluitje van de conducteur klonk, had hij de sigaret met zijn vingers uitgemaakt en terug in het pakje gestopt. Terwijl de drakenadem uit zijn mond kwam, had de man zich weer in de trein gehesen op het moment dat die in beweging kwam. Met diezelfde blinde gretigheid zag hij Meucci nu de hele sigaret oproken. Toen er nog maar een piepklein peukje over was en de voorkant van zijn jas onder de gemorste as zat, keek Meucci Brunetti aan.

Brunetti opende zijn middelste la, haalde er een blikje Fisherman's Friend uit en gooide het leeg. Hij schoof het blikje Meucci's kant op en keek toe hoe hij de sigaret uitdrukte.

'Wie zei tegen u dat dat diploma niet nodig was?'

'Signorina Borelli,' zei Meucci, en hij stak nog een sigaret op.

29

'Dat is de assistente van Papetti, hè?' zei Brunetti, alsof hij haar niet kende.

'Ja,' zei Meucci.

'Wie heeft het onderwerp diploma ter sprake gebracht?'

'Ik,' zei Meucci, en hij haalde de sigaret uit zijn mond. 'Ik was bang dat ze erachter zou komen, hoewel Rub...' Hij deed er het zwijgen toe voor hij de volledige naam van zijn voorganger had uitgesproken, alsof hij te geschokt was door wat er gebeurde om te beseffen dat diens naam openbare informatie was. 'Mijn collega had me verzekerd dat het niet uitmaakte. Maar ik kon het niet geloven. Dus vroeg ik haar of ze mijn antecedenten had onderzocht en of die bevredigend waren.' Hij schonk Brunetti een blik die om begrip vroeg. 'Ik wilde er zeker van zijn dat ze wisten dat ik niet bevoegd was, en dat dat inderdaad niet uitmaakte en naderhand niet tegen me zou worden gebruikt.' Meucci wendde zijn blik af en keek naar buiten.

'En gebeurde dat wel?' vroeg Brunetti, in wiens toon echte bezorgdheid leek door te klinken.

Meucci haalde zijn schouders op. Hij drukte zijn sigaret uit en wilde een volgende pakken, maar liet zich door Brunetti's blik weerhouden. 'Hoe bedoelt u?' vroeg hij, om tijd te rekken.

'Heeft iemand van het *macello* ooit geprobeerd die informatie te gebruiken?'

Opnieuw zag Brunetti de dikke man overwegen of hij zou liegen. Hij zag hem de alternatieven tegen elkaar afwegen: welk gevaar was het grootst? Wat zou hem minder kosten, de waarheid of de leugen?

Als een alcoholist die een fles whisky door de gootsteen spoelt als bewijs dat hij zijn leven heeft gebeterd, legde Meucci het verfrommelde pakje sigaretten op Brunetti's bureau en schoof het netjes naast het opnameapparaat. 'Dat gebeurde in de eerste week,' zei hij. 'Een boer uit Treviso kwam wat koeien brengen. Ik weet niet meer hoeveel, een stuk of zes of zo. Twee waren er meer dood dan levend. De ene zag eruit alsof hij doodging aan kanker, die had een open wond op zijn rug. Ik heb niet eens de moeite genomen om hem te onderzoeken. Iedereen kon zien dat het beest ziek was: vel over been en het kwijl droop uit zijn bek. Die andere had virusdiarree.'

Meucci keek naar de sigaretten en ging verder. 'Ik zei tegen de slachtmeester, Bianchi, dat die boer die twee koeien weer mee moest nemen en moest vernietigen.' Hij keek Brunetti aan en bracht één hand omhoog. 'Dat was per slot van rekening mijn werk. De dieren inspecteren.' Hij zweeg en maakte een sjorrende beweging die een schouderophalen kon zijn of een poging om zich uit de omknelling van de stoel te bevrijden.

'Wat gebeurde er toen?' vroeg Brunetti.

'Bianchi zei dat ik daar met die koeien moest wachten en ging signorina Borelli halen. Toen ze kwam en vroeg wat er aan de hand was, zei ik dat ze eens goed naar die koeien moest kijken en maar eens moest zeggen of ze vond dat die gezond genoeg waren om te slachten.' Zijn stem was vervuld van het sarcasme dat hij tegenover Brunetti niet kon gebruiken.

'En wat zei ze?'

'Ze keek er amper naar.' Meucci, zag Brunetti, was weer terug in het *macello* en beleefde dit gesprek opnieuw. 'En ze zei,' begon hij, terwijl hij zich naar voren boog om zijn mond dichter bij de recorder te brengen, 'ze zei: "Ze zijn net zo gezond als uw sollicitatie, signor Meucci."' Hij sloot zijn ogen bij de herinnering. 'Ze had me daarvoor steeds dottor Meucci genoemd. Dus toen wist ik dat ze het wist.'

'En?' vroeg Brunetti na een tijdje.

'En toen gebeurde het dus,' antwoordde Meucci.

'Gebeurde wat?'

'Werd het tegen me gebruikt.'

'Wat heeft u met die koeien gedaan?' vroeg Brunetti.

'Wat denkt u dat ik gedaan heb?' reageerde Meucci verontwaardigd. 'Ik heb ze goedgekeurd.'

'Juist, ja,' zei Brunetti, die zichzelf niet toestond de woorden 'veilig voor menselijke consumptie' over zijn lippen te laten komen. Toen herinnerde hij zich dat Nava's weduwe had gezegd dat haar man alleen nog maar fruit en groente at. 'En daarna?' vroeg hij kalm.

'Daarna deed ik wat me gezegd werd. Wat had u anders verwacht?'

Brunetti negeerde dat en vroeg: 'En wie zei u wat te doen?'

'Bianchi was degene die me vertelde dat het gemiddelde afkeuringspercentage ongeveer drie procent was, dus daar bleef ik op zitten. De ene maand iets meer, de andere iets minder.' Hij hield even op met praten om zich omhoog te hijsen in zijn stoel. 'Ik heb in ieder geval geprobeerd de ergste gevallen af te keuren. Maar er waren er zo veel ziek. Ik weet niet wat ze die beesten te eten gaven, of wat voor medicijnen ze erin pompten, maar ze waren soms walgelijk.'

Brunetti liet zich niet verleiden tot de opmerking dat dit Meucci er niet van had weerhouden hun toetreding tot de voedselketen goed te keuren, en zei: 'Bianchi zei wat u moest doen, maar iemand anders moet het tegen hem hebben gezegd.' Toen Meucci niet reageerde, spoorde Brunetti hem aan. 'Denkt u niet?'

'Natuurlijk,' antwoordde Meucci, en hij griste de sigaretten weer van het bureau en stak er een op. 'Borelli gaf hem daar opdracht toe, dat was duidelijk. En ik hield me eraan. Drie procent.

Soms een beetje meer, soms een beetje minder. Maar altijd daaromtrent.' Het klonk dit keer als een soort bezwering.

'Heeft u zich ooit afgevraagd wie signorina Borelli er opdracht toe gaf?' vroeg Brunetti.

Meucci schudde kort zijn hoofd en zei: 'Nee. Dat waren mijn zaken niet.'

Brunetti liet een gepaste hoeveelheid tijd voorbijgaan en vroeg toen: 'Hoe lang heeft u dit gedaan?'

'Twee jaar,' snauwde Meucci, en Brunetti vroeg zich af hoeveel kilo ziek en door kanker aangetast vlees dat vertegenwoordigde.

'Tot wat?'

'Tot ik het ziekenhuis in ging en ze iemand anders moesten nemen,' zei Meucci.

De reden kon hem niet schelen, maar omdat hij wist dat het tonen van betrokkenheid zijn nut kon hebben, vroeg Brunetti: 'Waarom moest u naar het ziekenhuis, signor Meucci?'

'Diabetes. Ik ben thuis in elkaar gezakt, en toen ik wakker werd lag ik op de intensive care. Het duurde een week voor ze erachter kwamen wat er met me aan de hand was, en twee weken voor ik weer stabiel was, en daarna nog een week thuis.'

'Zo,' zei Brunetti, niet in staat tot een verdere uiting van medeleven.

'Aan het eind van de eerste week hebben ze Nava aangenomen.' Hij keek Brunetti aan en zei: 'U geloofde me niet, hè? Toen ik zei dat ik hem nooit ontmoet had? Nou, ik heb hem echt nooit ontmoet. Ik weet niet hoe ze aan hem gekomen zijn of wie hem heeft aanbevolen.' Meucci genoot er zichtbaar van dat hij dit kon zeggen.

'Maar u loog wel toen u zei dat u niet wist dat ik bij het *macello* was geweest, en dat betekent dat u ook loog toen u zei dat u met niemand daar nog contact had.' Brunetti wachtte tot Meucci zou reageren, en toen dat niet gebeurde liet hij de zweep knallen. 'Niet dan?'

'Zij heeft me gebeld,' zei Meucci.

Brunetti vond het niet nodig om te vragen wie hij bedoelde.

'Ze zei dat ze wilde dat ik in Verona zou gaan werken,' zei Meucci met neergeslagen ogen. 'Maar ik vertelde haar over die diabetes en dat mijn dokter had gezegd dat ik pas weer mocht werken als ik stabiel was.'

'Is dat waar?' vroeg Brunetti.

'Nee, maar op die manier hoefde ik niet naar Verona,' zei hij, en hij klonk tevreden over zichzelf.

'Om hetzelfde te doen?' vroeg Brunetti. 'In Verona?'

'Ja,' zei Meucci. Hij opende zijn mond om zich op de borst te kloppen dat hij dat geweigerd had, maar toen hij Brunetti's gezicht zag, zei hij niets.

'Heeft zij nog steeds contact met u?' vroeg Brunetti, die voor zich hield dat hij wist dat Meucci haar had gebeld.

Meucci knikte, en Brunetti wees naar de recorder. 'Ja.'

'Waarvoor?'

'Ze belde vorige week en zei dat Nava verdwenen was en toen zei ze dat ik terug moest komen tot ze iemand anders hadden gevonden die geschikt was.'

'Wat denkt u dat ze bedoelde met "geschikt"?' vroeg Brunetti rustig.

'Wat denkt ú dat ze bedoelde?' zei Meucci, die eindelijk sarcastisch was tegen Brunetti.

'Ik vrees dat ik degene ben die de vragen stelt, signor Meucci,' zei Brunetti kil.

Meucci zat even te mokken, maar gaf vervolgens antwoord. 'Ze wilde iemand die de drie procent zou aanhouden.'

'Wanneer zei ze dat tegen u?'

Meucci dacht hierover na en zei toen: 'Ze belde me op de eerste – ik weet die datum nog omdat het de verjaardag van mijn moeder was.'

'Wat zei u?'

'Ik had niet veel keus, hè?' zei Meucci, met de nukkigheid van een zestienjarige. En met hetzelfde gelijk aan zijn kant.

'Als ze wilde dat u naar Verona ging,' zei Brunetti, in een poging dit helder te krijgen, 'betekent dat dan dat ze ook te maken heeft met andere *macelli?*'

'Natuurlijk,' zei Meucci, met een blik op Brunetti alsof híj de zestienjarige was. 'Er zijn er vijf of zes. Twee hier in de buurt en dan nog vier, geloof ik, in de omgeving van Verona, of in ieder geval in die provincie. Ze zijn van Papetti's schoonvader.' Vervolgens kon hij het niet laten om te proberen Brunetti op stang te jagen door te laten merken dat hij iets wist wat de ander niet wist, en zei: 'Hoe is Papetti anders aan zo'n baan gekomen, denkt u?'

Brunetti negeerde Meucci's provocatie en vroeg: 'Bent u ooit in een van die andere slachthuizen geweest?'

'Nee, maar ik weet wel dat Bianchi in twee ervan werkte.'

'Hoe weet u dat?'

Meucci reageerde verbaasd en zei: 'We konden het goed vinden samen, de manier waarop we samenwerkten. Hij heeft het me verteld. Hij zei dat hij de voorkeur gaf aan Preganziol omdat hij de mensen daar beter kende.'

'Juist, ja,' zei Brunetti neutraal. 'Weet u of zij en Papetti met al die slachterijen te maken hebben?'

'Ze gaan er af en toe op bezoek.'

'Samen?' vroeg Brunetti.

Meucci barstte in lachen uit. 'U kunt dat idee wel uit uw hoofd zetten, commissario.' Hij lachte zo lang dat hij ervan moest hoesten. In paniek probeerde hij overeind te komen, maar hij zat vast in de stoel, die hij van de vloer wist te tillen in zijn poging om op te staan. Brunetti maakte aanstalten om naar hem toe te gaan en te helpen, maar Meucci dwong zichzelf weer te gaan zitten. Het hoesten ebde weg. Hij boog zich naar voren en pakte een sigaret, stak hem aan en zoog de levensreddende rook diep zijn longen in.

Brunetti vroeg: 'Waarom hoef ik daar niet aan te denken, signor Meucci?'

Meucci kneep zijn ogen tot spleetjes en verkneukelde zich over het feit dat hij weer over informatie beschikte waar Brunetti misschien iets aan had. Waar ze allebei iets aan konden hebben. Meucci was dan wel een lafaard, maar hij was niet gek.

En hij had ook geen zin om tijd te verspillen. 'Wat krijg ik ervoor terug?' vroeg hij terwijl hij zijn sigaret uitdrukte.

Brunetti had van tevoren geweten dat er zoiets zou komen, dus hij zei: 'Ik laat u met rust in uw eigen praktijk, en u werkt nooit meer bij een slachthuis.'

Hij zag Meucci het aanbod afwegen, en hij zag hem het aannemen. 'Er is niets tussen die twee,' zei hij.

'Hoe weet u dat?'

'Dat heeft ze tegen Bianchi gezegd.'

'Pardon?' zei Brunetti.

'Ja, Bianchi. Ze zijn bevriend. Bianchi is homo. Ze mogen elkaar gewoon graag, en ze roddelen samen als tieners: wie ze gehad hebben, wie ze zouden willen hebben, wat ze gedaan hebben. Ze heeft hem alles over Nava verteld en wat een koud kunstje hij was. Het was gewoon een spelletje voor haar, volgens mij. Zo klonk het in ieder geval toen Bianchi het aan mij vertelde.'

Brunetti zorgde ervoor dat hij zeer geïnteresseerd leek in wat de ander zei. 'Wat heeft Bianchi u nog meer verteld?'

'Dat ze het geprobeerd heeft bij Papetti, maar die deed het bijna in zijn broek, zo bang was hij.'

'Voor haar?' vroeg Brunetti, ook al wist hij wat het antwoord was.

'Nee, natuurlijk niet. Voor zijn schoonvader. Als hij ooit buiten de pot zou pissen, zou die ouwe er waarschijnlijk voor zorgen dat er niks meer te pissen viel.' Na even nagedacht te hebben, voegde hij er mededeelzaam aan toe: 'Laten we wel wezen, die ouwe doet net alsof hij niet in de gaten heeft dat Papetti het bedrijf al jaren tilt, dus het is wel duidelijk dat hij zich alleen om zijn dochter bekommert. Die houdt van Papetti, dus De Rivera laat hem zijn gang gaan. Het zal het hem wel waard zijn, denk ik.'

Brunetti gaf geen commentaar, maar vroeg: 'Waarom heeft ze het met Nava aangelegd?'

'Het oude liedje. Ze wilde dat hij de dieren zou goedkeuren, zodat ze hun percentage van de boeren konden krijgen. Net als bij die vriend van me.'

'En bij u,' bracht Brunetti hem in herinnering.

Meucci reageerde niet.

'Maar bij Nava werkte het niet?' vroeg Brunetti.

De gedachte daaraan bracht Meucci's goede humeur terug en hij zei: 'Nee, bij Nava werkte het niet. Bianchi zei dat ze net een hyena was. Ze neukte met hem. Ze vertelde Bianchi zelfs hoe hij was: niet zo geweldig. En toen wilde hij niet doen wat ze van hem vroeg. Dus dreigde ze dat ze het tegen zijn vrouw zou zeggen. Maar dat werkte niet: hij zei dat ze haar gang maar moest gaan, hij zou het toch niet doen. Dat kon hij niet, zei hij, kunt u zich dat voorstellen?'

'Wanneer dreigde ze dat ze het tegen zijn vrouw zou zeggen?'

Meucci deed zijn ogen dicht en dacht na. Toen hij ze weer opendeed zei hij: 'Ik weet het niet meer precies; in ieder geval een paar maanden geleden.' Hij zag dat Brunetti het tijdsverloop duidelijk probeerde te krijgen en zei: 'Ze zei tegen Bianchi dat ze er bijna twee maanden voor nodig had gehad om hem het bed in te krijgen, dus dat ze hem gevraagd heeft die dieren goed te keuren, moet daarna zijn geweest.'

Brunetti besloot het over een andere boeg te gooien en zei: 'De dieren die binnengebracht worden – de zieke dieren, bedoel ik – waarom wil signorina Borelli dat u die gezond verklaart?'

Meucci staarde hem aan. 'Dat heb ik net gezegd,' zei hij. 'Snapt u het niet?'

'Ik heb liever dat u het nog een keer uitlegt, signor Meucci,' zei Brunetti onverstoorbaar, denkend aan het gebruik dat in de toekomst van deze opname zou kunnen worden gemaakt.

Meucci snoof even van ongeloof, of minachting, en zei toen: 'Ze betalen haar natuurlijk. Zij en Papetti krijgen een deel van wat ze voor die beesten betaald krijgen als ze gezond verklaard zijn. En omdat zij daar werkt, weet ze precies om hoeveel het gaat.' Voor Brunetti ernaar kon vragen, zei hij: 'Ik heb geen idee, maar als ik afga op de dingen die ik gehoord heb, zou ik zeggen dat ze ongeveer vijfentwintig procent krijgen. Moet u nagaan: als zo'n beest wordt afgekeurd, zijn de eigenaars alles kwijt wat ze ervoor gekregen zouden hebben, en ze moeten ook nog eens betalen om het te laten vernietigen en daarna te laten opruimen.' Met een uitdrukking op zijn gezicht die hij waarschijnlijk voor rechtschapen hield, zei Meucci: 'Het lijkt me een redelijke prijs, alles in aanmerking genomen.'

Brunetti deed of hij zijn gedachten hierover liet gaan en zei toen: 'Zeker. Zo had ik het nog niet bekeken.'

'Nou, misschien moet u dat maar eens doen dan,' zei Meucci op de toon van iemand die altijd het laatste woord moet hebben.

Brunetti pakte de telefoon en toetste het nummer van Pucetti's *telefonino* in.

Toen de jongeman opnam zei Brunetti: 'Wil je even boven komen? Ik wil graag dat je deze getuige mee naar beneden neemt en daar laat wachten terwijl de stenograaf zijn verklaring uittikt. Als die klaar is, wil je die dan aan hem laten lezen en door hem laten ondertekenen? Jij en Foa kunnen getuige zijn.'

'Foa is al weg, meneer. Zijn dienst was een uur geleden afgelopen en hij is naar huis gegaan. Maar hij heeft de lijst aan mij gegeven,' zei Pucetti.

'Welke lijst?' moest Brunetti vragen, nog steeds verdwaald in de wereld der dieren.

'De adressen van de huizen langs het kanaal, meneer. Daar had hij het over.'

'Ja, mooi,' zei Brunetti, die zich weer herinnerde dat hij daarom gevraagd had. 'Wil je die meteen mee naar boven nemen?'

'Natuurlijk, commissario,' zei Pucetti, en hij hing op.

30

Toen Pucetti met Meucci vertrokken was, moest Brunetti zich in-
houden om niet meteen de lijst van Foa te bekijken. Hij kon beter eerst goed het dossier lezen dat signorina Elettra had samengesteld over signorina Borelli. Vier jaar bij Tekknomed, waar ze
plotseling en in ongenade vertrokken was, om moeiteloos over
te stappen naar een veel beter betaalde betrekking als assistent
van de zoon van de advocaat van Tekknomed. Hoewel hij Patta's
vooroordeel smalend afwees en dat van hemzelf slechts tegenover Paola zou toegeven, en dan alleen als er bamboescheuten
onder zijn vingernagels werden geduwd, beschouwde Brunetti
een slachthuis als een plek waar een vrouw niet hoorde te werken, zeker niet een vrouw die zo aantrekkelijk was als zij. Aangezien dat wel het geval was, bleef de vraag over wat haar daar
gebracht zou kunnen hebben.

Brunetti sloeg een bladzijde om en bekeek de informatie over
de huizen ze bezat. Noch haar salaris bij Tekknomed, noch dat
bij het slachthuis zou haar in de gelegenheid hebben gesteld zelfs
maar één van die huizen te kopen, laat staan alle drie. Het appartement in het centrum van Mestre was honderd vierkante meter.
De twee appartementen in Venetië waren iets kleiner, maar zouden, als ze aan toeristen verhuurd en goed beheerd werden, een
paar duizend euro per maand opleveren. Als die huurinkomsten
niet werden gemeld aan de belastingdienst, zou het totale bedrag
ongeveer evenveel zijn als haar salaris bij het *macello* – niet gek
voor een vrouw van begin dertig. Tel daarbij op de bedragen die

ze verdiende – al zat het gebruik van dat werkwoord Brunetti niet lekker – aan de diverse boeren die ongezonde dieren naar het slachthuis brachten.

Zijn gedachten gingen terug naar het schandaal in Duitsland, een paar jaar eerder, over de dioxine-eieren die het gevolg waren geweest van opzettelijke besmetting van kippenvoer. En toen herinnerde hij zich een etentje korte tijd daarna, waarbij de gastvrouw, een van die vrouwen uit de betere kringen die naïever worden naarmate ze ouder worden, had gevraagd hoe mensen toch in vredesnaam zoiets konden doen. Het had Brunetti aanzienlijke zelfbeheersing gekost om haar niet van de andere kant van de tafel toe te roepen: 'Hebzucht, domoor. Hebzucht.'

Brunetti had altijd aangenomen dat de meeste mensen zich lieten leiden door hebzucht. Lust en jaloezie konden uitmonden in impulsieve acties of geweld, maar de meeste misdrijven, vooral wanneer ze over langere tijd plaatsvonden, waren te verklaren uit hebzucht.

Hij legde het dossier opzij en pakte de lijst die Pucetti hem had gegeven met de eigenaars van de huizen aan weerszijden van de Rio del Malpaga die een waterdeur hadden aan het kanaal. Het zou vele uren geduldig onderzoek hebben gevergd, vermoedde Brunetti, om die namen te vinden in het chaotische archief van het Ufficio Catasto.

Hij liet zijn blik over de eerste pagina gaan, zonder te weten waarnaar hij op zoek was, en zelfs óf hij wel naar iets op zoek was. Halverwege de tweede pagina viel zijn oog op de naam 'Borelli'. De haren in zijn nek gingen overeind staan terwijl er een koude rilling door zijn vlees trok. Hij legde de papieren heel zachtjes neer en was even bezig om ze precies te laten lijnen met de rand van zijn bureau. Toen dat naar tevredenheid was gelukt, keek hij naar de muur tegenover hem en schoof de stukjes informatie rond in zijn hoofd, waarbij hij ze in verschillende scenario's paste en soms stukjes wegliet of opnieuw een andere plek gaf.

Hij pakte de telefoon en toetste het nummer in dat op de voorkant van de map stond die op zijn bureau lag. Bij de derde keer overgaan nam ze op.

'Borelli.' Direct, zakelijk, net als een man.

'Signorina Borelli,' zei hij, 'u spreekt met commissario Brunetti.'

'Ah, commissario, ik hoop dat u alles nog gezien hebt,' zei ze met een stem zonder enige nuance of suggestie of verborgen betekenis.

'Ja, we zijn gebleven,' zei Brunetti. 'Maar ik betwijfel of we alles gezien hebben wat daar gebeurt.'

Ze was even stil, maar zei toen: 'Ik geloof niet dat ik helemaal begrijp wat u bedoelt, commissario.'

'Ik bedoel dat we nog steeds geen volledig inzicht hebben in alles wat er in het slachthuis gebeurt, signorina.'

'O,' was het enige wat ze zei.

'Ik wil graag dat u naar de Questura komt om erover te praten.'

'Ik heb het heel erg druk.'

'Ik denk dat u vast wel wat tijd kunt vrijmaken om te komen praten,' zei Brunetti op neutrale toon.

'Maar ik denk niet dat dat mogelijk is, signore,' hield ze vol.

'Het zal misschien makkelijker zijn,' opperde Brunetti.

'Dan?'

'Dan dat ik bij een magistraat een arrestatiebevel vraag en u onder dwang hiernaartoe laat brengen.'

'Dwang, commissario?' vroeg ze, met wat ze probeerde te laten klinken als een flirterig lachje.

'Dwang.' Geen geflirt. Geen lachje.

Na lang genoeg te hebben gewacht om Brunetti nog iets te laten zeggen als hij dat wilde, zei ze uiteindelijk: 'Als ik uw toon zo hoor, vraag ik me af of ik een advocaat moet meenemen.'

'Wat u wilt,' antwoordde Brunetti.

'O jee, is het zo ernstig?' zei ze, maar ze had niet de gave van de ironie, en de vraag sloeg dood.

Brunetti wist wat ze zou zeggen en wat ze zou doen. Hebzucht. Domme, atavistische hebzucht. Stel je voor wat een advocaat kost. Als ze zich eruit kon praten, had ze helemaal geen advocaat nodig, of wel soms? Dus waarom eentje betalen om met haar mee te komen? Ze was toch zeker slimmer dan de eerste de beste politieman?

'Wanneer wilt u dat ik kom?' zei ze met plotselinge meegaandheid.

'Zodra u kunt, signorina,' antwoordde Brunetti.

'Ik zou na de lunch kunnen,' stelde ze voor. 'Een uur of vier?'

'Prima.' Brunetti zorgde ervoor haar niet te bedanken. 'Ik verwacht u dan.'

Hij ging meteen naar beneden naar Patta's kamer en vertelde hem over signorina Borelli's appartement aan het kanaal waar de dode man was gevonden. Denkend aan de ontbrekende schoen en de schaafplekken op Nava's hiel zei Brunetti: 'Misschien dat de technische jongens de boel willen uitkammen.'

'Natuurlijk, natuurlijk,' zei Patta, alsof hij op het punt stond dat zelf te zeggen.

Brunetti liet het aan zijn superieur over om het bevel te regelen bij de magistraat, en hij verontschuldigde zich en ging terug naar zijn eigen kamer.

Toen de man bij de hoofdingang Brunetti om tien over vier belde om te zeggen dat er bezoek voor hem was, zei Brunetti dat Vianello haar beneden zou ophalen. Hij had het zo geregeld om te zorgen dat Vianello bij hun gesprek aanwezig zou zijn.

Brunetti keek op toen hij hen bij de deur zag: de grote man en de kleine vrouw. Hij verwonderde zich daarover, had zich daarover verwonderd sinds het idee voor het eerst bij hem was opgekomen. Hij had Rizzardi's rapport nog eens bekeken en gezien dat er gaten in Nava's overhemd en sporen van katoenvezels in de wonden hadden gezeten. Dus het was geen liefdesruzie geweest, of in ieder geval niet een die zich in bed had afgespeeld. De wondrichting – Brunetti betwijfelde of dat het juiste woord was – was opwaarts, dus degene die achter hem had gestaan, was kleiner geweest dan hij.

Uit gewoonte stond Brunetti op. Hij begroette hen en gebaarde naar de stoelen voor zijn bureau; Vianello wachtte tot ze zat, nam zelf de andere stoel en haalde zijn notitieboekje tevoorschijn. Ze keek naar het opnameapparaat en toen naar Brunetti.

Brunetti zette het apparaat aan en zei: 'Dank u voor uw komst, signorina Borelli.'

'U gaf me niet veel keus, of wel soms, commissario?' zei ze, op een toon ergens tussen boosheid en lichthartigheid in.

Brunetti negeerde die toon, ervan overtuigd dat deze vrouw geen enkele lichtheid van hart bezat, en zei: 'Ik heb u verteld welke keus u had, signorina.'

'En denkt u dat ik goed gekozen heb?' vroeg ze, bijna alsof ze niet in staat was te breken met haar gewoonte om te flirten.

'We zullen zien,' antwoordde Brunetti.

Vianello sloeg zijn benen over elkaar en bladerde door zijn notitieboekje.

'Kunt u me vertellen waar u zondagavond was?'

'Ik was thuis.'

'En waar is dat, signorina?'

'Mestre, Via Mantovani 17.'

'Was er iemand bij u?'

'Nee.'

'Kunt u me vertellen wat u die avond gedaan hebt?'

Ze keek hem aan, en keek toen naar het raam, terwijl de herinnering bovenkwam. 'Ik ben naar de film geweest, een vroege voorstelling.'

'Welke film, signorina?'

'*Città aperta*,' zei ze. 'Die maakte deel uit van een Rossellini-retrospectief.'

'Was er iemand mee?'

'Ja. Maria Costantini. Die woont in het pand naast dat van mij.'

'En daarna?'

'Ben ik naar huis gegaan.'

'Met signora Costantini?'

'Nee. Maria zou bij haar zus gaan eten, dus ik ben alleen naar huis gegaan. Ik heb wat gegeten, daarna televisie gekeken, en ik ben vroeg naar bed gegaan. Ik moet al vroeg op mijn werk zijn: om zes uur.'

'Heeft iemand u die avond gebeld?'

Ze dacht daarover na en zei toen: 'Nee, niet dat ik me kan herinneren.'

'Kunt u me een idee geven van uw werkzaamheden bij het *macello* in Preganziol?' vroeg Brunetti, alsof hij genoeg gehoord had over wat ze op zondagavond had gedaan.

'Ik ben de assistente van dottor Papetti.'

'En uw werkzaamheden, signorina?'

Vianello vulde de kamer met het geluid van een pagina die werd omgeslagen.

'Ik maak het rooster voor de werknemers, zowel voor de slachters als voor de schoonmaakploeg; ik hou bij hoeveel dieren er in het *macello* worden binnengebracht, en hoeveel vlees er in totaal wordt geproduceerd elke dag; ik hou de boeren op de hoogte van de richtlijnen die uit Brussel komen.'

'Wat voor richtlijnen?' viel Brunetti haar in de rede.

'Slachtmethoden, hoe de dieren in het *macello* moeten worden aangeleverd, waar en hoe ze gehouden moeten worden als ze een dag, of langer, moeten wachten voor ze geslacht worden.' Ze keek hem aan en hield haar hoofd een beetje schuin als om te vragen of ze moest doorgaan.

'En de kwestie van de prijs, signorina, hoeveel een kilo van een bepaald stuk vlees waard is: wie bepaalt dat?'

'De markt,' antwoordde ze meteen. 'De markt en het seizoen en de hoeveelheid vlees die op een bepaald moment beschikbaar is.'

'En de kwaliteit?'

'Pardon?' zei ze.

'De kwaliteit van het vlees, signorina,' zei Brunetti. 'Of een dier gezond is en geslacht mag worden. Wie bepaalt dat?'

'De dierenarts,' zei ze, 'ik niet.'

'En hoe beoordeelt die de gezondheid van een dier?' vroeg Brunetti, terwijl Vianello nog een pagina omsloeg.

'Daarvoor is hij naar de universiteit geweest, neem ik aan,' zei ze, en Brunetti wist dat hij haar begon te ergeren, of daar in ieder geval dicht bij in de buurt kwam.

'Zodat hij dieren die te ziek zijn om geslacht te worden kan herkennen?'

'Dat mag ik hopen,' zei ze, maar ze zei het te hard, waardoor het onecht klonk, niet alleen in Brunetti's oren, maar ook, zo vermoedde hij, in die van haarzelf.

'Wat gebeurt er als hij vindt dat een dier niet geschikt is om te worden geslacht?'

'Bedoelt u niet gezond genoeg?' vroeg ze.

'Ja.'

'Dan wordt dat dier teruggegeven aan de boer die het ge-bracht heeft, en is het zijn verantwoordelijkheid om zich ervan te ontdoen.'

'Kunt u me vertellen hoe dat gebeurt?'

'Dat dier moet worden geslacht en vernietigd.'

'Vernietigd?'

'Verbrand.'

'Hoeveel kost dat?'

'Ik heb geen...' begon ze, maar toen ze zich realiseerde hoe hol dat zou klinken paste ze de zin aan: '... vast bedrag dat ik nu kan noemen. Het hang af van het gewicht van het dier.'

'Maar het is waarschijnlijk een aanzienlijk bedrag?' vroeg hij.

'Dat zou ik denken,' beaamde ze. Vervolgens, met tegenzin: 'Zo'n vierhonderd euro.'

'Dus de boeren hebben er alle belang bij om alleen gezonde dieren naar het *macello* te brengen?' zei Brunetti, die er een vraag van maakte, hoewel het dat eigenlijk niet was.

'Ja. Natuurlijk.'

'Dottor Andrea Nava was werkzaam als dierenarts bij het *macello*,' begon Brunetti.

'Is dat een vraag?' onderbrak ze hem.

'Nee, dat is een constatering,' zei Brunetti. 'Mijn vraag is wat uw relatie met hem was.'

De vraag leek haar allerminst te verrassen, maar ze wachtte toch even met antwoord geven. 'Hij werkte bij het *macello*, net als ik, dus je zou zeggen dat we collega's waren.'

Brunetti vouwde zijn handen netjes voor zich op het bureau, een gebaar dat hij zijn professoren had zien gebruiken wanneer een student geen bevredigend antwoord gaf. Hij herinnerde zich ook de techniek van de langdurige stilte, die bijna altijd vruchten afwierp bij de meest onzekere studenten. Hij keek naar signorina Borelli, naar het uitzicht vanuit zijn raam en toen weer naar haar.

'En dat was alles?' vroeg hij.

Had hij zich haar reactie op het idee een advocaat mee te nemen alleen maar kunnen voorstellen, dit keer kon hij haar het probleem van a tot z zien overdenken. Ze wilde hem aan het lijntje houden en meer tijd hebben om na te gaan hoeveel ze kon toegeven, hoewel ze moest hebben geweten dat deze vraag gesteld zou worden.

Ten slotte haalde ze haar schouders op en er gleed een onverschillig lachje over haar gezicht. 'Nou ja, niet echt. We hebben een paar keer seks gehad, maar het was niet serieus.'

'Waar?' vroeg Brunetti.

'Waar wat?' vroeg ze, oprecht in verwarring gebracht.

'Waar hebben jullie seks gehad?'

'Een paar keer bij hem thuis, die woning boven zijn praktijk, en in de kleedkamer van het *macello*.' Vervolgens, als toevoeging: 'Eén keer in mijn kantoor.' Ze hield haar kin een beetje scheef en gaf zijn vraag de aandacht die hij volgens haar verdiende. 'Dat was het, denk ik.'

'Hoe lang heeft die verhouding geduurd?' vroeg Brunetti.

Ze keek hem verbaasd aan, of deed alsof ze verbaasd was. 'O, het was geen verhouding, commissario. Het was seks.'

'Juist, ja,' zei Brunetti, de terechtwijzing accepterend. 'Hoe lang heeft het geduurd?'

'Vanaf een paar maanden nadat hij met het werk begonnen was tot ongeveer drie maanden geleden.'

'Waardoor kwam er een eind aan?' vroeg Brunetti.

Ze wuifde de vraag, en misschien ook het antwoord, weg als zijnde oninteressant. 'Het was niet leuk meer,' zei ze. 'Ik dacht dat het ons allebei gewoon goed uitkwam, maar voor ik het wist begon hij het over ons te hebben als een stel, met een toekomst.' Ze schudde haar hoofd. 'Je zou bijna denken dat hij vergeten was dat hij een vrouw en kind had.'

'U was dat niet vergeten, signorina?' vroeg hij.

'Natuurlijk niet,' zei ze fel. 'Daarom zijn getrouwde mannen zo fijn: je weet dat je het allebei kunt uitmaken wanneer je wilt, en niemand lijdt eronder.'

'Maar zo zag hij het niet?'

'Blijkbaar niet.'

'Wat wilde hij?'

'Ik heb geen idee. Zodra hij over een toekomst begon, heb ik tegen hem gezegd dat het afgelopen was. *Finito. Basta.*' Ze bewoog wat heen en weer in haar stoel, een beetje als een boze kip die haar veren opzet. 'Daar had ik geen behoefte aan.'

'Aan zijn hofmakerij, bedoelt u?' vroeg Brunetti.

'Aan alles: noem het hofmakerij als u wilt. Ik had geen zin om hem aan te horen over zijn schuldgevoel en zijn wroeging en hoe hij zijn vrouw had verraden. En ik wilde ergens kunnen gaan eten of wat drinken zonder dat de man met wie ik was elke seconde over zijn schouder keek, alsof hij een misdadiger was.' Ze klonk echt boos; Brunetti twijfelde er niet aan dat ze dat ook was, en geweest was, hoewel misschien niet om die redenen.

'Of alsof u dat was,' zei Brunetti.

Dat bracht haar van haar stuk. Ze aarzelde, en net toen het te laat werd om nog te vragen wat hij bedoelde, dwong ze zichzelf het te zeggen. 'Wat bedoelt u?'

Alsof ze niets had gezegd, ging Brunetti verder: 'Een van zijn werkzaamheden, zei u, was het inspecteren van de dieren die binnengebracht werden, om te kijken of ze gezond genoeg waren om geslacht te worden.'

Geschrokken van zijn tempowisseling beaamde ze dat.

'Vanaf het moment dat dottor Nava als dierenarts bij het *macello* kwam werken, was er een plotselinge toename van het aantal dieren dat ongeschikt werd verklaard om geslacht te worden.' Hij zweeg even, en toen ze dit niet bevestigde, doorbrak hij de stilte van haar aarzeling door te zeggen: 'Voordat hij de dieren begon te inspecteren was het gemiddelde afkeuringspercentage – als ik het zo mag noemen – ongeveer drie procent, maar zodra dottor Nava begon, werd dat percentage drie keer zo hoog, en toen vier keer zo hoog, en daarna zelfs nog hoger.'

Brunetti keek hoe ze reageerde; er was geen reactie zichtbaar. 'Kunt u dat verklaren, signorina?'

Ze drukte haar lippen op elkaar, alsof ze over zijn vraag nadacht, en zei toen: 'Ik denk dat u dat aan Bianchi moet vragen.'

'Was u niet op de hoogte van die toename?' vroeg hij met geveinsde verbazing.

'Natuurlijk wist ik daarvan,' zei ze, en het gaf haar zichtbaar voldoening dat ze hem kon corrigeren. 'Maar ik had, en heb geen idee wat de oorzaak is.'

'Heeft u uw gedachten laten gaan over wat die oorzaak zou kunnen zijn?' vroeg Brunetti, die ervan uitging dat ze hier antwoord op zou proberen te geven: het lag voor de hand dat iemand in haar functie zich met de kwestie zou bezighouden.

Na een tijdje zei ze: 'Ik zeg het niet graag.' En deed dat vervolgens ook niet.

'Wat niet?' vroeg Brunetti.

Met veel vertoon van tegenzin zei ze aarzelend: 'Een van de ideeën die werden geopperd – ik weet niet meer door wie – was dat de boeren misschien bezig waren de nieuwe dierenarts op te zadelen met zieke dieren. Dat ze de nieuweling wilden uitproberen om te kijken hoe streng hij was.' Ze schonk Brunetti een ongemakkelijk glimlachje, alsof ze zich schaamde om dit voorbeeld van menselijke onbetrouwbaarheid aan te halen.

'Dat uitproberen ging wel heel lang door,' zei Brunetti droogjes. Haar blik ontlokte hem de opmerking: 'Het percentage bleef omhooggaan, nietwaar?' En voor ze kon reageren voegde hij eraan toe: 'Tot aan zijn dood.'

Ze trok haar wenkbrauwen op, omdat ze nergens van wist of omdat ze hem niet begreep. Maar ze zei niets.

Vianello sloeg nog een pagina om. Signorina Borelli en Brunetti keken elkaar aan, allebei wachtend tot de ander iets zou zeggen. Maar het bleef stil.

Toen vroeg Brunetti, die het in haar eigen woorden wilde horen: 'Kunt u me iets vertellen over uw relatie met dottor Papetti?'

Die vraag verraste haar. '"Relatie"?' vroeg ze.

'Hij heeft u aangenomen als zijn assistente nadat u door uw vorige werkgever was ontslagen, vermoedelijk zonder goed getuigschrift.' Dat Brunetti over die informatie beschikte leek haar zelfs nog meer te verrassen. 'Vandaar mijn vraag: "Relatie".'

Ze lachte. Het was een oprechte, muzikale lach. Daarna zei ze, met een stem afgeknepen door boosheid die ze niet langer wilde onderdrukken: 'Jullie mannen kunnen echt maar aan één ding denken, hè? Hij is mijn baas. We werken samen, dat is alles.'

'Dus er was geen seksuele relatie tussen u beiden, zoals het geval was met dottor Nava?'

'U heeft hem toch gezien, commissario? Denkt u dat een vrouw hém aantrekkelijk zou vinden?' Vervolgens, als om de onmogelijkheid nog groter te maken: 'Begéérlijk?' Ze lachte weer, en Brunetti begreep eindelijk de Bijbelse zinsnede 'En zij belachten hem'. Toen liet ze er op bijtende toon op volgen: 'Trouwens, hij weet dat als hij ooit ook maar naar een andere vrouw kijkt, de vader van zijn kleine Natasha nog dezelfde dag zijn benen laat breken.' Ze wilde nog iets zeggen, misschien over andere dingen die zijn schoonvader zou doen, maar beperkte zich tot: 'Of erger.'

'Dus u heeft nooit een verhouding met hem gehad?'

'Als u door deze vragen opgewonden raakt, commissario, moet ik helaas een einde maken aan uw genot. Nee, Alessandro Papetti en ik hebben nooit een verhouding gehad. Hij heeft één keer geprobeerd me te kussen, maar ik neuk nog liever met een van de slachters.' Ze schonk hem een suikerzoet lachje. 'Is daarmee uw vraag beantwoord?'

'Dank u dat u gekomen bent, signorina,' zei hij. 'Als we nog meer vragen hebben, zullen we u weer uitnodigen voor een gesprek.'

'U bedoelt dat ik mag gaan?' vroeg ze, en ze begreep meteen dat dit het verkeerde was om te zeggen.

Impulsief, dacht Brunetti. Heel aantrekkelijk en waarschijnlijk ook charmant als ze dat wilde zijn, als het haar goed uitkwam. Hij keek naar haar knappe gezicht en dacht aan wat ze over Nava had gezegd en realiseerde zich opeens dat haar ongevoelige opstelling niet zozeer voortkwam uit een poging zich van Nava te distantiëren, maar domweg weerspiegelde hoe ze was.

De twee mannen stonden op, en zij ook. Vianello deed de deur voor haar open. Ze keerde Brunetti zonder iets te zeggen de rug toe en liep de kamer uit. Vianello volgde haar, en Brunetti ging bij het raam staan.

Een paar minuten later zag hij de bovenkant van haar hoofd beneden hem op het trottoir verschijnen, en vervolgens ook de rest van haar toen ze naar links liep en verdween.

Met zijn blik nog op de plek gericht waar hij haar had zien lopen, hoorde hij Vianello terugkomen. 'En?' zei de inspecteur.

'Ik denk dat het tijd wordt om nog een keer met dottor Papetti te gaan praten,' zei Brunetti. 'Maar laten we dat hier doen. Dan voelt hij zich vast wat ongemakkelijker.'

31

De volgende ochtend arriveerde Papetti, anders dan zijn persoonlijk assistente, in gezelschap van zijn advocaat. Brunetti kende avvocato Torinese wel, een degelijke, betrouwbare strafadvocaat met een onberispelijke reputatie. Brunetti had een van de vele haaien verwacht die op de loer lagen in de wateren van het strafrecht in de stad en de wereld daarbuiten en was blij Torinese te zien, die, hoewel slim en in staat tot juridische verrassingen, min of meer volgens het boekje te werk ging. Bij hem hoefde je niet bang te zijn voor omgekochte getuigen of valse medische gegevens.

De twee mannen gingen tegenover Brunetti zitten en Vianello pakte er een houten stoel bij die naast de kast stond. Opnieuw waren daar het opnameapparaat en Vianello's notitieboekje; en toen haalde Torinese ook een recorder uit zijn attachékoffer en zette die niet ver van die van Brunetti neer.

Brunetti nam de twee mannen op: zelfs nu hij zat, torende Papetti boven zijn advocaat uit, die toch allerminst een kleine man was. Torinese klikte zijn koffertje dicht en zette het links van zijn stoel op de grond. Brunetti en Torinese bogen zich tegelijkertijd naar voren om hun recorder aan te zetten.

'Dottor Torinese,' begon Brunetti formeel, 'ik wil u en uw cliënt, dottor Papetti, Alessandro Papetti, bedanken dat u me zo snel te woord wilt staan. Er zijn bepaalde zaken waar ik graag opheldering over wil hebben, en ik denk dat uw cliënt me daarbij kan helpen.'

'En die zaken zijn?' vroeg Torinese. Hij was ongeveer van Brunetti's leeftijd, al zag hij er ouder uit, met zijn hoornen bril en glad achterovergekamde haar met diepe inhammen. Geen enkele kleermaker in Venetië had het talent om zijn pak gemaakt te kunnen hebben, en geen van de schoenmakers had die schoenen vervaardigd. De gedachte aan dure schoenen bracht Brunetti weer bij zijn positieven.

'Om te beginnen is daar de moord op dottor Andrea Nava, die in het slachthuis werkte waarvan dottor Papetti directeur is,' begon hij. 'Ik heb daar al met dottor Papetti over gesproken, maar ik ben sindsdien in het bezit gekomen van nieuwe informatie, die het nodig maakt dat ik de dottore nog wat vragen stel.' Brunetti besefte dat de demon van de vormelijkheid zijn manier van praten had overgenomen, maar omdat hij wist dat alles wat ze zeiden uiteindelijk zou worden uitgetikt, ondertekend, gedateerd en gearchiveerd, kon hij niet anders.

Hij zag dat Torinese aanstalten maakte om iets te zeggen en ging dus gauw verder: 'Avvocato, ik zou het op prijs stellen, met uw goedvinden, als niet alles via u zou hoeven gaan.' Voor de advocaat kon protesteren, zei Brunetti: 'Ik denk dat dat de zaken makkelijker maakt, zowel voor mezelf als voor uw cliënt. U kunt natuurlijk interrumperen wanneer u wilt, maar het zou beter voor uw cliënt zijn – en ik kan u alleen maar vragen om me in dezen te vertrouwen – als we rechtstreeks met elkaar spreken.'

Terwijl Torinese en Papetti een blik wisselden, dwaalden Brunetti's gedachten af naar de zinsnede – en hij vroeg zich af waarom hij steeds bij de Bijbel uitkwam – 'Gij zijt in weegschalen gewogen'. Hij wachtte, en vroeg zich af of de twee mannen hem te licht zouden bevinden.

Dat was kennelijk niet het geval, want na een kort knikje van zijn advocaat zei Papetti: 'Ik zal u te woord staan, commissario. Hoewel ik moet zeggen dat het is alsof ik met een andere man spreek dan degene die mij op kantoor heeft bezocht.'

'Ik ben dezelfde man, dottore, dat verzeker ik u. Ik ben alleen beter voorbereid dan de vorige keer dat we elkaar spraken.' Als Papetti er nu van uitging dat Brunetti niet incompetent was, was híj waarschijnlijk ook beter voorbereid.

'Hoezo béter voorbereid?' vroeg Papetti.

'Zoals ik al tegen avvocato Torinese zei: door nieuwe informatie.'

'En voorbereid waaróp?' vroeg Papetti.

Brunetti richtte zijn aandacht op Torinese en zei: 'Ik zal de toon voor dit gesprek zetten door u allebei de waarheid te vertellen.' En vervolgens tegen Papetti: 'Om uit te vinden in hoeverre u betrokken bent bij de dood van dottor Nava.'

Geen van beide mannen toonde zich verrast. Torinese was, na tientallen jaren ervaring met allerlei soorten van plotselinge beschuldigingen, waarschijnlijk immuun voor verrassing. Papetti daarentegen oogde bang, en slaagde er niet in dat te verbergen.

Brunetti ging verder en richtte het woord tot Papetti, in de veronderstelling dat deze geen tijd had gehad om Torinese alles te vertellen. 'We weten inmiddels wat er gaande was in het *macello*.' Brunetti zweeg even om Papetti de gelegenheid te geven om uitleg te vragen, maar dat deed hij niet.

'En aangezien we het nu over moord hebben, zijn de juridische consequenties voor iedereen die probeert de waarheid te verdoezelen omtrent zaken die met de moord te maken hebben veel ernstiger. Dat hoef ik u vast niet nader uit te leggen.' Toen hij zag dat ze het begrepen, voegde hij eraan toe: 'Ik twijfel er niet aan dat de mensen die bij het *macello* werken dat ook zullen begrijpen.' Brunetti zweeg om dit goed te laten doordringen. 'Ik neem dus aan,' vervolgde hij, 'dat de mensen die daar werken, met name Bianchi, bereid zullen zijn ons te vertellen wat ze weten, hetzij over de moord, hetzij over de kleinere misdrijven.' Brunetti zorgde ervoor die kleinere misdrijven niet nader te benoemen, benieuwd om te zien hoe Papetti zou reageren.

Ondanks al zijn oefening en ervaring kon Torinese het niet laten even een blik in de richting van zijn cliënt te werpen. Papetti negeerde hem echter en hield zijn aandacht op Brunetti gericht, alsof hij hem wilde dwingen meer te onthullen.

Brunetti schoof de papieren op zijn bureau dichter naar zich toe en bekeek ze even, waarna hij zei: 'Ik zou om te beginnen willen vragen, dottor Papetti, of u mij wilt vertellen waar u de nacht van de zevende was.' Voor het geval Papetti moeite had zich die datum te herinneren, verduidelijkte hij: 'Dat was de nacht van zondag op maandag.'

Papetti keek opzij naar Torinese, die zei: 'Mijn cliënt was thuis, bij zijn vrouw en kinderen.' Het feit dat Torinese in staat was die vraag te beantwoorden betekende dat Papetti hem verwacht had en doordrongen was van het belang ervan.

'Ik neem aan dat u dat kunt bewijzen,' merkte Brunetti welwillend op.

Beide mannen knikten, en Brunetti nam niet de moeite erop door te vragen.

'Dat was, zoals u ongetwijfeld weet,' zei hij rechtstreeks tegen Papetti, 'de nacht dat dottor Nava werd vermoord.' Hij liet dit even bezinken voordat hij zei: 'We kunnen uw verklaring natuurlijk toetsen aan de gegevens van uw *telefonino*.'

'Ik heb niemand gebeld,' zei Papetti, en toen hij zich realiseerde dat hij te snel was met zijn reactie voegde hij eraan toe: 'Tenminste, ik kan me niet herinneren iemand gebeld te hebben.'

'Zodra we toestemming van justitie hebben, kunnen we het u helpen herinneren, dottor Papetti. Ook of u door iemand gebeld bént,' zei Brunetti met zijn vriendelijkste glimlach. 'Die gegevens zullen eveneens duidelijk maken waar uw mobiel was tijdens die nacht, of hij om de een of andere reden buiten uw huis is geweest.' Hij zag Papetti schrikken bij het besef: de computerchip in zijn mobiel gaf een locatiesignaal af, dat opgespoord kón worden en ook zóú worden.

'Het kan zijn dat ik even de deur uit ben geweest,' zei Papetti. De blik die Torinese hem toewierp was voor Brunetti een bevestiging dat de advocaat hier niets van wist. En even later was de verharding van die blik een bevestiging van zijn woede hierover.

'Naar Venetië toevallig?' vroeg Brunetti op een toon zo licht en vriendelijk dat hij de belofte in zich leek te bergen dat een bevestigend antwoord zou worden beloond met een aantal suggesties voor een nadere bezichtiging van de stad.

Papetti leek even te verdwijnen. Hij staarde zo intens naar de twee opnameapparaten dat Brunetti bijna kon horen hoe het raderwerk in zijn hoofd zich probeerde aan te passen aan de nieuwe werkelijkheid die door het verraad van zijn *telefonino* was ontstaan.

Papetti begon te huilen, maar leek zich daar niet van bewust. De tranen liepen over zijn wangen en kin en verdwenen onder de boord van zijn vers gestreken witte overhemd, terwijl hij maar naar de rode lampjes op de recorders bleef kijken.

Uiteindelijk zei Torinese: 'Alessandro, hou daarmee op.'

Papetti keek naar hem, een man oud genoeg om zijn vader te zijn, een man die misschien een collega van zijn vader was, en knikte. Hij veegde met de binnenkant van zijn mouw zijn gezicht af en zei: 'Ze heeft me gebeld. Op mijn *telefonino*.'

Op dat moment verbaasde Torinese Brunetti door te zeggen: 'De precieze tijden zijn wel bekend bij de telefoonprovider, Alessandro.' De droefheid in zijn stem maakte Brunetti duidelijk dat hij een collega, misschien zelfs een vriend van Papetti's vader moest zijn, misschien wel van de man zelf.

Papetti richtte zijn aandacht weer op de recorder. Alsof hij voor het eerst sprak, zei hij: 'Ik heb met een vriend gegeten in Venetië. Het was voor zaken. We zaten in Il Testiere en ze kennen hem daar, dus ze zullen nog wel weten dat we daar samen zijn geweest. Na het eten ging mijn vriend naar huis, en ik ging een eindje lopen.'

Hij keek Brunetti aan. 'Ik weet dat dat vreemd klinkt, maar ik ben graag in mijn eentje in de stad, zonder mensen, en ik wílde alleen zijn.' Voordat Brunetti iets kon vragen, voegde hij eraan toe: 'Ik heb mijn vrouw gebeld en tegen haar gezegd hoe prachtig het was. Dat zult u ook in uw gegevens vinden.'

Brunetti knikte, waarop Papetti verder ging. 'Ze belde 's nachts om een uur of twaalf.' Brunetti vroeg Papetti niet te bevestigen dat hij het over signorina Borelli had; dat zouden de telefoongegevens wel doen.

'Ze zei dat ik haar moest treffen op het nieuwe stuk van de Zattere, bij de San Basilio. Ik vroeg wat ze wilde, maar dat wilde ze niet zeggen.'

'Bent u gegaan?' vroeg Brunetti.

'Natuurlijk ben ik gegaan,' zei Papetti heftig. 'Ik moet altijd doen wat ze zegt.'

Torinese schraapte zijn keel, maar Brunetti en Vianello zeiden allebei geen woord.

'Toen ik daar kwam, nam ze me mee naar een huis. Ik weet niet precies waar het is.' Nadat hij dat gezegd had, keek Papetti om zich heen en verduidelijkte: 'Ik ben geen Venetiaan, dus ik raak gemakkelijk de weg kwijt.'

Brunetti stond zichzelf een knikje toe.

'Toen we naar binnen gingen, was daar een soort hal, met ramen achterin en een paar traptreden. Die naar beneden gingen, niet naar boven. Ze nam me mee ernaartoe en toen zag ik de voeten van een man uit het water steken, op die trap: zijn voeten en zijn benen. Maar zijn hoofd lag in het water.' Papetti keek naar de grond.

'Nava?' vroeg Brunetti.

'In eerste instantie wist ik dat niet,' zei Papetti, die zijn ogen naar Brunetti opsloeg. Hij schudde zijn hoofd en zei toen: 'Maar ik wist het. Ik bedoel: ik zag het niet, maar ik wist het. Wie kon het anders zijn?'

'Waarom dacht u dat het Nava moest zijn?' vroeg Brunetti. Torinese zat er rustig bij, zonder uitdrukking op zijn gezicht, alsof hij in de trein zat en meeluisterde met een gesprek op de stoelen voor hem.

Papetti herhaalde mat: 'Wie kon het anders zijn?'

'Waarom had ze u gebeld?'

Papetti bracht zijn handen omhoog en keek ernaar, eerst naar de ene en toen naar de andere. 'Ze wilde hem in het kanaal duwen, maar ze kreeg de waterdeur niet open. Een eh... metalen stang hield hem dicht... die was vastgeroest.'

Brunetti besloot Papetti te laten bepalen wanneer hij weer iets zei. Er ging minstens een minuut voorbij, waarin Torinese verdiept was in de rug van zijn eigen handen, die op zijn dijen lagen.

'Ze had geprobeerd hem open te slaan met de hak van zijn schoen. Maar hij ging niet open. Dus belde ze mij.'

'En wat heeft u gedaan?' vroeg Brunetti na een lange stilte.

'Ik heb hem opengetrokken. Ik moest in het water stappen om dicht genoeg bij de deur te komen om hem open te krijgen.'

'En toen?' vroeg Brunetti.

'Toen hebben we hem het water in geduwd. Daarna heb ik de deur dichtgedaan en vergrendeld.'

'En signorina Borelli?' vroeg Brunetti. Een van de recorders maakte een snorrend geluid en het rode lampje ging uit. Torinese boog zich naar voren en drukte op een knop; het rode lampje ging weer aan.

'Die zei dat ik naar huis moest gaan. Ze zei dat ze zelf ook naar huis ging.'

'Heeft ze verteld wat er gebeurd was?'

'Nee. Niets. Ze vroeg of ik de deur open wilde maken en daarna of ik haar wilde helpen hem de trap af te duwen.'

'En dat heeft u gedaan.'

'Ik had geen keus, of wel soms?' zei Papetti, en hij sloeg zijn ogen weer neer en zweeg.

Papetti likte zijn lippen, zoog ze zijn mond binnen en likte ze opnieuw. 'We kennen elkaar al heel lang.'

Op kalme toon vroeg Brunetti: 'En daarom had ze zo veel macht over u?'

Papetti deed zijn mond open, maar er kwam geen geluid uit. Hij kuchte even en zei: 'Ik heb ooit... ik heb ooit iets indiscreets gedaan.' En toen zweeg hij.

'Met signorina Borelli?' vroeg Brunetti.

'Ja.'

'Heeft u een verhouding met haar gehad?'

Papetti's ogen werden groot van schrik. 'Mijn hemel, nee.'

'Wat is er dan gebeurd?'

Papetti sloot zijn ogen en zei: 'Ik heb geprobeerd haar te kussen.'

Brunetti keek even naar Vianello, die zijn wenkbrauwen optrok.

'Dat is alles?' vroeg Brunetti.

Papetti keek hem aan. 'Ja. Maar het was genoeg.'

'Genoeg voor wat?'

'Om haar op het idee te brengen.' Toen Brunetti het niet begreep, zei Papetti: 'Dat ze het tegen mijn schoonvader kon zeggen.' Even later voegde hij eraan toe: 'Of ze heeft het zo gepland en speciaal voor dat doel gevraagd of ik haar een lift naar huis kon geven. Ze zei dat haar auto in de garage was, voor een servicebeurt.' Papetti ging met beide handen over zijn hoofd. 'Of misschien was dat wel zo. Ik weet het niet.' Daarna, fel: 'Ik ben een stommeling.'

Brunetti zei niets.

Met onvaste stem zei Papetti: 'Hij zou me vermoorden.' En vervolgens: 'Wat kon ik anders doen?'

Het kwam Brunetti voor dat hij al zijn leven lang mensen diezelfde vraag hoorde stellen. Eén keer maar, ongeveer vijftien jaar geleden, had een man die drie prostituees had gewurgd gezegd:

'Ik vond het fijn als ze gilden.' Hoewel Brunetti er koud van was geworden, en nog steeds koud werd als hij eraan terugdacht, had de man in ieder geval de waarheid gesproken.

'Toen u het lichaam in het water had geduwd, wat heeft u toen gedaan, signor Papetti?' vroeg hij, in het besef dat Papetti's verhaal op geen enkele manier kon worden bewezen of ontkracht. Al twijfelde hij geen moment aan de macht die die vrouw over hem had.

'Ik ben teruggegaan naar het Piazzale Roma, heb mijn auto gehaald en ben naar huis gegaan.'

'Heeft u signorina Borelli sindsdien nog gezien?'

'Ja. In het *macello*.'

'Heeft een van u beiden hier iets over gezegd?'

Verbaasd antwoordde Papetti: 'Nee, waarom zouden we?'

'Juist, ja,' reageerde Brunetti, waarna hij zich tot Torinese wendde. 'Als u uw cliënt nog iets te zeggen hebt, avvocato, kunnen mijn collega en ik u hier even alleen laten.'

Torinese schudde zijn hoofd en zei: 'Nee, ik heb niets te zeggen.'

'Dan wil ik dottor Papetti graag vragen,' ging Brunetti verder, 'of hij me iets meer kan vertellen over hoe een en ander toegaat in het *macello*.' Torinese, merkte hij, was begrijpelijkerwijs verrast door die vraag. Zijn cliënt had net bekend dat hij had geholpen het lichaam van een moordslachtoffer weg te werken, en nu wilde de politie dingen over zijn werk weten. Om te voorkomen dat Papetti tijd en energie zou verspillen door op zijn beurt ook verbaasd te reageren, zei Brunetti: 'Er zijn bepaalde vermoedens gerezen omtrent de veiligheid van het vlees dat daar geproduceerd wordt.'

'Vermoedens zijn niet hetzelfde als informatie,' merkte Torinese op, een onderscheid makend van het type waarmee advocaten honderden euro's per uur verdienden.

'Dank u voor dat juridische punt, avvocato,' antwoordde Brunetti.

De advocaat keek Brunetti aan met een blik die om opheldering vroeg. 'Vergeef me mijn lompheid, commissario, maar zou het terecht zijn als ik de indruk kreeg dat we hier aan het onderhandelen zijn?' In de wetenschap dat een gebaar niet werd opgenomen, knikte Brunetti even. 'Want in dat geval zou ik willen weten wat voor soort aanbod u mijn cliënt zou willen doen in ruil voor eventuele informatie die hij u zou kunnen geven.'

Brunetti moest de man complimenteren met zijn vage welbespraaktheid. Heel even overwoog hij Torinese te onthoofden en zijn gerookte hoofd als boekensteun te gebruiken, zo ingenomen was hij met diens fijne gevoel voor de subtiliteiten van de taal, maar hij schudde die gedachte van zich af en zei: 'Het enige aanbod dat ik kan doen is dat uw cliënt kan blijven rekenen op de welwillendheid van zijn schoonvader.'

Dat kwam aan. Papetti's mond viel open, en Brunetti dacht dat hij weer zou gaan huilen. In plaats daarvan keek hij echter naar Torinese, alsof hij wachtte tot deze iets zou zeggen, en vervolgens weer naar Brunetti. 'Ik weet niet wat...' begon hij.

Torinese wierp zijn cliënt een snelle blik toe en probeerde het over te nemen. 'Als u die uitspraak zou kunnen verduidelijken, commissario, zouden mijn cliënt en ik dat zeer op prijs stellen.'

Brunetti wachtte tot de kleur in Papetti's gezicht terugkeerde, zorgde ervoor dat hij het woord vervolgens tot Torinese richtte en zei: 'Ik denk dat uw cliënt wel begrijpt wat ik bedoel. Het laatste, het allerlaatste, wat ik zou willen is dat dottor Papetti's schoonvader een verkeerd idee krijgt van de aard van zijn relatie met wie dan ook van de werknemers in het *macello*.' Papetti staarde hem aan, zonder uitdrukking op zijn gezicht en met zijn mond een klein beetje open.

Brunetti beantwoordde zijn blik heel terloops en richtte zijn aandacht toen weer op de advocaat. 'Dat dottor Papetti's schoonvader beroepsmatige intimiteit zou verwarren met een ander soort intimiteit; het lijkt me afschuwelijk als zoiets zou gebeuren.' Hij glimlachte om duidelijk te maken wat hij vond van de onbesuisdheid van mensen, en van het feit dat sommige er zo vreselijk toe geneigd waren. 'Zo'n verkeerd idee zou signor De Rivera erg boos maken, om nog maar niet te spreken van zijn dochter, dottor Papetti's vrouw, en ik zou me nooit zelfs maar in de verte verantwoordelijk willen voelen voor de mogelijke gevolgen van die vergissing.' Hij wendde zich tot Papetti en schonk hem een glimlach die een oefening was in medeleven. 'Ik zou niet met mezelf kunnen leven als dat zou gebeuren.'

Papetti's rechterhand ging omhoog naar zijn hoofd, maar hij onderschepte hem op tijd en legde hem weer op zijn dij. Zonder acht te slaan op de blik die Torinese hem toewierp, zei hij: 'Ze is een verhouding begonnen met dottor Nava toen die in het slachthuis was komen werken.'

'Zíj is die begonnen?' vroeg Brunetti, met speciale nadruk op dat persoonlijk voornaamwoord.

'Ja.'

'Waarom?'

'Om vat op Nava te krijgen. Ze wist dat hij getrouwd was, en het was duidelijk dat hij een fatsoenlijk mens was.' Papetti schudde zijn hoofd naar zijn advocaat om te voorkomen dat die iets zei. 'De mensen die hem voorgingen moesten we betalen; niet zo heel veel, maar we betaalden ze wel. Ze wilde geld uitsparen, dus begon ze die verhouding, en toen ze zeker wist dat Nava aan haar verslingerd was,' begon hij, en hij liet het aan de drie andere mannen in de kamer over om zich voor te stellen wat dat inhield, 'zei ze tegen hem dat ze zijn vrouw zou vertellen dat ze een affaire hadden als hij zijn manier van werken in het *macello* niet zou veranderen.'

'Hoe zou veranderen?' vroeg Brunetti.

'Als hij niet zou ophouden zo veel dieren als ongezond af te keuren.'

'Waarom zou ze dat willen?' vroeg Brunetti, zich ervan bewust dat Torineses hoofd heen en weer ging alsof hij naar een tenniswedstrijd zat te kijken.

'Omdat ze betaald werd...' begon Papetti, maar na een felle blik van Brunetti verbeterde hij zichzelf: 'Omdat zij en ik betaald werden door de boeren om ervoor te zorgen dat de meeste dieren die voor de slacht werden binnengebracht ook geaccepteerd werden.'

Geen van de anderen zei iets, ze wachtten alle drie af hoeveel hij nog meer zou onthullen. 'Daar was een bepaalde hoeveelheid geld mee gemoeid.' Voor iemand iets kon vragen, zei hij: 'Een hoop geld.'

'Hoeveel kregen jullie?' vroeg Brunetti met zachte stem.

'Vijfentwintig procent,' zei Papetti.

'Van?'

'Van de prijs die de boeren kregen als de zieke dieren niet werden afgekeurd en geslacht mochten worden.'

Hoewel Torinese het probeerde te verbergen, kon Brunetti zien dat hij geschrokken was, misschien zelfs meer dan dat.

'Die dieren, dottor Papetti, de dieren die dottor Nava afkeurde, wat voor soort ziekten hadden die?'

Papetti antwoordde ontwijkend: 'De gebruikelijke.'

Met een stem die opeens schor was geworden, vroeg Torinese: 'Welke?'

'Tbc, spijsverteringsproblemen, kanker, virussen, wormen. De ziekten die dieren zoal kunnen hebben. Sommige zagen eruit alsof ze besmet voer te eten hadden gekregen.'

'En wat gebeurde daarmee?' vroeg Torinese bijna alsof hij niet anders kon.

'Die werden geslacht,' zei Papetti.

'En daarna?' Weer was het zijn advocaat die de vraag stelde.

'Werden ze gebruikt.'

'Als?'

'Vlees.'

Torinese keek zijn cliënt een hele tijd aan en wendde zich toen van hem af.

'En signorina Borelli en u verdienden daar goed aan?' vroeg Brunetti.

Papetti knikte.

'U moet uw antwoord uitspreken, dottore,' liet Brunetti hem weten. 'Anders komt het niet in het transcript.'

'Ja.'

'Besloot dottor Nava er inderdaad mee op te houden de dieren af te keuren?'

Het duurde enige tijd, maar uiteindelijk zei Papetti: 'Nee.'

'Heeft u met signorina Borelli de financiële gevolgen van zijn weigering besproken?'

'Ja.'

'En wat besloot u te doen?'

Papetti dacht even na voordat hij antwoord gaf. 'Ik wilde hem ontslaan. Maar Giulia – ik bedoel signorina Borelli – wilde het eerst met dreigen proberen. Wat ik al zei: ze was een verhouding met hem begonnen om zich in te dekken voor als hij niet zou meewerken, dus ze dreigde het zijn vrouw te vertellen.'

'Wat gebeurde er toen?' vroeg Brunetti.

Papetti rolde met zijn ogen, alsof hij het gedrag van een gek nabootste. 'Hij vertelde het aan zijn vrouw. Althans, dat zei hij tegen Giulia: dat hij naar huis was gegaan en haar over zijn verhouding had verteld.'

'En wat deed die vrouw toen?' vroeg Brunetti, alsof hij helemaal niets van de kwestie wist.

'Die zei dat hij kon vertrekken,' zei Papetti, op de toon die je gebruikt als je vertelt over tekenen en voorboden, wonderen en mirakels.

'En toen?'

'Toen is hij gegaan. En die vrouw heeft meteen een scheiding van tafel en bed aangevraagd.' Niet in staat zijn verbijstering te verbergen, zei hij: 'Vanwege een affaire.'

'En u en signorina Borelli waren natuurlijk bang dat dottor Nava iemand zou vertellen wat er gaande was,' zei Brunetti kalm, alsof het de normaalste zaak van de wereld betrof.

Papetti tuitte zijn lippen en wreef erover, op zoek naar de juiste manier om het te zeggen. 'Ik had niet het idee dat ik veel risico liep,' bekende hij ten slotte.

'Vanwege de connecties van uw schoonvader?' vroeg Brunetti. Torinese was terug, en keek weer naar de wedstrijd.

Papetti hief zijn handen op en liet ze weer op zijn dijen vallen. 'Dat zeg ik liever niet. Maar ik hoefde me geen zorgen te maken, niet echt.'

'Over een onderzoek?'

Papetti knikte.

'Beschermd door iemand die zich bezighield met de volksgezondheid?' vroeg Brunetti.

Papetti's grimas was gespannen. 'Dat zeg ik liever niet.'

'Deelde signorina Borelli uw gerustheid omtrent een eventueel onderzoek?'

Papetti dacht een hele tijd na, en Brunetti zag het moment waarop hij besefte wat er te winnen viel. 'Nee,' zei hij.

Voor Brunetti een volgende vraag kon formuleren, ging Papetti verder: 'Ze was boos – ik denk dat ik wel mag zeggen heel erg boos – over het verlies.'

'Verlies?' vroeg Torinese vanaf de zijlijn.

'Aan geld,' zei Papetti ongeduldig. 'Dat is het enige wat haar interesseert. Geld verdienen. Dus zolang Nava daar was, verloor ze elke maand een hoop geld.'

'Hoeveel?' vroeg Brunetti.

'Om en nabij de tweeduizend euro. Het hing ervan af hoeveel dieren er binnengebracht werden.'

'En daar had ze moeite mee?'

Papetti ging zelfs wat rechter zitten voordat hij zei: 'Daar zouden de meeste mensen moeite mee hebben, denkt u niet?'

'Natuurlijk,' gaf Brunetti toe, gecorrigeerd door de berisping, en hij vroeg vervolgens: 'Wat heeft u toen samen afgesproken?'

'Ze zei dat ze nog één keer met hem wilde proberen te praten. Misschien kon ze hem overhalen ontslag te nemen. Of vragen of hij een deel van de inspecties door Bianchi wilde laten doen.'

'Hij wist wat er gaande was, die Bianchi?' vroeg Brunetti, alsof hij daar twijfels over had gehad.

'Natuurlijk,' antwoordde Papetti meteen.

'En daarmee was de zaak af? Dat zij dat aan hem zou vragen?'

'Ja.'

'En ging er iets van dit alles door u heen toen ze u om twaalf uur 's nachts belde en zei dat ze u wilde spreken?'

Papetti haalde zijn schouders op. 'Ja, waarschijnlijk wel. Maar ik had nooit gedacht dat ze zoiets zou doen.'

'Wat voor iets, signor Papetti?' wilde Brunetti weten.

Het enige wat Papetti kon doen was zijn schouders ophalen.

32

Nou, dacht Brunetti, daar zitten we dan. Wij met z'n tweeën en zij met z'n tweeën, en alles is duidelijk, in ieder geval duidelijk voor iedereen die het wil begrijpen. Hij keek naar Torinese; de advocaat was weer verdiept in zijn handen, een teken dat hij nu een beter idee had van de betrokkenheid van zijn cliënt bij het verhaal van dottor Andrea Nava. Brunetti zette allebei de recorders uit en Papetti noch Torinese maakte bezwaar.

De stilte breidde zich uit; elk volgende moment maakte het moeilijker haar te verbreken. Brunetti besloot te kijken waar het toe leidde. Vianello, zag hij, hield zijn hoofd gebogen en zijn blik op zijn notities gericht. Torinese bleef zijn handen bestuderen, en Papetti keek naar zijn advocaat en vervolgens, zo leek het, naar de poten van Brunetti's bureau.

Na een eeuwigheid schraapte Papetti zijn keel en zei: 'Commissario, u sprak daarstraks uw bezorgdheid uit over mijn schoonvader.' Klonk zijn stem wat onvaster bij dat laatste woord?

Brunetti keek hem aan, maar zei niets en wachtte af.

'Zou u iets duidelijker kunnen zijn over wat u bedoelt? In het bijzonder, bedoel ik?'

'Ik bedoel dat uw schoonvader, wanneer de informatie over signorina Borelli de pers bereikt, tot de overhaaste conclusie zou kunnen komen dat er meer dan alleen maar een gemeenschappelijk economisch belang tussen u beiden bestond.' Hij glimlachte – het soort glimlachje dat mannen gebruiken wanneer ze onder elkaar zijn, en over vrouwen praten. 'Ze is een heel aantrekkelijke jonge vrouw, en ze klinkt zeker alsof ze beschikbaar is.' Dat woord, dat normaal gesproken in een gesprek tussen mannen als een belofte zou klinken, trof Papetti nu als de bedreiging die het was.

Papetti schraapte nogmaals zijn keel. 'Maar ik heb nooit...' Hij glimlachte, alsof hij er opeens bij stilstond dat hij daar met andere mannen zat en dat er een bepaalde manier was om met elkaar te praten. 'Ik bedoel, het is niet zo dat ik niet wilde. Dat weet u ook wel. Zoals u al zei: ze is een aantrekkelijke vrouw. Maar ze is niet mijn type.' Zodra Papetti dat gezegd had, en op die manier, zag Brunetti de schaduw van zijn schoonvader over zijn gezicht vallen. Papetti voegde er gauw aan toe: 'Trouwens, het is wel duidelijk dat ze een hoop narigheid met zich meebrengt. Dat is ze niet waard.'

Ja, dacht Brunetti, dat heeft Nava aan den lijve ondervonden. Maar hij zei: 'Waar het mij om gaat, dottore, is niet zozeer wat wij hier in deze kamer ervan vinden,' en hij gebaarde naar de twee andere mannen, die geen van beiden opkeken, 'als wel dat uw schoonvader niet de verkeerde conclusie trekt.'

'Dat mag niet gebeuren,' verklaarde Papetti, maar het kwam er meer uit als een smeekbede dan als een bewering.

'Ik deel zonder meer uw bezorgdheid, dottore,' zei Brunetti op een toon van mannelijk medeleven. 'Maar de kranten, zoals we allemaal weten, schrijven wat ze willen en insinueren ook wat ze willen.' Vervolgens gaf hij toe aan de verleiding om Papetti te sarren. 'Uw schoonvader zou waarschijnlijk wel kunnen voorkomen dat die verhalen in de pers verschijnen,' begon hij, en hij zweeg even voor hij erop liet volgen: 'Maar het is misschien beter om helemaal geen vermoeden bij hem te laten opkomen.' De uitdrukking op Papetti's gezicht maakte dat Brunetti zich schaamde over wat hij aan het doen was. Wat zou de volgende stap zijn, hem in een kooi stoppen en met een stok porren?

Papetti schudde zijn hoofd en bleef het schudden terwijl hij nadacht over de mogelijke gevolgen van zijn schoonvaders verkeerde conclusie. Ten slotte, als een man die bekent om de pijn te doen ophouden, vroeg hij: 'Wat moet ik doen?'

Als de overwinning zo smaakte, kon die Brunetti niet bekoren, maar hij zei evengoed: 'In aanwezigheid van uw advocaat bevestigt en ondertekent u het transcript van alles wat u daarstraks heeft verteld over de manier waarop signorina Borelli en u de dierenartsen in het slachthuis hebben betaald om dieren gezond te verklaren die dat niet waren. En dat ze een verhouding is begonnen met dottor Andrea Nava in de hoop hem daarmee te kunnen overhalen dat ook doen.' Hij gaf Papetti de gelegenheid om te kennen te geven dat hij het had begrepen en zou meewerken, maar de man bleef roerloos zitten, met een wezenloze uitdrukking op zijn gezicht.

'U heeft ook verteld over signorina Borelli's dreigement om zijn vrouw van de affaire op de hoogte te brengen, en dottor Nava's reactie daarop.' Hij wachtte tot Papetti knikte en zei toen: 'Ik wil ook dat u met een handtekening bevestigt wat u heeft verteld over haar telefoontje aan u en hoe u haar heeft geholpen zich van het lichaam van dottor Nava te ontdoen.'

Brunetti zweeg en keek naar Papetti's advocaat, die net zo goed niet in het vertrek aanwezig had kunnen zijn, zo weinig aandacht schonk hij aan wat er om hem heen gebeurde. 'U ondertekent dit verslag, en uw advocaat ondertekent het als getuige.' Dat leek Brunetti duidelijk genoeg.

'En als ze beweert dat we een verhouding hadden?' vroeg Papetti met afgeknepen stem.

'Ik heb een verklaring die bevestigt wat u heeft gezegd over wat er gaande was in het slachthuis, en ook bevestigt dat signorina Borelli niet seksueel in u geïnteresseerd was,' zei Brunetti, en hij zag de verbluftheid op het gezicht van de twee mannen. 'Dus de kranten kunnen schrijven dat de politie die mogelijkheid uitsluit,' zei Brunetti. 'Want dat doen we.'

Alsof er iemand over zijn graf liep, hief Torinese zijn hoofd op en zei: 'Kunnen schrijven of zullen schrijven?'

'Zullen schrijven,' garandeerde Brunetti.

'Wat nog meer?' vroeg Torinese.

'Wat ik nog meer wil of wat ik nog meer geef?' vroeg Brunetti.

'Wil.'

Het enige wat Brunetti wilde was genoeg om Borelli te veroordelen voor de moord op dottor Nava. De rest – het zieke vlees, de corrupte dierenartsen, de boeren en hun besmette inkomsten – zou hij met alle liefde overdragen aan de carabinieri, die de NAS hadden voor dat soort dingen; die konden het beter aanpakken dan hij. En de jongens van Financiën mochten zich buigen over de illegale verdiensten.

'Ik wil haar,' zei hij.

Torinese wendde zich tot zijn cliënt en zei: 'En?'

Papetti knikte. 'Ik zal ze alles vertellen wat ze willen.'

Brunetti nam met de dubbelzinnigheid hiervan geen genoegen en zei meteen: 'Als u liegt, ten gunste van uzelf, of tegen haar, dan lever ik u uit aan uw schoonvader voordat u weet wat er gebeurt.'

Vianello keek op vanwege Brunetti's toon, de andere twee vanwege zijn woorden.

Torinese stond op. 'Is dat alles?' vroeg hij. Brunetti knikte. Hij keek Brunetti een tijdje aan en knikte toen zelf ook, een gebaar dat Brunetti niet goed wist te duiden.

'Als u met inspecteur Vianello mee naar beneden gaat,' zei Brunetti, 'dan brengt hij u de uitgeschreven verklaring zodra die klaar is. Als u die ondertekent, kunt u allebei gaan.'

Er klonk een hoop geschuifel van voeten, daarna geschraap van stoelpoten. Maar niemand zei iets en niemand gaf iemand een hand. Torinese stopte het opnameapparaat in zijn koffertje. De drie mannen verlieten de kamer. Brunetti deed de deur achter hen dicht, liep daarna terug naar zijn bureau en belde signorina Elettra om te vragen of ze Patta een arrestatiebevel voor signorina Giulia Borelli wilde laten regelen.

's Middags belde Bocchese om te zeggen dat het technisch team het grootste deel van de ochtend in het appartement aan de Rio del Malpaga was geweest. Er was niets verdachts gevonden in het appartement zelf, dat er volgens Bocchese uitzag als het soort woning dat per week aan toeristen werd verhuurd, maar in de hal op de begane grond, waar een houten deur toegang gaf tot het kanaal, hadden ze bloedsporen gevonden en op een van de treden die omlaagvoerden naar het water, liepen twee groeven in het wier waarmee hij bedekt was. Ja, antwoordde de technisch rechercheur, die sporen konden zijn veroorzaakt door de voeten van een lichaam dat de trap af was gesleept. De groeven werden onderzocht op sporen van wat misschien leer zou kunnen zijn; hij had dottor Nava's schoen al meegenomen uit de bewijzenkamer en als ze leersporen vonden die de getijbewegingen van de afgelopen dagen hadden overleefd, zou hij kijken of die overeenkwamen met de beschadigingen op de schoen.

Ze waren vlak voor de deur in het kanaal aan het dreggen en er was een duiker onderweg om verderop in het water rond te kijken. Verder nog iets?

Brunetti bedankte hem en hing op.

Het kwam geen moment in Brunetti op dat ze zou proberen te vluchten: ze zou misschien op de loop willen gaan voor het juridische gevaar, maar een vrouw als zij zou nooit haar bezittingen achterlaten. Ze had drie appartementen, bankrekeningen, had waarschijnlijk ook nog geld ergens anders ondergebracht; een vrouw die beheerst werd door hebzucht zou niet het risico nemen om dat allemaal kwijt te raken of de controle erover te verliezen. Waar kon ze naartoe? Er was geen indicatie dat ze een andere taal sprak, noch dat ze een ander paspoort had, dus ze kon niet zomaar wegglippen naar een ander land om een nieuw leven te beginnen. Ze zou blijven en proberen ermee weg te komen, ook al betekende dat dat ze een vermogen kwijt zou zijn aan een advocaat. Brunetti twijfelde er niet aan dat ze zou proberen Papetti bij de moord te betrekken. Maar Papetti's schoonvader, die ervan uitging dat het hier slechts om moord ging en niet om de veel gruwelijker misdaad van het verraden van zijn dochter, zou er vast niet voor terugschrikken om de allerbeste advocaten voor haar man in te huren.

Een halfuur later, toen Brunetti nog steeds bij het raam stond, ging de telefoon.

Het was Bocchese. 'We hebben een *telefonino* op de onderste tree gevonden, commissario. Die moet uit zijn zak zijn gevallen toen hij het water in ging. Iedereen had bij daglicht kunnen zien dat hij daar lag.'

Maar niet 's nachts, dacht Brunetti. 'Is hij van hem?' vroeg hij.

'Waarschijnlijk wel.'

'Doet hij het nog?'

'Natuurlijk niet. Die houdt er in het water meteen mee op,' zei Bocchese.

'Kun je er nog informatie uit krijgen die duidelijk maakt wanneer dat gebeurd is?'

'Nee,' zei Bocchese, die daarmee Brunetti's hoop de bodem insloeg op een nauwkeurig tijdsverloop van de gebeurtenissen in de nacht van de moord op Nava.

'Maar...' zei Bocchese op een toon die in Brunetti's oren bijna flirtend klonk.

'Maar wat?'

'Je begrijpt helemaal niets van dit soort dingen, hè?' zei Bocchese.

'Wat voor dingen?' reageerde Brunetti, terwijl hij zich afvroeg welke procedurele mogelijkheid hij over het hoofd had gezien.

'Alles.' Bocchese probeerde niet eens zijn wrevel te verbergen. 'Computers, *telefonini*. Alles.'

Brunetti weigerde antwoord te geven.

Op een wat meer tegemoetkomende toon zei Bocchese: 'Dan zal ik het je vertellen. Als zijn mobiel was aangesloten op een netwerk – en dat zijn mobiele telefoons, zelfs die van jou – dan zou die verbinding binnen drie minuten nadat het ding te water is geraakt verbroken moeten zijn.' Voor Brunetti de kans kreeg spijt te voelen over hoe dichtbij ze waren geweest, ging Bocchese verder: 'En het netwerk heeft de gegevens van alle inkomende en uitgaande gesprekken tot aan dat moment.' Hij liet Brunetti hier even over nadenken en vroeg toen: 'Heb je daar genoeg aan?'

Brunetti sloot zijn ogen, volgestroomd met dankbaarheid, maar zonder te weten waarop die te richten. 'Ja,' antwoordde hij. 'Bedankt.'

33

De dag nadat Giulia Borelli was gearresteerd voor de moord op dottor Andrea Nava, wiens *telefonino* ermee opgehouden was tien minuten voordat signorina Borelli had gebeld met Alessandro Papetti, die aan de andere kant van Venetië had gezeten toen hij opnam, reden Vianello en Brunetti naar Mestre om de begrafenis van dottor Nava bij te wonen. Omdat ze in de file hadden gestaan, kwamen Brunetti en Vianello pas een paar minuten voordat de mis begon bij de kerk aan. De chauffeur stopte een eindje ervandaan, waarna de twee mannen zich naar het gebouw spoedden en, gadegeslagen door de heiligen en engelen die op hen neerkeken, haastig de trap op liepen. Eenmaal binnen duurde het even voor hun ogen zich aan het zwakkere licht hadden aangepast. Voor in de kerk werd de kist net door zes mannen in donkere pakken op zijn houten onderstel voor het altaar neergezet.

Aan weerszijden van de kist stonden twee enorme kransen van rode en witte bloemen, allebei voorzien van een paars lint dat de naam van de gever en een passende wens droeg. De trap naar het altaar was bedekt met talloze boeketten lentebloemen in alle denkbare kleuren. Zo te zien waren er maar weinig met zorg door een bloemist samengesteld; het waren voor het merendeel eenvoudige boeketten met het soort weerbarstige bloemen dat in bermen groeit, en ze maakten een zelfgemaakte indruk: strikken niet netjes gestrikt, gewoon veldgras als achtergrond voor de kleurige bloemen.

Het was druk in de kerk en de twee mannen moesten plaatsnemen op de derde rij van achteren. De mensen daar schoven meteen opzij om plaats voor hen te maken, en een oude vrouw naast Brunetti glimlachte en knikte naar hen toen ze gingen zitten.

De priester verscheen door een deur aan de linkerkant, met achter zich twee in witte gewaden gehulde misdienettes en één misdienaar. Hij liep naar de kansel, schoof de lange witte mouwen van zijn superplie naar achteren en tikte een paar keer tegen de microfoon. Het *donk donk donk* galmde door de kerk. Hij was een vrij jonge man, met een volle baard en hier en daar wat grijs in zijn haar. Hij liet zijn blik over de verzamelde menigte gaan, hief beide handen op in een gebaar van verwelkoming of zegening, en begon.

'Dierbare broeders en zusters in Christus, dierbare vrienden en metgezellen, we zijn hier vandaag bijeen om afscheid te nemen van onze broeder Andrea, die voor velen van ons veel meer was dan een vriend. Hij was een genezer en een helper, iemand die ons troostte wanneer we bezorgd waren om onze vrienden, en die zich met veel liefde en toewijding over hen heeft ontfermd, en over ons, want hij wist dat wij allen kinderen zijn van dezelfde God, die Zich verheugt in de liefde die wij elkaar toedragen. Hij genas ons allen, hij maakte ons allen beter, hij hielp ons allen, en op de momenten dat zijn vermogens tekortschoten om onze vrienden te genezen, was het Andrea die ons vertelde wanneer het tijd was om onze vrienden bij te staan tijdens hun laatste reis, en die altijd bij ons bleef, opdat noch wij, noch zij alleen zouden zijn wanneer ze aan die tocht begonnen. En laten we hopen dat, zoals hij ons hielp het verdriet om hun heengaan te dragen, onze vrienden ons zullen helpen het verdriet om zijn heengaan te dragen.'

Brunetti wendde zijn blik van de priester af en begon de profielen en de achterhoofden van de mensen voor hem te bekijken.

Terwijl hij daarmee bezig was, en terwijl hij zijn aandacht liet wegdwalen van de stem van de priester, viel hem op hoe luidruchtig deze menigte was. Meestal was het in een kerk, hoe groot ook en hoeveel mensen er ook zaten, stil in de aanwezigheid van de dood, maar deze groep was rusteloos en maakte een hoop lawaai in de banken. Het nerveuze geschraap en geschuifel was in deze besloten ruimte maar al te duidelijk te horen.

En er moest iemand in de kerk zitten die probeerde niet te huilen: de gedempte, knorrende geluiden lieten daar geen twijfel over bestaan. Brunetti keek naar de mensen links van het middenpad en zag ergens vooraan iemand die een opgepropte trui over zijn schouder leek te hebben. Maar toen hij beter keek, zag hij dat het een grijze papegaai was, en vervolgens bespeurde hij, vier rijen naar achteren, een felgroene, die iets kleiner was. Alsof Brunetti's aandacht zijn aandacht getrokken had, opende de grijze zijn snavel en zei: 'Ciao, Laura,' en daarna, snel achter elkaar: 'Ciao, ciao, ciao.'

Toen de groene die stem hoorde, riep hij terug: 'Dammi schei,' bijna alsof hij geloofde dat de aanwezige Venetianen, die het konden verstaan, hem zouden gehoorzamen en geld zouden geven. Brunetti vond de aanwezigheid van de vogels verbazend, maar niet zo verbazend als het feit dat er onder al die mensen niemand was die het ook maar enigszins vreemd leek te vinden of die zich omdraaide om naar de papegaaien te kijken.

Hij hoorde een geluid ergens onder zich, en toen hij keek zag hij de zwarte poot van een grote hond over de vloer bewegen en slechts een paar centimeter van zijn eigen linkervoet tot rust komen. Aan de andere kant van het middenpad sprong een beagle op de bank, die zijn poten op de rugleuning van de bank voor hem legde en zich opzij boog, het gangpad in, om naar voren te kijken.

Hij keerde weer terug naar de stem van de priester, die nu zei: '... voorbeelden van de liefde en het vernuft van God, om ons deze prachtige metgezellen te geven en ons leven te verrijken met hun liefde. We worden ook verrijkt door de liefde die we voor hen voelen, want hen lief te kunnen hebben is een groot geschenk, zoals ook de liefde die zij voor ons hebben een geschenk is dat uiteindelijk van God komt, de bron van alle liefde. En laat ons allen dus, voordat we beginnen met de ceremonie die onze broeder Andrea zal helpen zijn thuisreis naar God aan te vangen, het teken van vrede uitwisselen, niet alleen met elkaar, maar ook met de patiënten waar hij voor zorgde, die hier vandaag naartoe gekomen zijn om mee te doen terwijl wij bidden voor de ziel van onze broeder Andrea. Ook zij willen een laatste afscheidsgroet brengen aan de vriend die zich zo lang en met zo veel vriendelijkheid en liefde over hen heeft ontfermd.'

De priester verliet de kansel en liep voor het altaar naar beneden, met de misdienaars vlak achter hem. Hij bukte zich om een vrouw op de eerste rij een kus te geven en aaide de kop van de kat die ze op haar schouder had. Daarna hurkte hij neer om zijn hand over het oor van een enorme zwarte Deense dog te halen, die overeind krabbelde zodra hij die hand voelde en opeens met zijn kop boven het hoofd van de priester uitstak. Het geluid van zijn staart die tegen de zijkant van de bank sloeg, galmde door de kerk. De priester ging weer staan en begaf zich naar de andere kant van de rij, waar hij Nava's weduwe omhelsde en zich vervolgens bukte om een kus te drukken op het opgeheven gezicht van Teo. Alsof hij werd opgeroepen door de zichtbare behoefte van de jongen liep ook de Deense dog naar de andere kant van de rij en leunde tegen Teo aan, die een arm om de schouders van de hond sloeg en zijn hoofd tegen de zwarte nek legde.

De priester omhelsde nog wat mensen en aaide nog wat oren en liep toen terug naar het altaar om met de mis te beginnen. Het was een statig gebeuren, met alleen de stem van de priester en de antwoorden van de gelovigen die te horen waren: geen muziek en geen gezang. De groene papegaai bleef op de schouder van zijn eigenaar zitten toen de man naar voren kwam voor de communie, en de priester leek daar geen enkel bezwaar tegen te hebben. Brunetti bad het onzevader mee en was blij de hand te kunnen schudden van de oude vrouw en van Vianello aan de andere kant.

Er werd pas gezongen toen de mis afgelopen was en de priester om de kist heen was gelopen, zwaaiend met het wierookvat en sprenkelend met de wijwaterkwast. Toen hij was teruggekeerd naar het altaar keek hij omhoog naar het koor en hief één hand op. Op dat teken begon het orgel zachtjes een melodie te spelen die Brunetti niet herkende en ook op geen enkele manier treurig vond. De organist had nog maar een paar noten gespeeld toen er helemaal vooraan een gekweld geluid losbarstte, een gehuil zo vol pijn en verdriet dat het bijna ondraaglijk was. Het steeg hoger dan de tonen van het orgel, alsof het de organist eraan wilde herinneren waarom ze daar met zijn allen waren: niet om naar mooie muziek te luisteren, maar om uiting te geven aan de smart van het verlies.

Van dezelfde plek kwam het geluid van een mannenstem die op scherpe toon zei: 'Artù, hou op,' en Brunetti, die lang genoeg was om over de hoofden van de mensen heen te kunnen kijken, zag hoe een mooie man in een donker pak zich bukte en weer overeind kwam met in zijn armen een nog mooiere goudbruine teckel, die de moed en de liefde had gehad om uiting te geven aan het verdriet – door zovelen van de aanwezigen gevoeld – om het verlies van hun goede en zachtaardige vriend.

Alsof hij accepteerde dat de hond zuiverder uitdrukking had gegeven aan de gevoelens van de aanwezigen hield de organist op met spelen, waarna de priester de trap weer af liep en voor de kist ging staan. De zes donker geklede mannen keerden terug van hun plaats achter in de kerk en namen de kist op hun schouders. In een plechtige stilte liepen ze achter de priester aan en droegen hun innig beminde broeder Andrea weg van zijn laatste bezoek aan de patiënten die zoveel van hem hielden. Ze volgden in zijn kielzog: oude dames die hun kat in een mandje meedroegen, de jongeman van de dierenkliniek met het konijn met één oor in zijn armen, de Deense dog, Teo die naast hem liep met zijn arm om zijn schouders, de hond die Brunetti nu herkende als Artù.

Buiten dromden de mensen samen op de trappen, met dieren in hun armen of aan de lijn, terwijl de mannen de kist naar beneden droegen en achter in de lijkwagen schoven. Signora Doni en Teo bleven even bij het portier van de auto staan wachten, terwijl een lange man naar hen toe kwam en een riem aan de halsband van de Deense dog bevestigde.

Teo gaf de hond een kus op zijn kop en stapte in. Zijn moeder volgde zijn voorbeeld. Er stapten ook andere mensen in auto's, waarvan Brunetti, in zijn haast om de kerk binnen te komen, niet gezien had dat ze er geparkeerd stonden. De beagle kwam de kerk uit en bleef onder aan de trap vlak voor Artù staan; ze gingen de confrontatie met elkaar aan, staart omhoog en lijf gespannen. Maar alsof ze zich bewust waren van de situatie waarin ze zich bevonden, begonnen ze geen van beide te blaffen. Ze namen er genoegen mee elkaar grondig te besnuffelen en gingen toen rustig en gemoedelijk naast elkaar zitten.

De achterdeuren van de lijkwagen gingen dicht, niet met een klap, maar zeker ook niet geruisloos. De motor startte, daarna klonk het aanslaan van de motoren van de andere auto's. De wagen reed langzaam weg van de stoeprand, waarna de auto's van dottor Nava's familieleden en patiënten volgden. Brunetti zag dat de auto's bijna allemaal licht van kleur waren: grijs en wit en rood. Er was er niet een zwart. Hoewel Brunetti dat feit op de een of andere manier geruststellend vond, was het de aanblik van de groene papegaai op de schouder van zijn eigenaar, die arm in arm met een vrouw de straat uit liep, waardoor zijn hart pas echt opsprong en zijn sombere begrafenisstemming verdween.